イラストでイメージする

小児の心エコー

第2版

広島市立広島市民病院 循環器小児科 元主任部長
たかの橋中央病院 小児循環器内科
鎌田政博

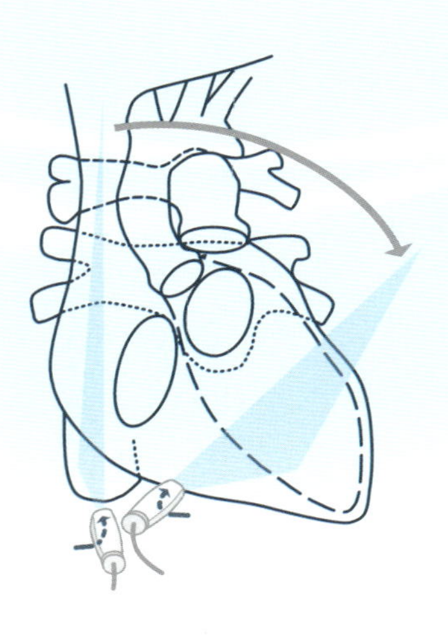

総合医学社

第２版の序

初版が出版されて，早 5 年が過ぎた．その間に私も広島市民病院を定年退職となり，たかの橋中央病院に新しく外来を開設していただいた．入院や緊急の患者は市民病院にお願いしており，市民病院の外来を別院に移した形であるが，心エコー検査も所見書きも自分で行うようになっている．患者数増加に伴い忙しくなってきたが，患者サイドの理解が深まるように，年長患者やご家族には何を見ているか説明しながら心エコー検査を行っている．

小児循環器の専門医を目指すためには，それぞれの疾患についての知見・情報を暗記するだけでなく，病態を理解することが重要である．その点，心エコー検査はまず精通しておかなければならない検査であろう．最近は動画を閲覧できるテキストも増えてきたが，検査の POINT は，イラストで示した方が理解し易い場合も少なくない．本書の特徴に関しては，初版の序で記載したとおりである．私自身まだ臨時職員として広島市民病院にも週 1 回通っている．若い医師に接する機会は続いており，本書を用いて説明したり，自分自身で再確認したりするにあたり，もう少し詳しく記載しておきたい内容，訂正すべき内容にも気づかされた．また初版になかった胎児心エコー検査や成人期の問題に関しても，POINT を抽出して記載した．

医学は日々進歩しており，医師個人の知識や経験もどんどん積み重ねられていかなければならない．さらなる情報については，余白や付箋に書き込んで，個人個人の『イラストでイメージする小児の心エコー』を作成していただければありがたい．読者の診断・臨床能力の向上を楽しみにして，第２版の序とさせていただきたい．

2022 年 9 月

たかの橋中央病院　循環器小児内科
（広島市民病院　循環器小児科）

鎌田 政博

初版の序

循環器小児科医を目指して早35年が過ぎた．その間，岡山大学，広島市民病院，メルボルンの王立小児病院において，さまざまな症例に出会い，多くの経験を重ねてきた．循環器小児科医にとって，心エコー検査の目的は，ファロー四徴，完全大血管転位，単心室などと，疾患の病名を付けることでは決してない．「病態を把握し，いつどのような手術を行うのか，その際どのような点に留意すべきか」，心臓血管外科とディスカッションし，治療方針を立てるための情報を収集することが目的である．

これまでも和文，英文を問わず，先天性心疾患のエコー診断に関する良書が出版されてきた．私自身がその読者であり，多くの書籍に育ててもらったが，本書を書き下ろすにあたっては，以下の特徴を持たせてみた．

① ポイントを掴みやすいようにイラストを多用し（写真よりも図のほうが理解しやすいことは少なくない），チェックリストについて記載した．
② 知識を整理しやすいように，ページごとに項目を設定した．
③ インフォームドコンセントに役立つように，疫学，治療法についても概説した．
④ 主要疾患に関しては，手術方法のみならず，術後のエコー診断のポイントについても記載した．

さらに詳しい情報について知りたい場合，疫学に関しては『The Natural and Unnatural History of Congenital Heart Disease』(Hoffman JIE, 2009, Wiley-Blackwell, West Sussex)，心エコーの情報に関しては『Echocardiography in Pediatric and Adult Congenital Heart Disease（Eidem BW et al, 2nd ed, 2015, Wolters Kluwer health,Philadelphia）を読破していただくことをお勧めしたい．

本書が循環器疾患の診断治療に携わる小児科医の一助となり，小児循環器専門医を目指す若い医師のモチベーションを高め，ひいては心臓病をもつ子どもたちのより良い生活につながることを期待して，またこれまでハードな日々を共にしてくれた数々の同僚，そして家族に感謝して筆をおく．

2017 年 3 月
鎌田 政博

目　次

総　論　1

各論Ⅰ：先天性疾患 67

主要略語一覧

# 1	segment 1（冠動脈）
AAo	上行大動脈
Ao	大動脈
AoA	大動脈弓
AoD	大動脈径
AoV	大動脈弁
AR	大動脈弁逆流
AS	大動脈弁狭窄
ASD	心房中隔欠損
AV	大動脈弁
AzV	奇静脈
CoA	大動脈縮窄
CS	冠状静脈洞
DA	動脈管
DAo	下行大動脈
FO	卵円孔
HAzV	半奇静脈
HV	肝静脈
IAA	大動脈弓離断
InnA	無名動脈（=BCA：腕頭動脈）
InnV	無名静脈
IVC	下大静脈
IVS	心室中隔
LA	左房
LAD	左前下行枝
LCA	左冠動脈
LCC	左冠尖
LCx	左回旋枝
LLPV	左下肺静脈
LMT	左冠動脈主幹部
LPA	左肺動脈
LSVC	左上大静脈
Lt/Rt	左/右
LUPV	左上肺静脈
LV	左室
LVPW	左室後壁
MPA	主肺動脈
MR	僧帽弁逆流
MS	僧帽弁狭窄
MV	僧帽弁
PA	肺動脈
PDA	動脈管開存
PFO	卵円孔開存
PR	肺動脈弁逆流
PS	肺動脈狭窄
PV	肺静脈
PVa	肺動脈弁
RA	右房
RCA	右冠動脈
RCC	右冠尖
RLPV	右下肺静脈
RPA	右肺動脈
RUPV	右上肺静脈
RV	右室
RVOT	右室流出路
SCA	鎖骨下動脈
SubAS	大動脈弁下狭窄
SupAS	大動脈弁上狭窄
SVC	上大静脈
TR	三尖弁逆流
TS	三尖弁狭窄
TV	三尖弁
VSD	心室中隔欠損

総　論

心エコー検査の準備（安静の保持）

1. 自然睡眠

- 新生児期早期は自然睡眠で検査する．他の年齢層では，哺乳後，食事後に行う．入眠して後5～10分くらいで検査を開始するのがよいが，しばしば目覚めるため，下記薬剤の投与が必要になる．眠る前に肌着の前（ひも）をはずしておく．

2. 薬剤による睡眠

- トリクロリール®シロップ：0.8～1.0 mL/kg
- 抱水クロラール（エスクレ®）坐剤：
  5 kg前後250 mg，10 kg前後500 mg（30～50 mg/kg）
- ワコビタール®坐剤：4～7 mg/kg

3. 覚醒のまま検査

- DVDを観ながら：年齢に応じてアンパンマン，ドラえもんなどを用意しておく．安静を保持しがたい年齢ではアンパンマンの人気が高い（男女を問わず）．診察室に入ってくる前にビデオを付けておく．特に歌の部分が良い．
- 母と離すと泣く場合，抱かれた状態で検査することもあるが，姿勢によって計測値はやや変化する可能性がある．

4. その他の注意：せっかく入眠した児を起こさない

- プローブは患児の身体に優しく当てる．
- 冷たい手で患児を触らない．
- エコーゼリーはウオーマーで必ず温めておく．
- 特に眠りが浅い児の検査では，あらかじめ前開きの服にして，前を開けたうえでタオルを掛けておく．
- 術後例では，プローブを当てる位置にあるテープ，ガーゼ類は眠らせる前にはがしておき，清潔なエコーゼリーを使用する．
- 剣状突起下，胸骨上窩からの検査は覚醒しやすいため，最後に行うのが原則.

- 検査中，体位変換に際して児に触れなくてよいようにベッドメイクを工夫する.
- 二重に折ったバスタオルを２～３枚重ねておく（下図A）．左側臥位にするとき，児に触れないようにバスタオルの手前側を持ち，適度な傾きができるまでバスタオルを巻き込んでゆく（下図B）.

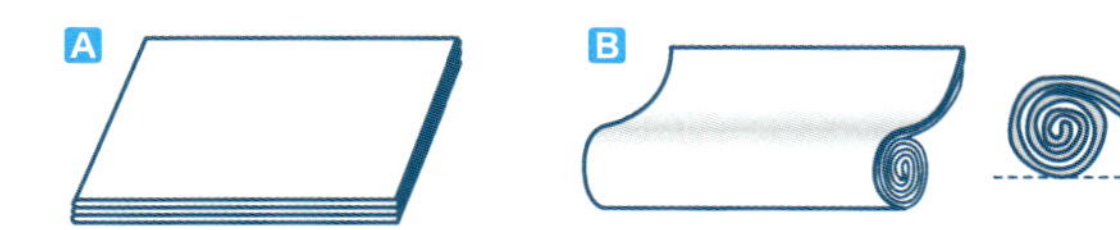

- 頭部を後屈させたいとき，首の下のバスタオルを摘み上げ屈曲させる.

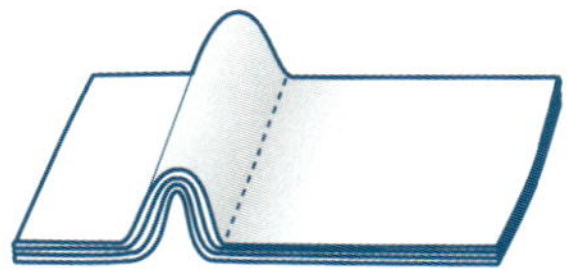

心臓各部位の位置関係

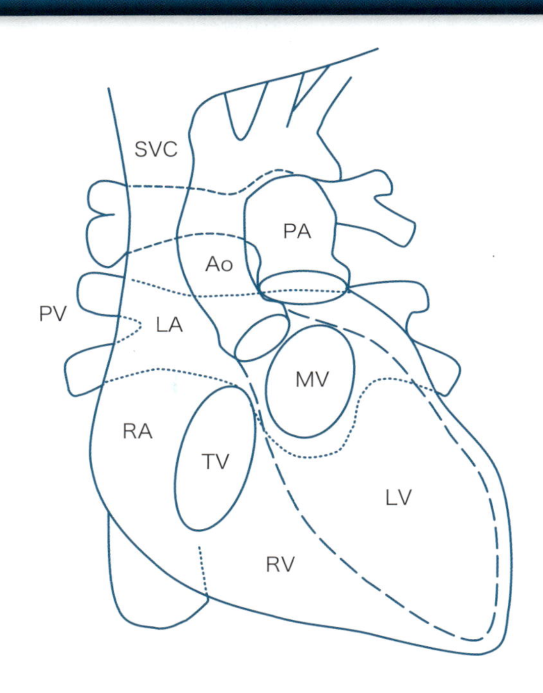

- 心臓は理科の教科書のように，心室中隔を中央に左右心室が配置された形で体内に位置しているわけではない．これは CT 検査断面を参考にすると理解しやすい．

45 度の法則

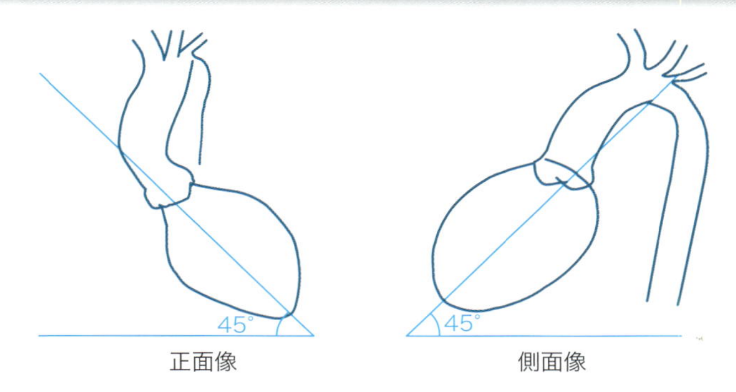

正面像　側面像

- 水平位，垂直位など個人差はあるが，左室は体軸の正面像，側面像，水平断面像に対して，およそ 45 度の角度で位置している．
- 心エコーをとる際にも，このことを頭に入れておくと，適切なプローブ角度を設定しやすい．

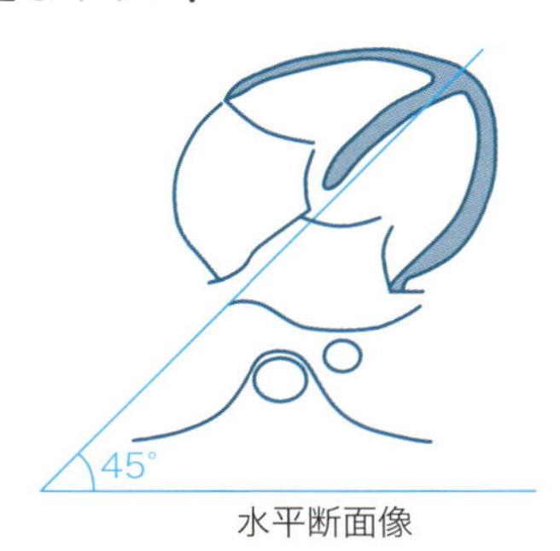

水平断面像

超音波プローブの持ち方

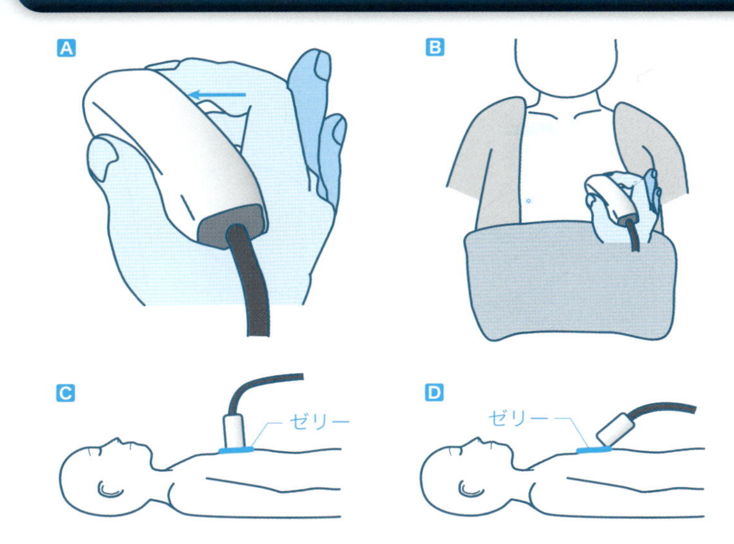

- 超音波プローブ（以下プローブ）先端に力が加わらないように第4，5指を体にあてて軽く支える（A）．プローブには四腔断面を描出する際に患者の左側，長軸断面を描出する際に患者の頭側に位置する面にマーカーがついている（A矢印側）．
- 肌着の前を観察に十分なだけ開けておく．できるだけ乳児の肌に直接手が接しないように腹部から胸部下方にかけてタオルを1枚被せておく（B）．
- プローブからのビームを有効に送受信できるように，エコーゼリーをうまく使用する．心臓の水平断面を観察する場合（C），プローブの送受信面は有効に体表面に接している．しかし，四腔断面では体表面に有効に接触している部分は限られている（D）．エコーゼリーで体とプローブの間を満たす必要がある．

きれいな画像をつくるには

体格，目的に合わせた適切なプローブの選択

特　徴	周波数が大きい	周波数が小さい
波　長	短　い	長　い
画像の細かさ	細かい	粗（あらい）
観察深度	浅　い	深　い
ドップラ像の強さ	弱　い	強　い
対　象	新生児，乳児	年長児，成人

一般的に周波数の大きいプローブの方がサイズは小さい．

- 適切な姿勢・体位で検査する：左側臥位など．
  右冠動脈の描出には右側臥位．
- 年長児では必要に応じて息止め．
- 観察したい構造に対して，垂直にエコービームが当たるように断面を選択．
- 適切な部位から観察．
  気胸の際など，剣状突起下からの断面で評価する．

心エコーを用いての評価：距離・空間分解能

1. 距離分解能

- 超音波ビーム方向の分解能を意味する．
- パルス幅：通常波長の 2 倍程度．
- 振動子の中心周波数が大きいとパルス幅は短く分解能は良い．

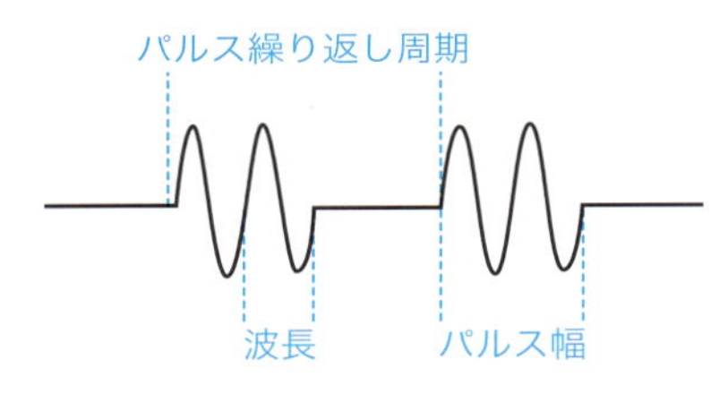

- 周波数が大きいとパルス幅は短く，A, B 点を別の点として描出可能．
- 周波数が小さいとパルス幅は長く，A, B 点を区別できない．

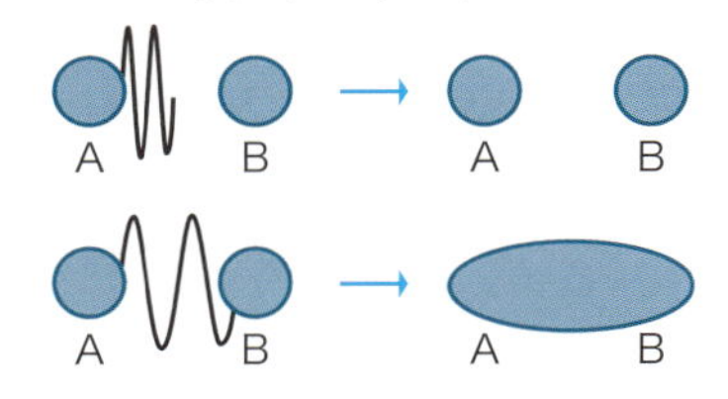

2. 超音波プローブの周波数と空間分解能

- 生体内での音速 ＝ 1540 m/s
- 周波数 5 MHz の場合：

  $5\ \text{MHz} = 5 \times 10^6\ \text{Hz}$

  音波の波長 $= 1540 \times 10^3(\text{mm}) \div (5 \times 10^6) \fallingdotseq 0.3\ \text{mm}$

  距離分解能は波長の 2 倍であり，

  距離分解能 ＝ 波長(0.3 mm) × 2 ＝ 0.6 mm
- 距離分解能は同様に……

  10 MHz の場合 0.3 mm，2.5 MHz の場合 1.2 mm となる．

重要断面 1
四腔断面，長軸断面，短軸断面

以下，重要断面の描出方法については，p13 ～ 16 重要断面の出し方を参照.

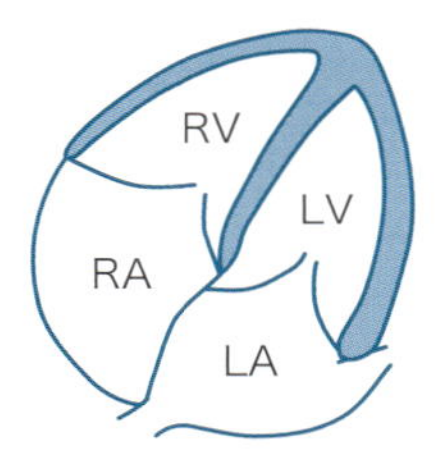

四腔断面

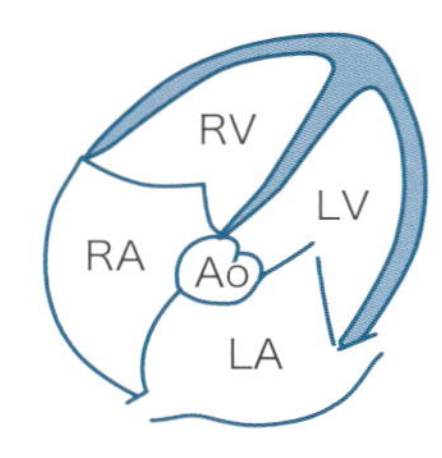

五腔断面

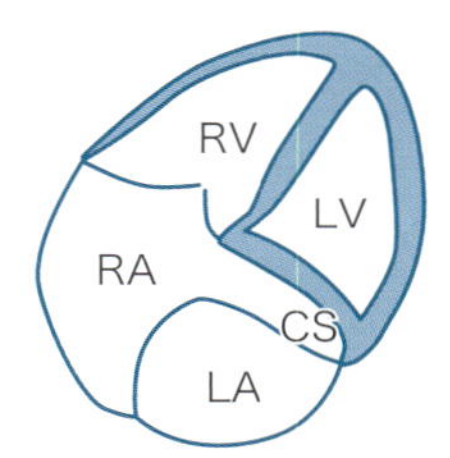

冠状静脈洞観察断面

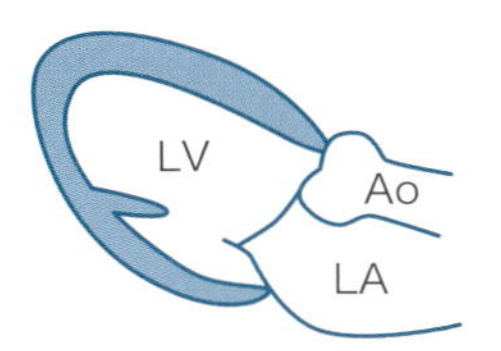

左室長軸断面

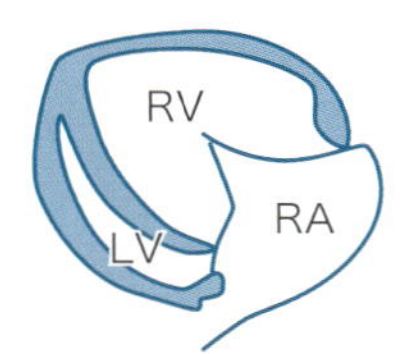

右室長軸断面

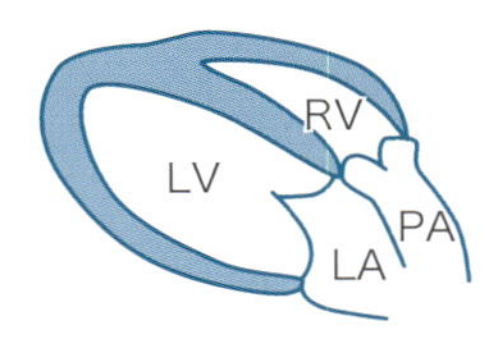

右室流出路断面

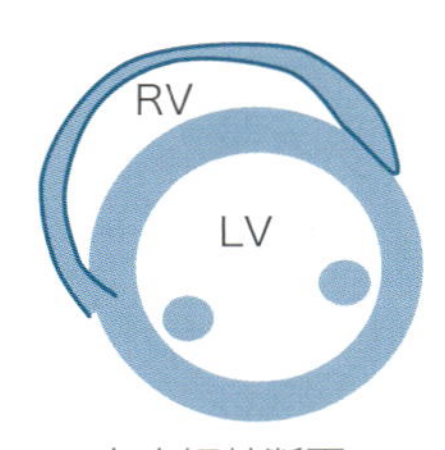

左室短軸断面

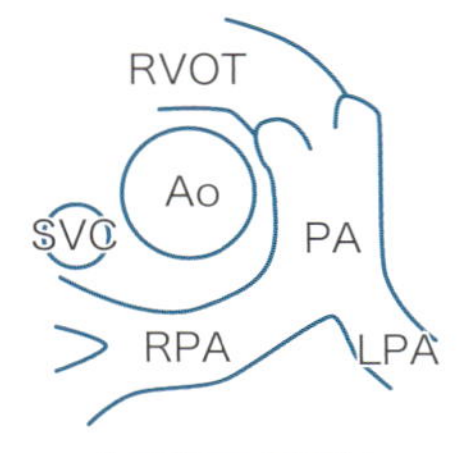

大動脈基部短軸
肺動脈長軸断面

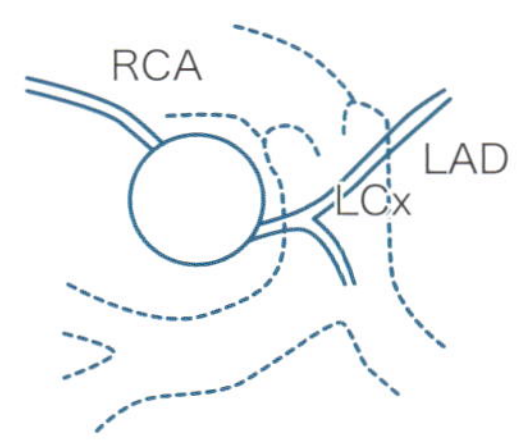

大動脈基部短軸
冠動脈観察断面

重要断面 2
大動脈弓断面，体軸水平断面，他

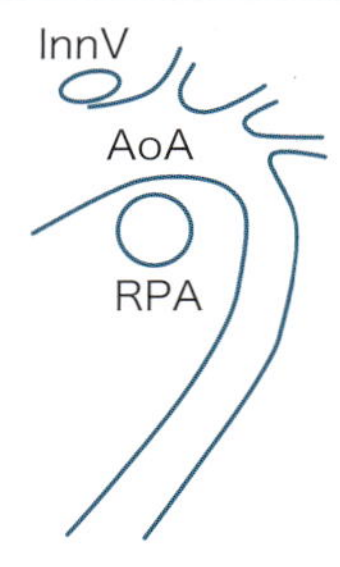

大動脈弓断面

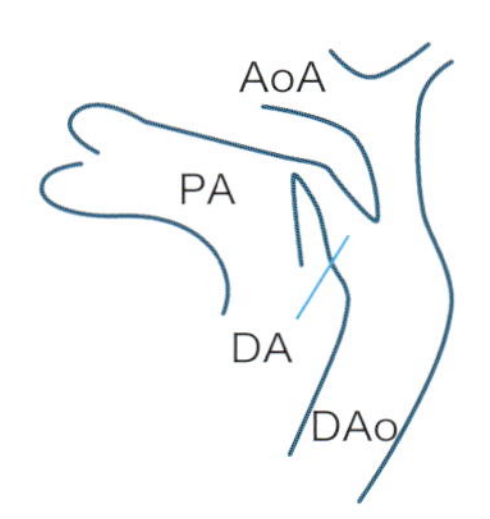

動脈管断面（ductal view）

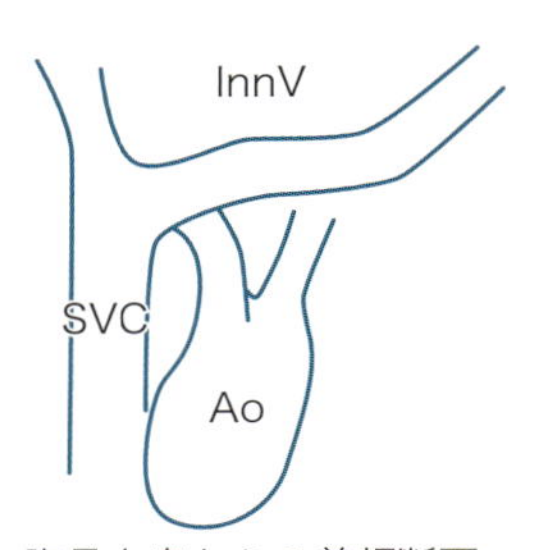

胸骨上窩からの前額断面

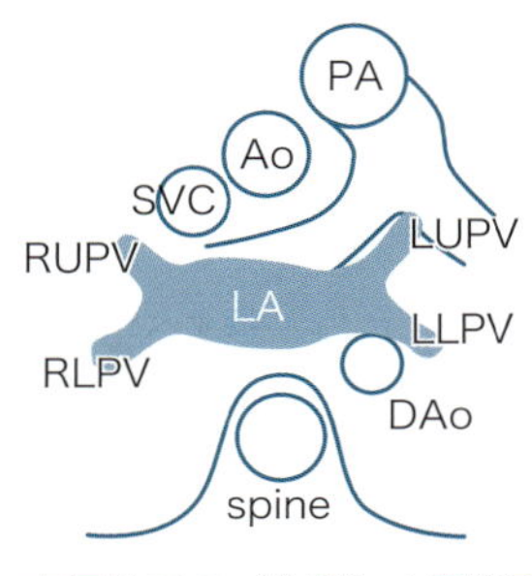

左房位での（体軸）水平断面

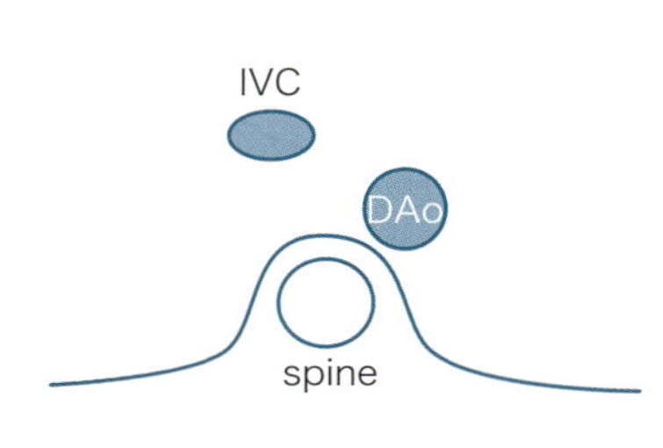

季肋下体軸水平断面

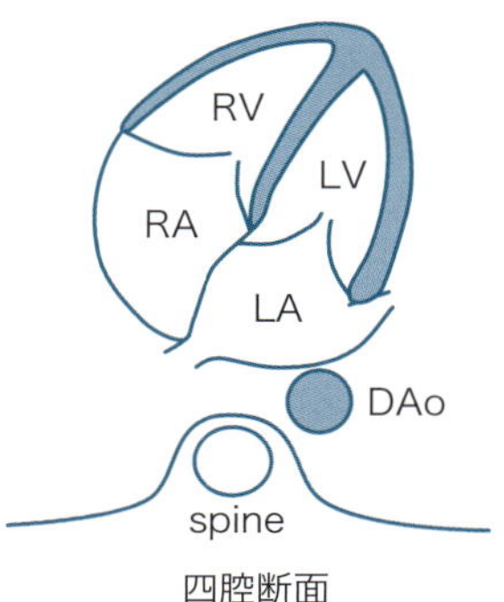

四腔断面
（下行大動脈に注目して）

RUPV：右上肺静脈，RLPV：右下肺静脈
LUPV：左上肺静脈，LLPV：左下肺静脈

重要断面 3

剣状突起下からの矢状断面

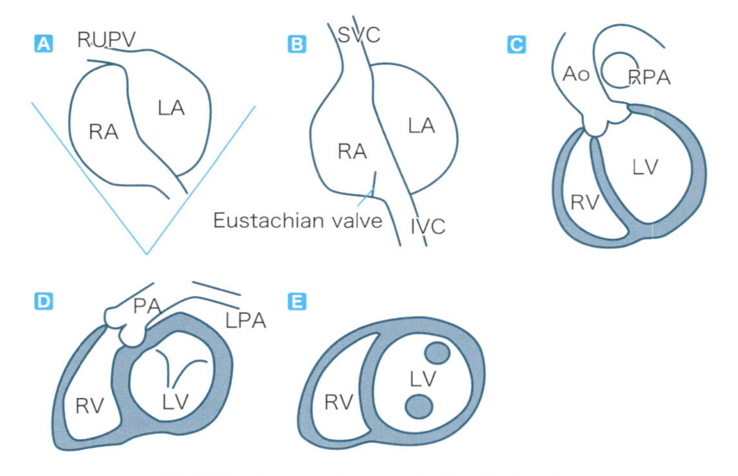

A～Eすべて upside down 画像で描出する．

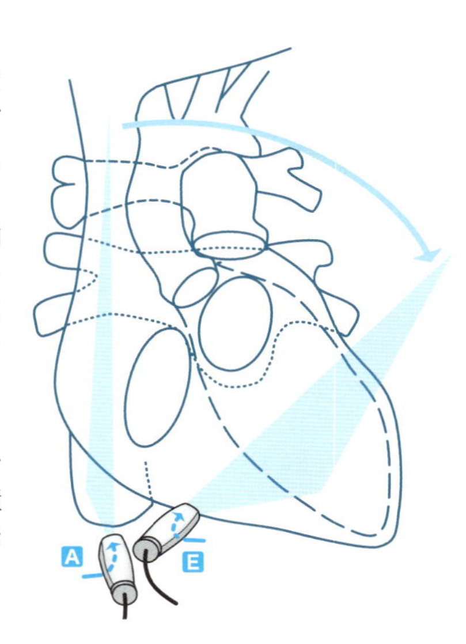

- 肋骨弓下（季肋下）から右図のAからEの方向にプローブを回転させると，上図AからEに該当する画像が得られる．なお，プローブは通常の長軸を描出するのとは逆にプローブのマーク（矢印）を下側に向け，画像は upside down に替えておく．
- 図中の矢印の頭はプローブのマーカー（体軸の長軸断面で頭側，水平断面で左側に位置するマーカー；☞ p6）側を示す．

重要断面 4

剣状突起下からの前額断面

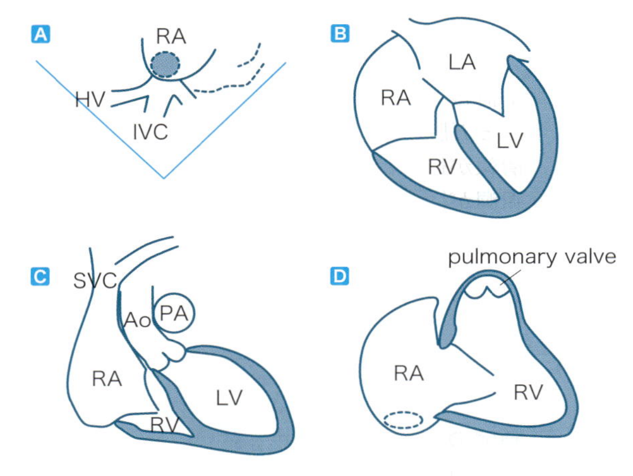

A～D はすべて upside down 画像で描出する．

- 季肋下（剣状突起下）で体軸水平断面（上図A）から，エコービームを次第に頭側に傾けていくと，図AからDに向けての画像が得られる（右図）．
- 図中の濃い青の矢印はプローブのマーカー側を示す（☞ p6）．

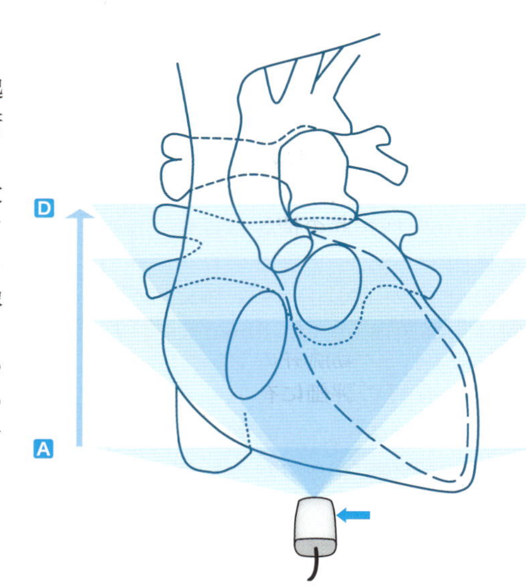

重要断面の出し方 1

四腔断面，長軸断面，短軸断面

1. 四腔断面（☞ p9）

- 基本となる断面で情報量も多い．プローブをやや頭側に向けると五腔断面となり，左室流出路，大動脈の情報が得られる．やや尾側に向けると冠状静脈洞が観察できる．

- 左右心室の同定（off-setting）
- 左右心室のバランス
- 房室弁逆流・狭窄
- 心房・心室中隔の異常
- 左房への肺静脈還流
- 胸部下行大動脈の走行（脊椎に対する下行側）（☞ p274）

などをチェックする．

2. 長軸断面（☞ p9）

- 45 度の法則を頭においてプローブの向きを設定する（☞ p5）．
- 大動脈弁，僧帽弁の情報が得られやすい．プローブの向きをやや左側に傾けると，右室流出路〜肺動脈が観察される．

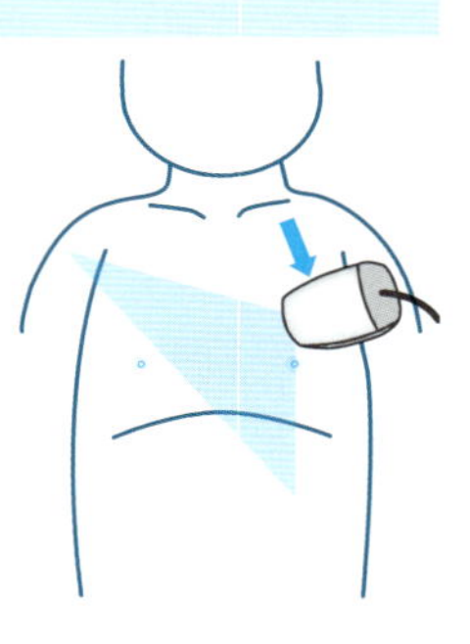

- 僧帽弁，大動脈弁の異常
- 心室中隔の評価に有用

- 図中の矢印はプローブのマーカー側を示す（☞ p6）．

3. 短軸断面（☞ p9）

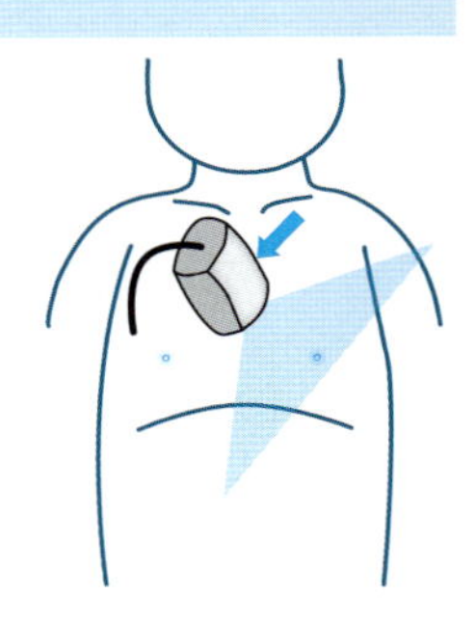

- 同じく 45 度の法則を頭においてプローブの向きを設定する．プローブで右頭側から左尾側をのぞき込むように観察する．

> - 心室中隔，心室形態の評価
> - 左右心室圧比の推定などに有用（☞ p40）
> - 大動脈弁
> - 冠動脈
> - 肺動脈，動脈管血流の評価に有用

4. 体軸水平断面（☞ p10）

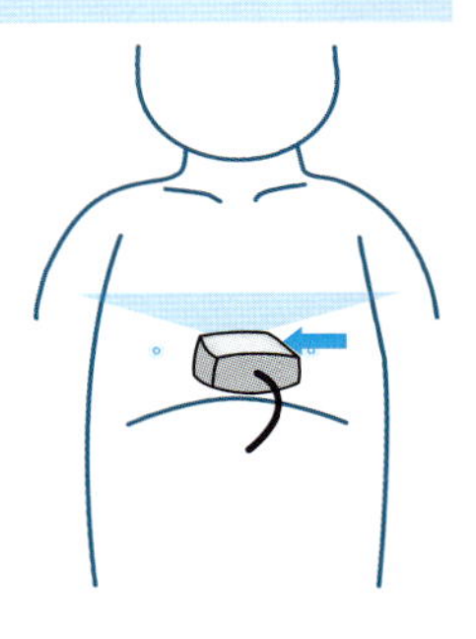

- CT 断面と同様の断面が得られるため，各種心血管構造の理解が容易である．
- プローブを頭側，尾側に平行移動させることで下記の画像が得られる．

> - 肺静脈の評価
> - 大血管の位置関係
> - 左右冠動脈起始部
> - 無名静脈，体静脈，胸部下行大動脈の走行などの観察に用いられる

＊　＊　＊

- 図中の矢印の頭はプローブのマーカー側を示す（☞ p6）．

重要断面の出し方 2

胸骨上窩からの断面

1. 胸骨上窩：前額断面（☞ p10）

首の下に巻いたタオルを置いて，頭を後屈した状態で観察するとよい（☞ p3）.

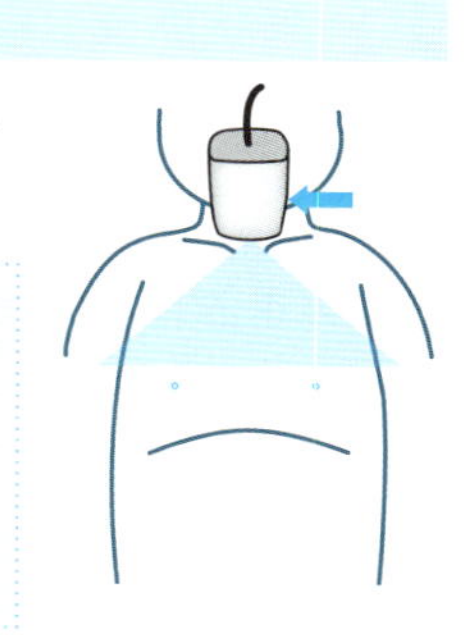

- 無名静脈から上大静脈：両側上大静脈，無名静脈走行異常の診断に有用
- 大動脈弓
- 大動脈分枝
- 総肺静脈還流異常：上心臓型の評価に有用

2. 大動脈弓の観察断面（☞ p10）

左大動脈弓の観察に有用．右大動脈弓の場合には，ほぼ左右対称の向きにプローブを位置させる．

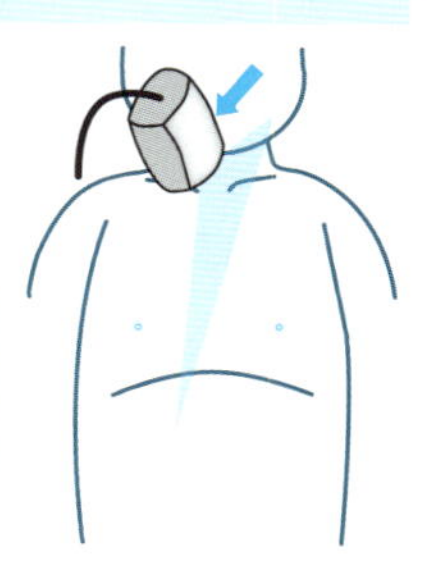

- 大動脈弓
- 肺動脈閉鎖の垂直動脈管など

3. 動脈管の観察断面（☞ p10）

動脈管をほぼ長軸に観察可能．

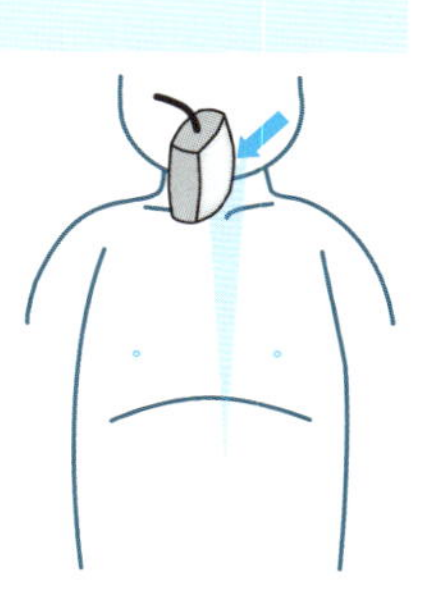

- 大動脈峡部（大動脈縮窄）
- 主要体肺側副動脈などの観察に有用

＊　＊　＊

図中の矢印の頭はプローブのマーカー側を示す（☞ p6）.

重要断面の出し方 3

胸骨下，剣状突起下からの断面

1. 矢状断面（Aから Bへ）(☞p11)

- 画像を upside down で観察する．心血管造影検査における側面像と同様の画像（心臓の正面像）が得られ理解が容易．

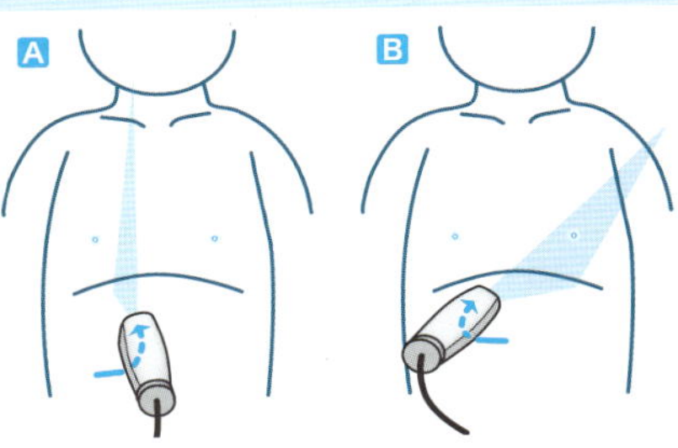

- 心房中隔，心室中隔の構造：特に心房中隔の評価は非常に有用
- 心室内構造：右室二腔心など
- 心室・大血管連結：完全大血管転位，両大血管右室起始，単心室などの評価に有用

2. 体軸短軸断面から前額断面へ (☞p12)

- 画像を upside down で観察すると，心血管造影検査における正面像に類似の断面が得られ理解が容易．

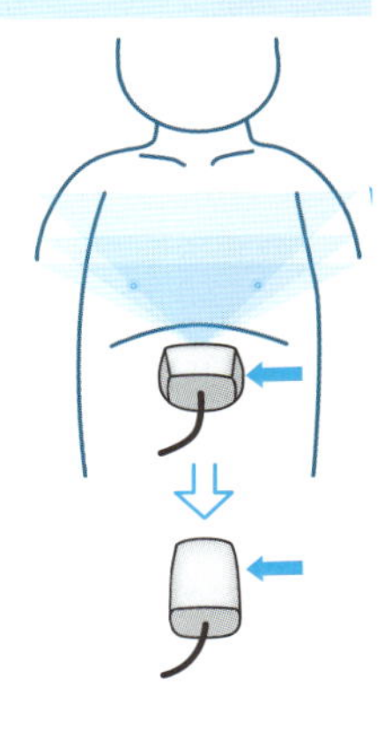

- 胸部下行大動脈，下大静脈の走行（無脾症，多脾症）
- 異常肺静脈（総肺静脈還流異常下心臓型（Ⅲ），scimitar 症候群）
- 右房の同定（下大静脈の連結側）
- 心房中隔，心室中隔の構造（心房中隔欠損，心室中隔欠損）
- 心室内構造：右室二腔心など
- 心室・大血管連結：完全大血管転位，両大血管右室起始，単心室などの評価に有用

- 図中の矢印の頭はプローブのマーカー側を示す（☞p6）．

M-mode エコーの基本

- B, M mode にする場合 B-mode を M-mode の横に置くと，M-mode 上の線が何を表しているのか判断しやすい．

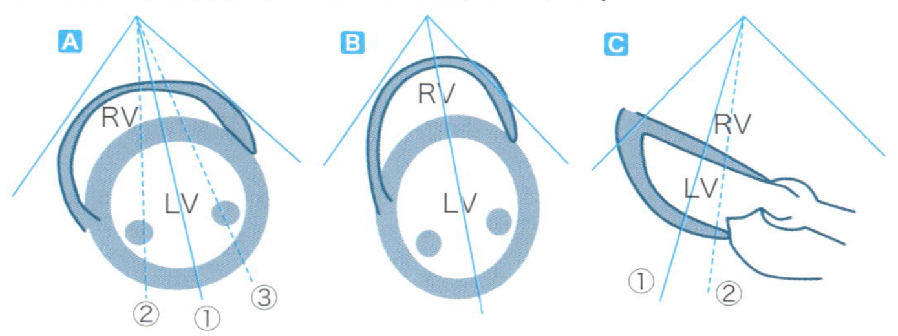

- M-mode を観察する際，短軸断面，長軸断面のいずれを用いても構わないが，それぞれ注意点がある．

1. 短軸断面から

- 左室が正円になるように短軸断面を作成（A：長軸断面C①で切った断面）．
- 乳頭筋の中央にカーソルを置いて M-mode を作成（A①）．
- 左室が縦楕円になった場合（B：長軸断面で左室を斜めに切ったC②相当），左室拡張末期径を過大評価する．

2. 長軸断面から

- 心室中隔に垂直にカーソルを当てて画像を作成．
- M-mode で左室内に乳頭筋の M-mode 像を認める場合，左室拡張末期径を過小評価．短軸断面A②③の断面で切っていることを意味している．

Leading edge to leading edge 法

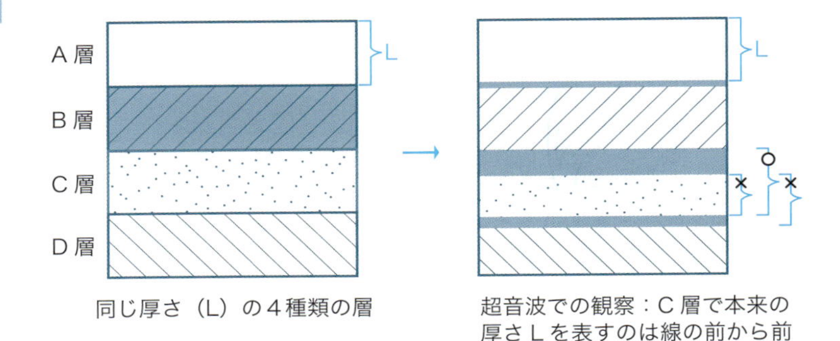

同じ厚さ（L）の４種類の層

超音波での観察：C 層で本来の厚さ L を表すのは線の前から前をとった場合

- 超音波上の線（点）は組織性状が変化する部位で形成される．
- しかし，線は組織の性格により異なった幅で描出される．
- その影響を排除するため，M-mode で血管径，心室径を計測するには線の前から線の前を計測（leading edge to leading edge 法）．

B, M-mode での左室径，左室駆出率の計測

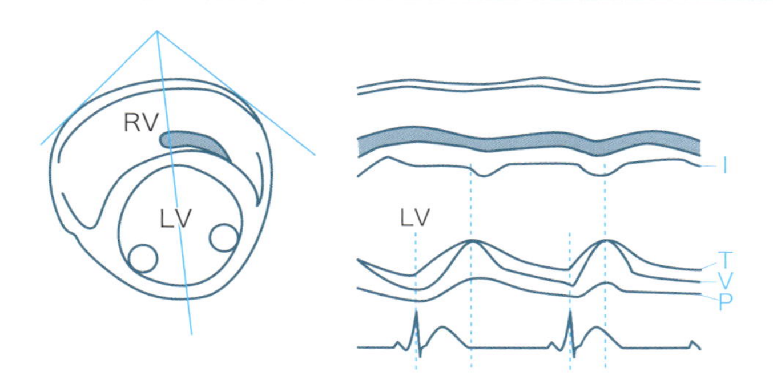

1. 計測の実際（上図）

- 左室後壁に 3 本の線が見える．
- 最も背側の線 P は収縮力を持たない心外膜で，厚く輝度が高い．
- 線 T は P と平行に動いており肉柱による線を表している．
- 線 V は収縮力を有しない線 P と平行でなく，線 P 線 V で挟まれた領域は収縮期に厚く拡張期に薄い．同部が左室心筋であり，線 V が左室心内膜であることがわかる．
- 左室拡張末期径（LVEDD），左室収縮末期径（LVESD）は，線 I と V の間を leading edge to leading edge 法で計測する．
- なお中隔前面に右室肉柱や調節帯（網掛け部分）があり，M-mode だけでは心室中隔が厚く見える．B-M mode では B-mode を M-mode の横におくと M-mode 上の線が何を意味するか理解しやすい．
- FS（fractional shortning）：

  FS ＝（LVEDD － LVESD）÷ LVEDD

  正常値 0.28 ～ 0.45．簡便に求められ，日常臨床で最もよく用いられる指標．
- EF（ejection fraction）：

  Pombo 法：左室内径の長軸・短軸比が一定で 2：1 と仮定して計

算．左室が拡大し球形に近くなると過大評価される．
Teichholz 法：Pombo 法の欠点を補うため考案され拡大心にも適応．

- 心臓は収縮期に心尖方向に動くため，M-mode 法では LVEDD と LVESD を同じ位置で見ていない．B-mode 長軸断面では，同じ位置（腱索部）でこれらを計測できる．M-mode 法と異なり，線の内側と内側（trailing edge to leading edge）で計測する．計算は B-mode の計測値を，M-mode 画面上に代入すればよい．
- より正確には，modified Simpson の biplane 法で LV 容量，LV 駆出率（LVEF）を測定する．心尖部からの四腔断面像，二腔断面像を描出し，拡張末期容量（LVEDV），収縮末期容量（LVESV）を求める．乳頭筋，肉柱などは心室内腔に含めてトレース．2 断面の長径の差が 10% 以内になることが望ましい．
正常値（成人）：男 64 ± 5%，女 66 ± 5%

$$LVEF\ (\%) = [LVEDV - LVESV] / LVEDV \times 100$$

で表される．

大動脈/左房径，僧帽弁の動き

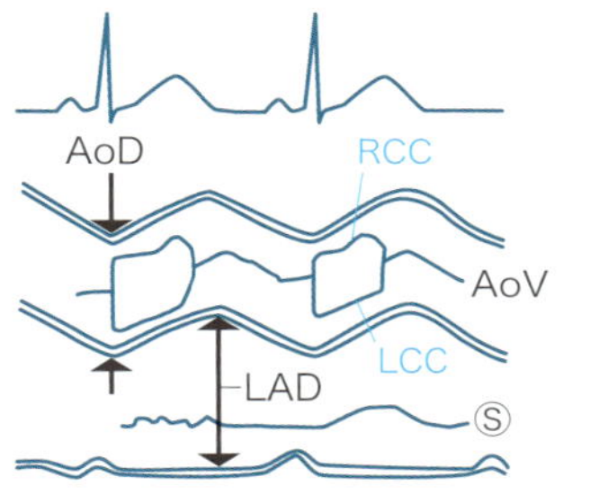

Ⓢ MV連動のアーチファクト：side lobe

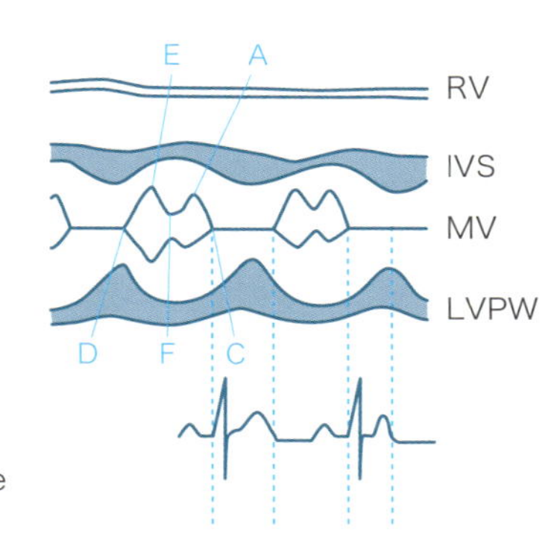

1. AoD と LAD

- AoD は QRS 波の Q 波の時点：Ao が最も後方に偏位した時点で計測.
- LAD は T 波終末の直径で大動脈壁が前方運動した際の径を計測.
- LAD/AoD ＞ 1.2 で左房拡大あり（僧帽弁逆流，僧帽弁狭窄，多量の左右短絡疾患，拘束型心筋症など拡張能障害例で認められる）.
- AoD, LAD：最近は B-mode で計測することが多い.

2. MV の動き

- D 点：MV 開放点.
- E 点：流入期最大開放点.
- F 点：拡張期半閉鎖.
- A 点：心房収縮による拡張末期開放点（P 波に一致）.
- C 点：MV 閉鎖点.

大動脈洞の計測

- 大動脈根部（Valsalva 洞）径は断面（A①～③）により異なる．経時的変化を見る場合，②で計測する方が誤差は出にくい．①で計測できていれば，背側の大動脈弁尖は描出されない（BC）．

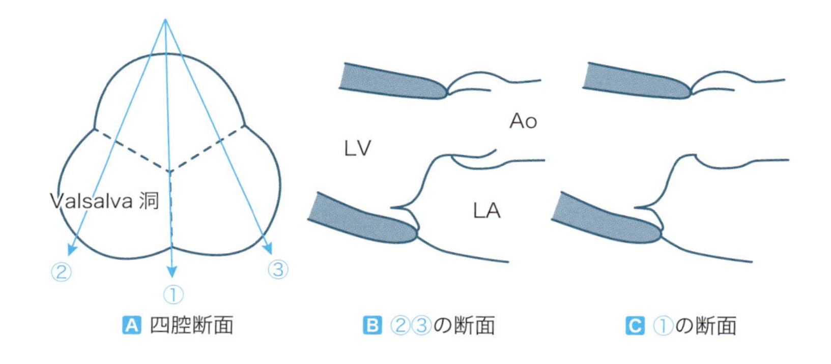

A 四腔断面　　B ②③の断面　　C ①の断面

心エコーによる基本構造の描出：心房，心室，大血管

1. 右心房の同定

- 下大静脈（IVC）が連結する心房が右心房．本来，心耳形態（右心耳：三角形で犬の耳様，左心耳：鳥の翼様）により決定するが，新生児，乳児例を除いて心エコーでの心耳形態評価は容易でない．
- 肺静脈（PV）は，部分・総肺静脈還流異常のように，左房に還流しないことも少なくない．
- 多脾症では下大静脈欠損（奇静脈・半奇静脈結合）を伴うことが稀でない．しかし，この場合でも肝静脈より心臓側の下大静脈は残存している（☞ p243-244）．
  - ㊟新生児では剣状突起下からの前額断面で，心耳形態がしばしば観察可能．

2. 心室の同定：図中の番号は説明文の番号に同じ

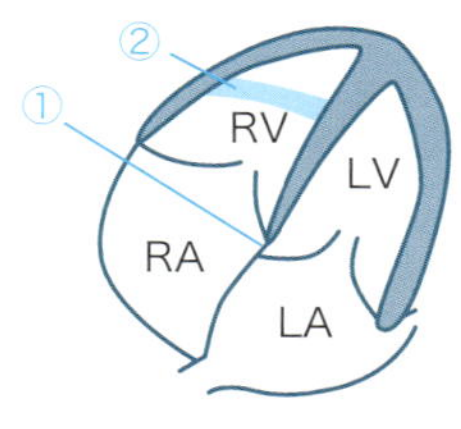

A 四腔断面

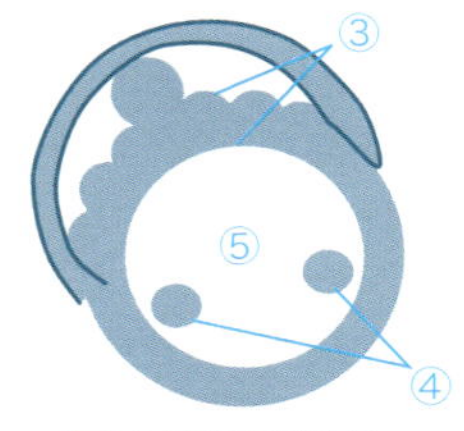

B 心室短軸断面

- 四腔断面（A）で
  - ①三尖弁（TV）の心室中隔への付着部位は，僧帽弁（MV）に比してより心尖部寄りである（off-setting）．
  - ②右室には moderator band を認める．
- 短軸断面（B）で
  - ③右室心室中隔面は肉柱が発達して粗．左室中隔面は滑らか．
  - ④左室内には中等度の乳頭筋が 2 個観察される．
  - ⑤後方にある心室が常に左室．

3. 大血管の同定・情報：図中の番号は説明文の番号に同じ

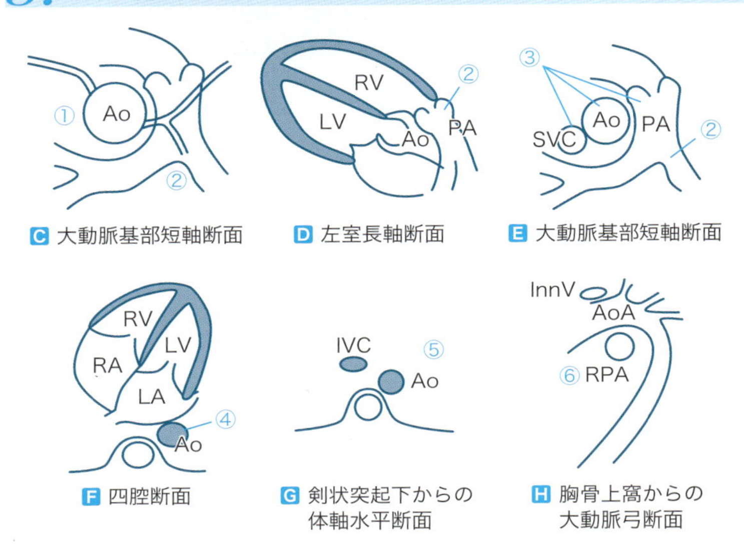

C 大動脈基部短軸断面　D 左室長軸断面　E 大動脈基部短軸断面

F 四腔断面　G 剣状突起下からの体軸水平断面　H 胸骨上窩からの大動脈弓断面

- 上図C～Hで，
  - ①大動脈：冠動脈が起始．
  - ②肺動脈：長軸断面で大動脈より先に背側に向かって走行．短軸断面で左右に分岐．
  - ③3 vessel view：正常では短軸断面左前から右後方に向かって，肺動脈，大動脈，上大静脈の順に位置．径もその順に小さくなる．例えば大動脈径より肺動脈径が細ければ肺動脈狭窄の存在を疑う．
  - ④四腔断面：ほとんどの場合，胸部下行大動脈が脊椎の左側を走行すれば左大動脈弓，右側を下行すれば右大動脈弓（☞ p274-275）．
  - ⑤右大動脈弓，左大動脈弓を問わず，腹部大動脈は脊椎の左側を下行する（☞ p273）．
  - ⑥大動脈弓の左右にかかわらず，内臓正位の場合，大動脈弓下を通過するのは右肺動脈．

四腔断面像で何をみるか

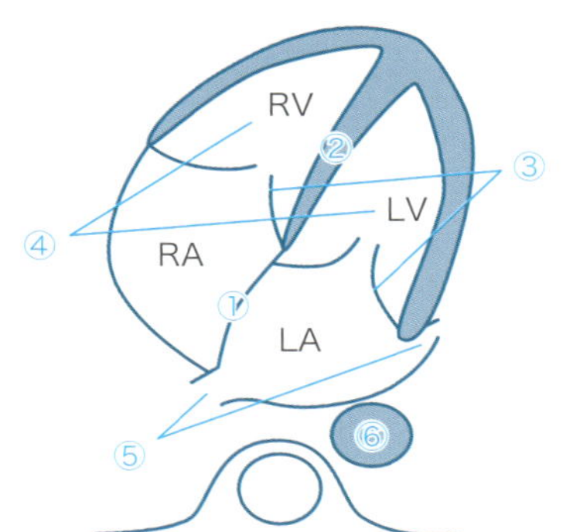

① 心房中隔（IAS）
② 心室中隔（IVS）
③ 房室弁（AVV），僧帽弁（MV），三尖弁（TV）
④ 左右心室のバランス
⑤ 肺静脈（PV）
⑥ 下行大動脈（Ao）

1. 心房中隔

- 卵円孔（PFO），二次孔欠損，一次孔欠損の有無を観察．前二者ではしばしば心房中隔瘤を合併する（☞ p80-81）．
- カラードップラで複数個の欠損孔がないか確認．
- 心室中隔欠損（VSD），動脈管開存（PDA）など，左心系容量負荷がある場合，心房，心房中隔は引き伸ばされ，いわゆるstretched PFOの状態になりやすい→左心系の容量負荷がある場合にはstretched PFOを念頭におく（☞ p73）．

2. 心室中隔

- 肺動脈弁下VSD，筋性部VSD（mVSD）の一部は四腔断面では見えない．傍膜様部VSDは四腔断面で観察できる．
- mVSDを見逃さないようにカラードップラで心室中隔を広くスキャン．
- Small mVSDを見逃さないよう，聴診を怠ってはいけない！
- 肥大型心筋症など心室筋層の厚さ，肥厚部位にも注意する．

3. 房室弁

- 正常では三尖弁輪径>僧帽弁輪径.
- Off-setting：三尖弁（TV），僧帽弁（MV）の心室中隔への付着部位に注意. TV は MV に比してより心尖部寄りに付着する（☞ p23）.
- Ebstein 奇形（☞ p203-213），修正大血管転位（☞ p245-250），両者の合併に注意.
- 僧帽弁狭窄（MS）は見逃されやすい. カラードップラを入れた場合，必ず僧帽弁流入血流に乱流シグナルがないか観察：あれば流速測定.
- 共通房室弁の場合，完全型房室中隔欠損の A 型，C 型を鑑別. 一側心室の低形成にも注意（☞ p109-111）.

4. 左右心室のバランス

- 心房中隔欠損が通常の位置になく右室拡大があれば，静脈洞型 ASD（☞ p73, 115），部分肺静脈還流異常の存在に留意する！（☞ p115-117）
- 大動脈縮窄・離断（☞ p137-145），房室中隔欠損（☞ p103-113）などでは，しばしば左室の低形成を合併する. 二心室修復が可能か否か重要.
- 左心低形成症候群（☞ p146-151）：左室がスリット状でない場合，僧帽弁閉鎖でなく狭窄のことも多い. この場合，有意な三尖弁逆流を伴い，将来心機能低下をきたしやすい.
- 右室低形成＋肺動脈閉鎖（☞ p190-197）：純型肺動脈閉鎖，重症肺動脈弁狭窄では，PFO は右左短絡となる. 三尖弁逆流の程度，流速，冠動脈の異常（sinusoidal communication）に留意. 三尖弁輪径，僧帽弁輪径，左右心室容量も重要.
- 三尖弁閉鎖（☞ p198-202）：心室中隔欠損があり心房中隔と心室中隔は malalign する.

5. 肺静脈

- 総肺静脈還流異常（☞ p214-221）：心房間交通（PFO/ASD）は右左短絡. 総肺静脈還流異常 IIA では，肺静脈（PV）は左房に還流しないが，冠状静脈洞に入る血流が LA に還流するように見えることがある．

- 正常例の四腔断面像で背側から左房に流入するPVは左右下肺静脈の２本．

6. 胸部下行大動脈の走行 （☞ p274-275）

- 例外はあるがほとんどの場合，胸部下行大動脈が脊椎の左側を走行すれば左大動脈弓，右側を下行すれば右大動脈弓．ただし，大動脈裂孔は大動脈の左右にかかわらず脊椎の左にあるため，左右大動脈弓ともに横隔膜を貫いた後，大動脈は脊椎の左側を通ることに注意する．

右室の計測，機能評価

- 右室径：右室径が最大となるような心尖部四腔断面像（A①）で，右室基部径（右室基部側 1/3 の最大値），右室中部径（右室中部 1/3 の最大値）を計測する（B）.
- 成人での右室最大短径/体表面積（mm/m^2）の基準値は，男 18 ± 3，女 19 ± 3 と報告されている[6)].

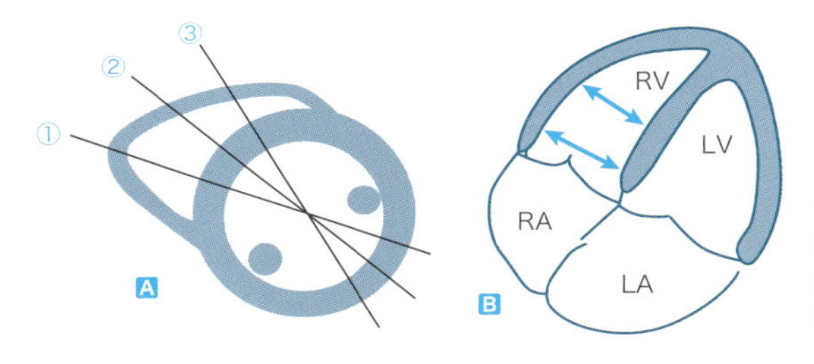

右室最大径は左短軸断面①のラインに相当する四腔断面像で計測する.

- 右室面積変化（RVFAC：RV fractional area change）率

> RVFAC% ＝（RVEDA − RVESA）÷ RVEDA × 100%
> RVEDA：右室拡張末期面積，RVESA：右室収縮末期面積

右室に焦点を当てた四腔断面で，右室の内径・長軸径が最大になる断面を描出し，三尖弁乳頭筋，右室肉柱や調節帯は右室内腔に含めてトレースする.
正常値 49 ± 7% で通常 < 35% を異常低値とする.
成人のデータ[6,7)]ではあるが,

> RVEDA index（cm^2/m^2）：男 8.8 ± 1.9（5 ～ 12.6）
> 女 8.0 ± 1.75（4.5 ～ 11.5）
> RVESA index（cm^2/m^2）：男 4.7 ± 1.35（2.0 ～ 7.4）
> 女 4.0 ± 1.2（1.6 ～ 6.4）

- TAPSE：tricuspid annular plane systolic excursion（☞ p46）
- RV TEI index：パルスドップラ法による（☞ p52）
  組織ドップラ法による（☞ p54）

長軸断面像で何をみるか

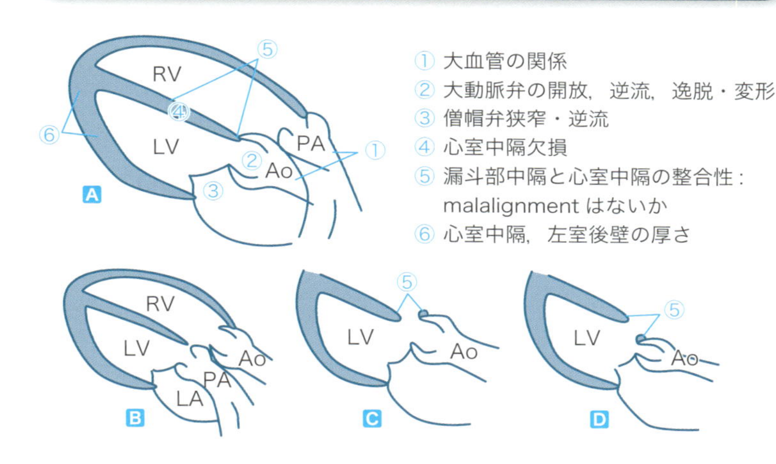

- 大動脈に比して肺動脈がより早く背側に屈曲して走行（A）．
- 完全大血管転位（☞ p172-181）：背側の血管が肺動脈のため，両者は交差せず，平行に走る（B）．
- 大動脈の前方偏位：大動脈が心室中隔に 50% 以上騎乗していれば，ファロー四徴，両大血管右室起始を疑う．より軽い前方偏位では右室二腔心，大動脈弁下構造物などの存在に留意する．
- 大動脈狭窄の流速を測定する場合，心尖部長軸断面で計測することが多いが，胸骨上窩からの計測で，しばしばより速い値が得られる．
- 心室中隔欠損で大動脈の後方偏位があれば，大動脈縮窄・離断の合併に留意（D ☞ p139-140）．
- きれいな長軸断面で心室中隔欠損が観察されれば，心室中隔欠損（subpulmonary, muscular outlet）のほか，心室中隔欠損傍膜様部欠損流出路伸展型（perimembranous VSD outlet extension）を疑う．これら 3 タイプでは，大動脈弁の逸脱変形を伴いやすい（☞ p84, 87）．
- 大動脈弁狭窄の流速を測定する場合，心尖部長軸断面で計測することが多いが，胸骨上窩からの計測で，しばしばより速い値が得られる．
- 肥大型心筋症心室中隔の肥大，SAM の有無，大動脈弁下圧較差測定（☞ p296-297）．

短軸断面像，水平断面像で何をみるか

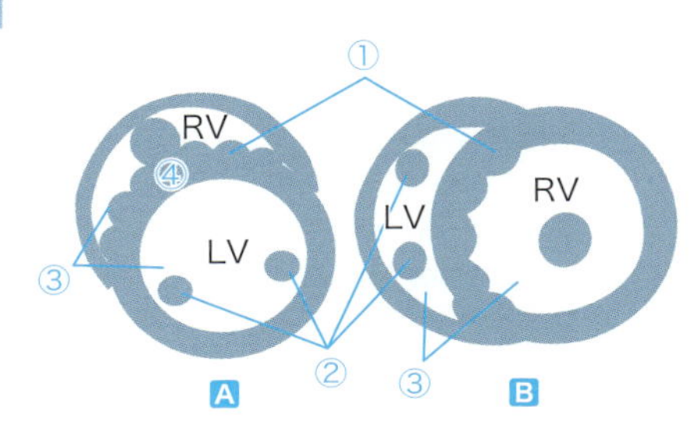

心室短軸断面（AB）
① 心室中隔面の性状・壁の肥厚
② 乳頭筋
③ 左右心室の位置関係
④ 心室中隔，左室壁の肥厚

大動脈基部短軸断面（C～H）
⑤ 大血管の位置関係
⑥ VSD の位置
⑦ 大血管の狭窄・拡張
⑧ 冠動脈の走行・異常
⑨ 肺静脈の還流

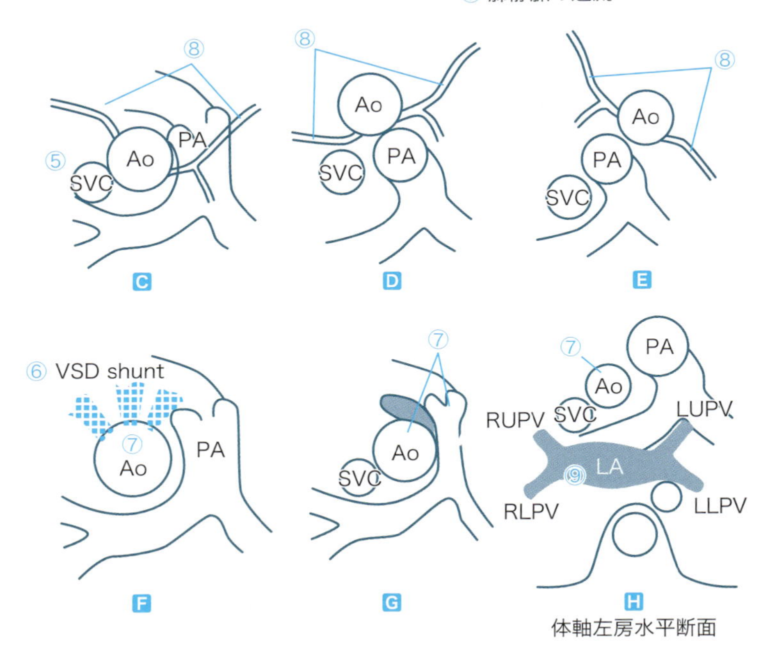

1. 心室短軸断面（AB）

● 左室は中等度大の乳頭筋を 2 個有し，心室中隔面は平滑．

- 背側に位置するのが左室．右室の心室中隔面は粗で心室内部は肉柱に富む．
- 修正大血管転位では，右側左室と左側右室が，side by side に位置する．
- 右室圧上昇とともに，心室中隔は扁平化する．左室半月型は左右心室が等圧であること，左室三日月形は右室圧>左室圧を示す．ただし心室中隔の扁平化が拡張末期に認められることがあり（右室拡張末期圧上昇のため），ECG を付けて判定する．
- 左室形態から右室圧/左室圧比を推定できる（☞ p40）．
- 心筋症：肥大型心筋症では肥大領域の評価，拡張型心筋症や心筋炎では，左室心筋の dyskinesis 評価を行う．左室壁が一様に肥厚している場合は左室の圧負荷，代謝疾患などを考える．
- 筋性部・流入部心室中隔欠損，inlet VSD の診断も重要である（☞ p85-86）．

2. 大動脈基部短軸断面（C～G），左房水平断面（H）

- 3 vessel view で大血管の並びを評価することは，完全大血管転位（D），修正大血管転位（E）の鑑別に役立つのみならず，大動脈狭窄，肺動脈狭窄の推定にも有用（☞ p24）．
- 冠動脈の異常：完全大血管転位（D），修正大血管転位（E）で，冠動脈を植え換えする場合，肺動脈閉鎖＋心室中隔欠損で Rastelli 手術を行う場合，ファロー四徴（ToF G）で右室流出路切開術を加える場合などで注意する．
- その他，左冠動脈肺動脈起始（BWG 症候群），胸痛，川崎病の診断に際しても冠動脈の評価は重要．
- Ao 基部短軸断面で心室中隔欠損孔の位置同定：心室中隔欠損の型評価に有用（☞ p83-86）（F）．
- 大動脈二尖弁，大動脈弁逆流の評価に大動脈弁短軸断面の描出が有用．
- ToF などでは右室流出路狭窄，左右肺動脈分岐部狭窄の評価に，大動脈基部近傍の短軸断面による評価が有用（G）．
- 上行大動脈を頭側に，短軸断面（やや右側頭側，左側足側）で切っていくと，重複大動脈弓の診断にも有用（☞ p276）．
- 左房に 4 本の肺静脈が還流していることを確認する．右上肺静脈は上大静脈の背側を左房に向かって還流する．左上肺静脈は右肺動脈の左下背側を右肺動脈とほぼ平行に走行する（H）．

剣状突起下からの断面像で何をみるか
（Upside down 画像で観察）

1. 胸骨下からの矢状〜短軸断面（☞ p11-12）

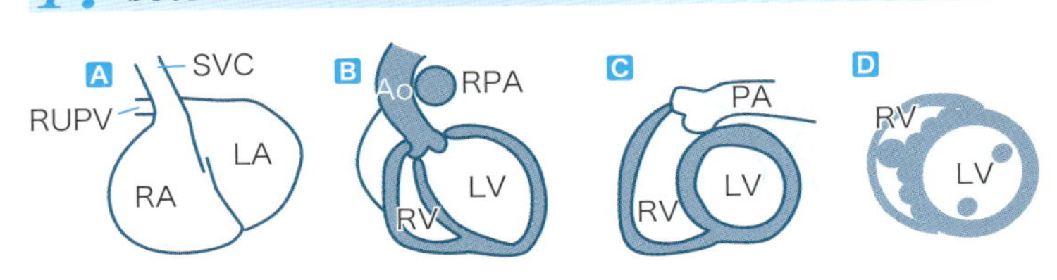

- 四腔断面で観察しにくい右上肺静脈（RUPV）の観察に有用．心房中隔欠損，卵円孔の観察にも有用（A）．
- 下記，前額断面とともに，大動脈弁下狭窄の解剖評価，大動脈（弁）狭窄（AS）の最高血流速度測定，大動脈弁逆流（AR）評価にも有用（BG）．
- 下記，前額断面と合わせればVSD，大血管の位置関係評価が容易で（BG），右室二腔心（H），完全大血管転位，両大血管右室起始，単心室の評価に有用（BCGH）．

2. 胸骨下からの前額断面

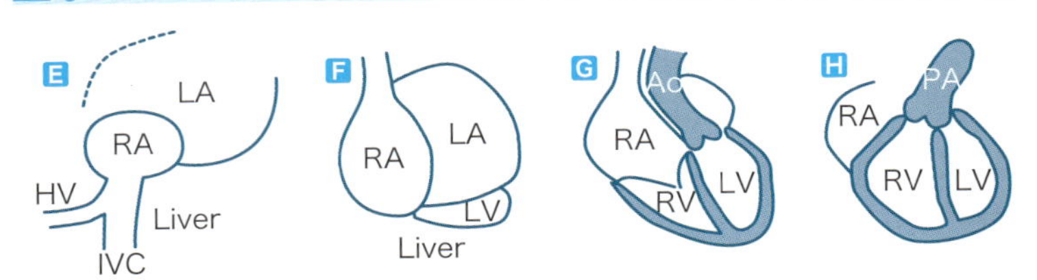

- 剣状突起下に置いたプローブを短軸断面から前額断面へ次第に身体の前方へスキャンしていく（☞ p12）．上記胸骨下からの矢状〜短軸断面で挙げた点のほか，下記を確認．
- 下大静脈が左側，右側いずれの心房につながるか確認（E）．
- 心房中隔，心房中隔欠損，上大静脈の観察（F）．
- 肺動脈弁逆流，肺動脈狭窄の評価に有用（CH）．

その他の断面像で何をみるか

1. 胸骨上窩からの断面

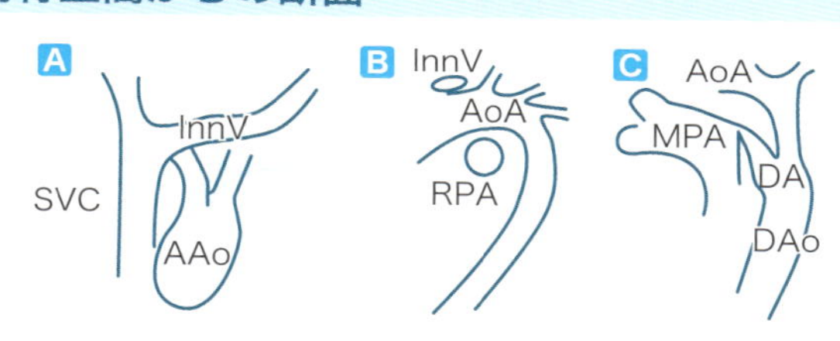

- 前額断面：両側上大静脈，左右大動脈弓の鑑別，総肺静脈還流異常上心臓型（Ia）（☞p217），部分肺静脈還流異常（左肺静脈/無名静脈還流）の評価，ファロー四徴などにおける無名静脈走行異常（大動脈弓下無名静脈）（A）.
- 大動脈弓描出断面：左大動脈弓の描出，大動脈縮窄・離断，大動脈弓低形成，肺動脈閉鎖における垂直動脈管（vertical PDA）の評価（B）.
- 動脈管断面（ductal view）：動脈管を長軸に観察．大動脈縮窄の評価にも有用（C）.

2. 胸骨下（剣状突起下）からの view

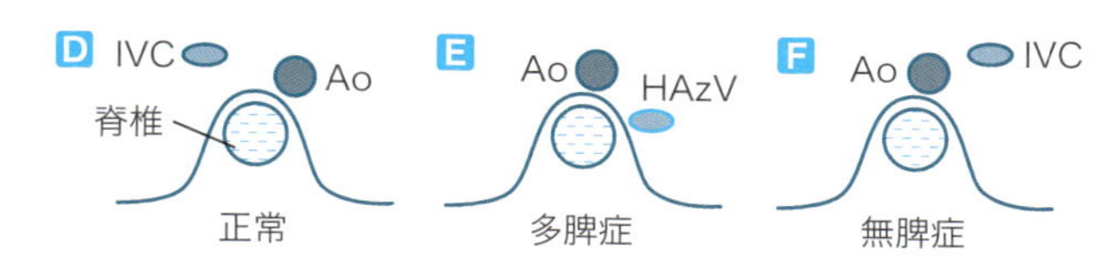

- 体軸水平断面：無脾症，多脾症の鑑別に有用（D～F），総肺静脈還流異常下心臓型（III），scimitar 症候群などでも有用.
- 長軸断面で腹部下行大動脈の血流パターンを確認．全拡張期逆流波（G※）あれば，高度な大動脈弁逆流，動脈管開存，mBT シャント血流あり.

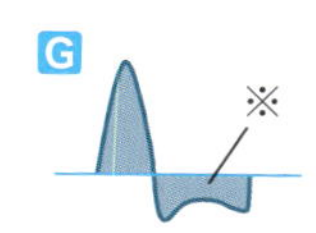

ドップラ法による評価：簡易ベルヌーイの法則

- 圧 P1，流速 V1 で流れている血管（室）から，圧 P2，流速 V2 の血管（室）に血流が移った場合，

$$P1 - P2 = 4V2^2 - 4V1^2$$

（P1, 2 の単位：mmHg，V1, 2 の単位：m/s）

の関係式が成立する．

- 心臓，血管内狭窄病変があった場合，狭窄前の血流速度は < 1.0 m/s であり，$4V2^2 \gg 4V1^2$ のため，これを略すると

$$P1 - P2 \fallingdotseq 4V2^2$$

となる．これを簡易ベルヌーイの法則と呼ぶ．

㊟ここで重要なことは簡易ベルヌーイの法則が成立するのはオリフィス管の場合においてのみ．ノズル管，ベンチュリー管では過大評価してしまう．

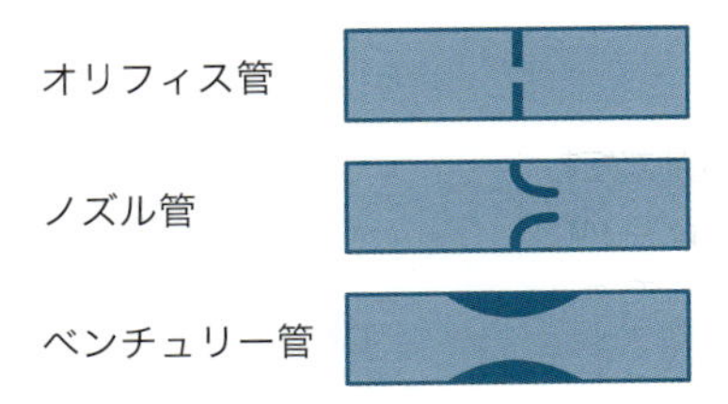

パルスドップラと連続波ドップラ法

1. パルスドップラ法

- 測定したい関心領域にサンプルボリュームを置くと，その位置の血流波形が記録できる．ただし測定できる血流速度には限界があり，血流が高速の場合には最高流速が測れない．

2. 連続波ドップラ法

- 高速の血流速度を測定するのに適している．しかし，距離分解能を有しないため，カーソル上のすべての血流波形を表示してしまう．したがって，得られた最高血流速度が知りたい部位の血流速度とは限らない．

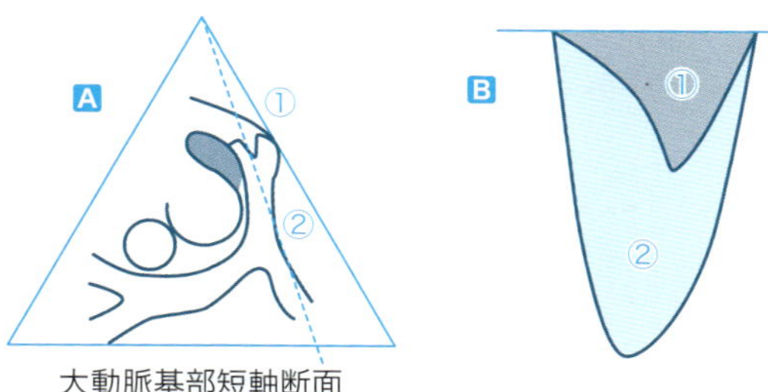

- Aのようにファロー四徴で連続波ドップラを用いて流速を測定すると，しばしば二重の波形が描出される（B）．①は駆出期後半にピークを有す dagger-shaped signal（dagger：短剣）で右室流出路筋性狭窄の存在を示す．②は肺動脈弁位の血流波形であり，カーソル上の２つの波形が重なって描出されていることがよくわかる．

■ MEMO

サンプルボリューム

通常２～３ mm で開始する．組織ドップラで e′ を計測する場合，胎児エコーで不整脈の評価に際して，上行大動脈と上大静脈血流を同時に１個のサンプルボリュームで測定する場合には，サンプルボリュームを大きくとる．

超音波入射角度：ドップラ法による計測時

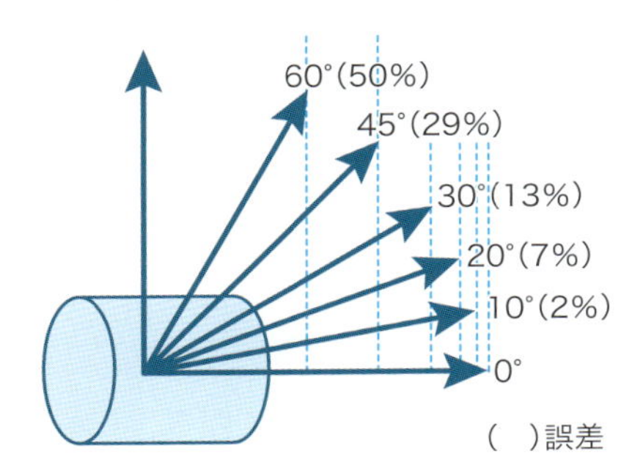

- 誤差を小さくするためには，超音波ビームと血流のなす角度を 20 度以下にするように努める．

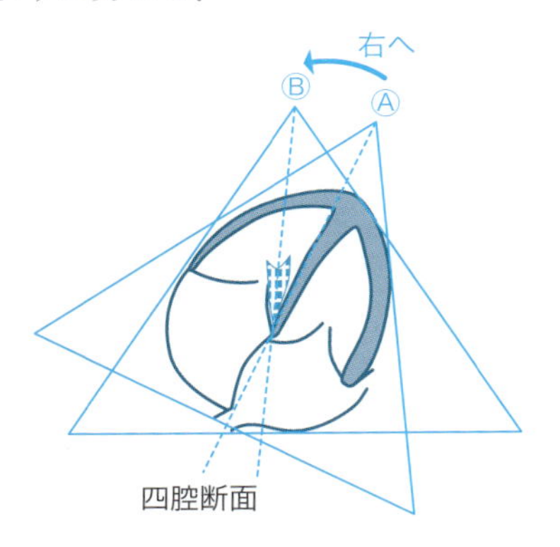

- Ⓐ点からの観察では，超音波ビームと VSD 短絡血流の方向には角度のずれがある．Ⓑ点からの観察では角度のずれがないため，流速の測定にはⒷ点がより適している．すなわち，プローブをより右にずらして観察すればよいことになる．

エコーゲインの設定を適切に

1. 連続波ドップラの場合

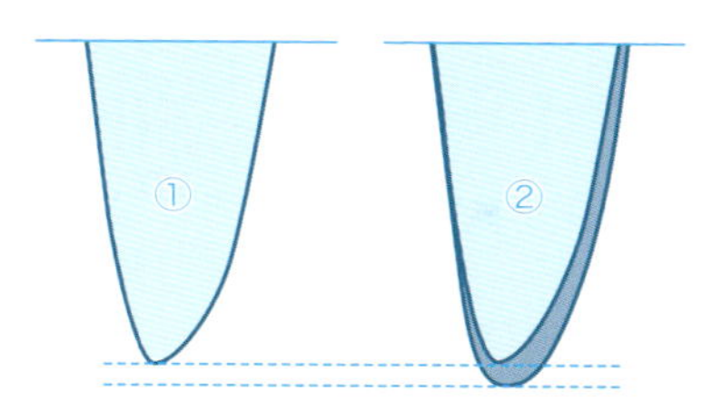

- 速い血流を計測する際，ゲインが高すぎると，流速を過大評価してしまう（②）.
- 圧較差(mmHg) = $4V^2$ (m/s) であり，わずかな流速の差が圧較差に及ぼす影響は大きい.

> 例 4 m/s と 4.4 m/s では，圧較差は 13 mmHg = (77 − 64) の誤差が出てしまう.

2. カラードップラの場合

- 記録をとる前にノイズが入るレベルまでゲインを上げていき，少しゲインを下げてノイズが入らなくなったレベルで評価・記録する.

■ MEMO

$4V^2$ の簡単な求め方……$4V^2 = (2V)^2$

たとえば「V = 3.5 m/s」の場合，「4 × 3.5 × 3.5」は難しいが，「$(2 \times 3.5)^2 = 7^2$」であり簡単.
「V = 4.5 m/s」の場合でも，暗算で「$(2 \times 4.5)^2 = 81$」と簡単に求められる.

肺高血圧の診断：ドップラ法を用いて

1. 三尖弁逆流（TR）血流を用いて

- 右室収縮圧（RV 圧）は，

RV 圧(mmHg)
= RA 圧(mmHg) + $4V^2$(m/s)

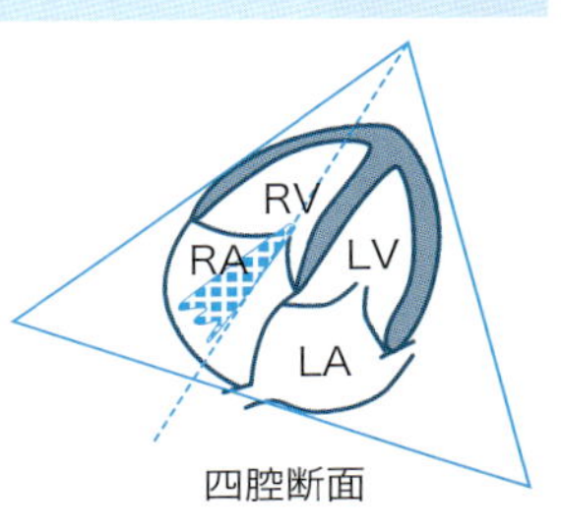

四腔断面

- 肺動脈狭窄（PS）がなければ，肺動脈収縮期圧（PA 圧）は，

PA 圧(mmHg)
= RA 圧(mmHg) + $4V^2$(m/s)

- RA 圧推定：RV 圧上昇が想定されない場合 3 ～ 5 mmHg，IVC の横断面が円形に近く張っていれば，例えば 10 ～ 15 mmHg を代入してみる．
- 下大静脈の呼吸変動も参考にする（☞次頁）．

2. 心室中隔欠損（VSD）がある場合

- VSD 短絡血流 V m/s，収縮期血圧 BP mmHg のとき，

RV 圧(mmHg)
= BP(mmHg) − $4V^2$(m/s)

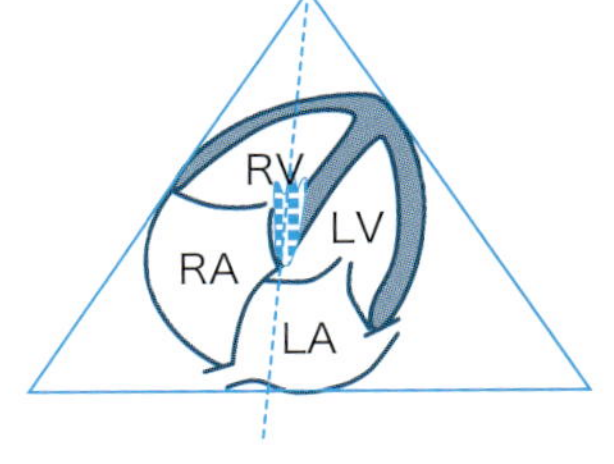

となる．
- 肺動脈狭窄がなければ，RV 圧＝ PA 圧である．

3. 動脈管開存（PDA）がある場合

- PDA 血流 V m/s，収縮期血圧 BP mmHg のとき，

PA圧(mmHg) = BP(mmHg) − $4V^2$(m/s)

となる．ただし，簡易ベルヌーイの法則はオリフィス管にのみ当てはまる．VSDやPDA，特に後者はオリフィス管の形態でないため，上記圧較差は過大評価となる．左室形態など参考にして補正する（☞次頁）．PDAなどでは，最高圧較差より平均圧較差により近いこともある．

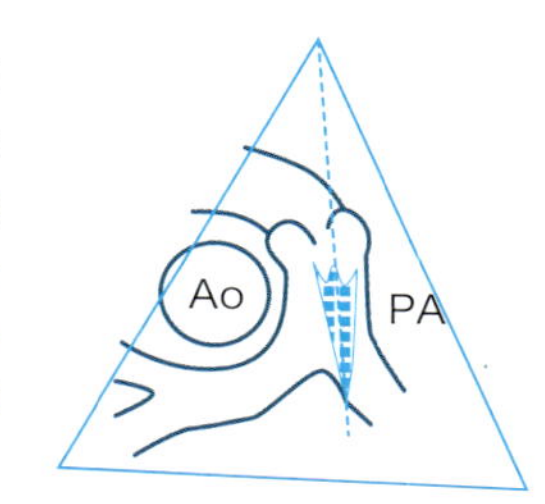

大動脈基部短軸断面

- 上記でMR流速によりLV圧を推定できれば，血圧を測定しなくてもおよそのRV/LV圧比を求められる．

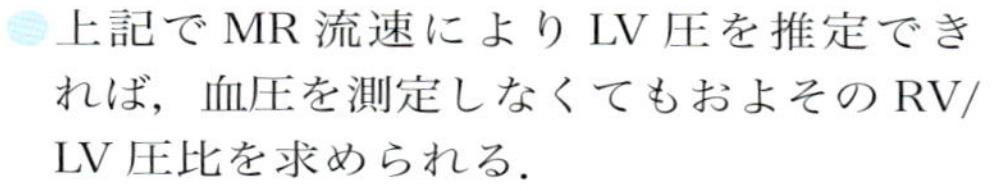

- MRの流速測定は高血圧の推定，推定左室圧と血圧の差による大動脈弁狭窄の評価に有用である．

心エコーによる右房圧（RAP）の推定1（成人例）

推定RAP	正常 0~5(3)mmHg	中等度上昇 5~10(8)mmHg		高度上昇 10~20(15)mmHg
IVC径（mm）	≦21	≦21	>21	>21
IVC collapse	>50%	<50%	>50%	<50%
その他の指標				TV流入血流拘束性パターン TV E/E′>6 肝静脈血流：拡張期優位

IVC collapse：吸気時（花を嗅ぐような）のIVC径の減少率

〈文献8）を参照して作成〉

心エコーによる右房圧の推定2

三尖弁のE/E′(x)と平均RAP(y)の間には，

$$y = 0.8 + 1.7x$$

の関係がある（r = 0.75）

〈文献9）を参照して作成〉

肺高血圧の診断：短絡疾患，TR がない場合

- 収縮末期左室短軸断面から右室圧を推定する[10)].

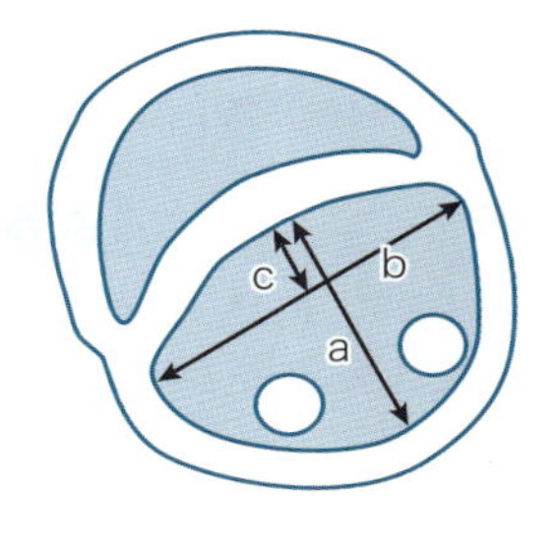

> RV 圧/LV 圧比＝1－1.67×c/b
> （LV 圧は血圧から推定）
> RV 圧/LV 圧比＝2.3－2.22×a/b

- 右室流出路におけるパルスドップラ波形 AT（acceleration time）からの平均肺動脈圧推定[11,12)].

> Mean PA 圧(mmHg) ＝79－0.45AT(msec)
> AT/ET ＜ 0.3 → mean PA 圧＞ 30 mmHg

- 肺動脈弁逆流波形からの平均肺動脈圧推定（☞ p62）.

> Mean PA圧 (mmHg)＝4×拡張早期 PA 血流速度(m/s)^2＋右房圧
> ≒4×拡張早期 PA 血流速度(m/s)^{2}となる.
> （拡張早期のRAP（右房圧≒右室圧）は 0 mmHg に近いため）

- 肺血管抵抗（PVR）の推定[13)].

> PVR WU (Wood Unit)＝V_{TR} (m/s)÷TVI_{RVOT} (cm)×10＋0.16
> V_{TR}：TR 最高速度

ドップラ法で求めた圧較差と，カテーテル検査で求めた圧較差，両者はなぜ一致しないのか？

- 理由はいくつかあるが，重要な２つについて説明する．

1. ドップラによる圧較差＞カテーテルによる圧較差

- 両者は別のものを計測している．ドップラでは最大瞬時圧較差（②），カテーテルでは peak to peak の圧較差（①）を計測している．

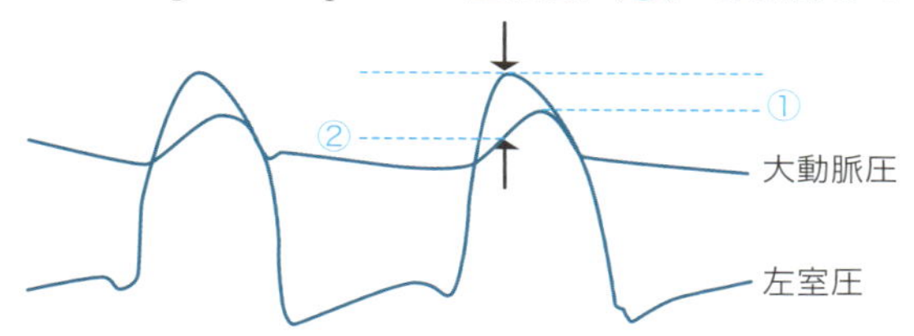

2. 圧回復（pressure recovery）

- オリフィス管では圧回復は小さいが，ベンチュリー管では圧回復が大きく，簡易ベルヌーイの法則は成立しない．

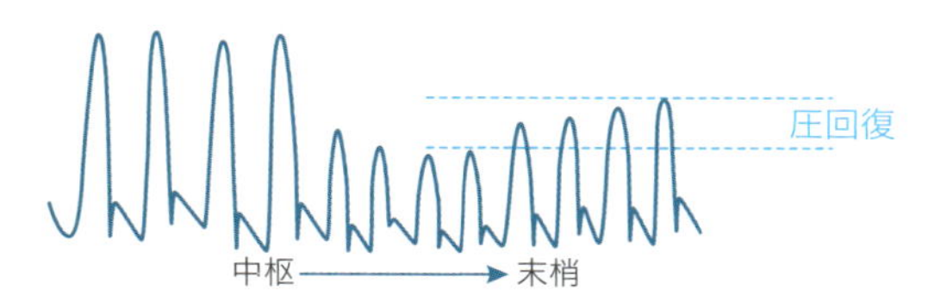

- 中枢側から最狭部を経て，より末梢にカテーテルを引き戻すと，圧は回復する．

■ MEMO

圧回復が大きい血管と小さい血管

- 大動脈：上行大動脈が細いため圧回復は大きい．
- 肺動脈：紡錘状狭窄で遠位部に拡張のない症例では圧回復は大きいが，一般に大動脈に比して圧回復は小さい．

血流量，心拍出量の推定

1. 血流量の推定

- 断面Sを通過する血流量（V mL）は，その断面波形の時間速度積分 time-velocity integral（TVI）と断面積S cm^2 から算出できる．

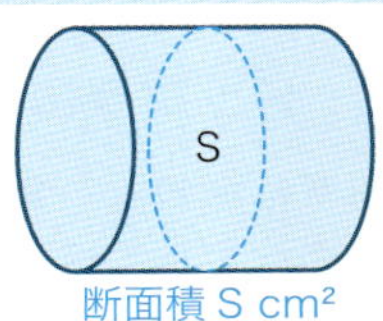

$$V(mL) = TVI(cm) \times S(cm^2)$$

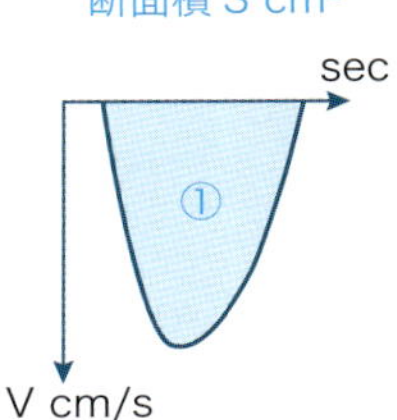

- TVI（cm）はパルスドップラ法で求めた血流波形をトレースすれば求められる（①）．

2. 心拍出量の推定

左室一回拍出量 CO(mL)
$= \pi (a/2)^2 \times TVI$
CO ×心拍数（HR/m）
= CI（cardiac index）
a = 左室流出路（大動脈弁輪）直径

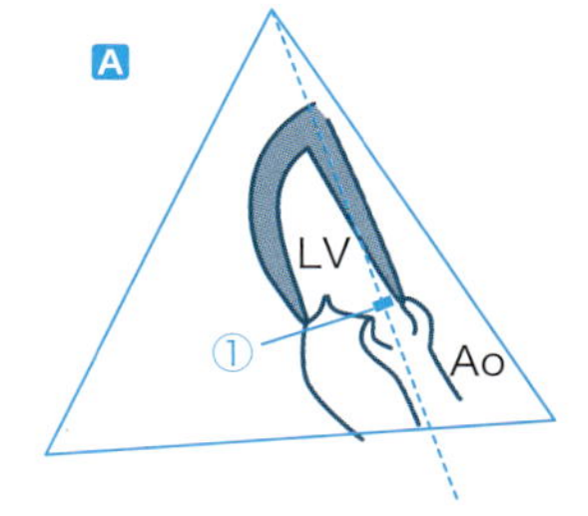

- TVIはパルスドップラのサンプルボリュームを大動脈弁直下において計測（A）．

右室一回拍出量 CO(mL)
$= \pi (a/2)^2 \times TVI$
a = 右室流出路（肺動脈弁輪）直径

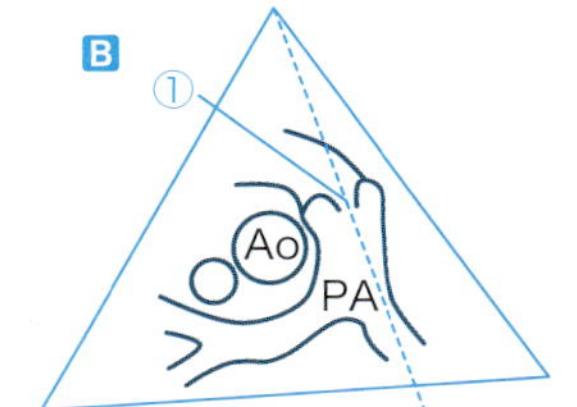

- TVIはパルスドップラのサンプルボリュームを肺動脈弁直下（B①）において計測．

- 上記，左室，右室拍出量から，

> 左室拍出量 = 体血流量
> 右室拍出量 = 肺血流量

であり，肺体血流比（Qp/Qs）の推測が可能.

- ただし，左右短絡が肺動脈弁より遠位で起こる動脈管開存では，左室拍出量が肺血流量，右室拍出量が体血流量を表すため，血行動態を考慮してから求める必要がある.

左室拡張末期圧，左房圧の推定

1. 肺動脈弁逆流（PR）波形から

左房圧（LA 圧）
　＝左室拡張末期圧（LVED 圧）
　≒肺動脈楔入圧（PAW 圧）
　≒肺動脈拡張末期圧（PAED 圧）
右室拡張末期圧（RVED 圧）
　≒右房圧（RA 圧）

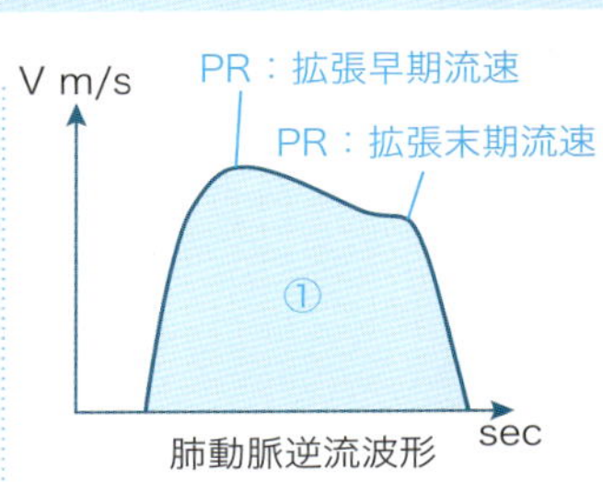

上記の仮定のうえでは，

LVED 圧（mmHg）＝ LA 圧＝ $4V^2$ ＋ RVED 圧＝ $4V^2$ ＋ RA 圧
V ＝ PR 拡張末期流速（m/s）
㊟平均肺動脈圧（mmHg）＝ 4 ×（拡張早期流速（m/s））^{2} （☞ p62）

2. 大動脈弁逆流（AR）波形から

左房圧（LA 圧）（mmHg）
　＝左室拡張末期圧（LVED 圧）
　≒大動脈拡張期圧（Ao 圧）
　　－ $4V^2$
V ＝ AR 拡張末期流速（m/s）

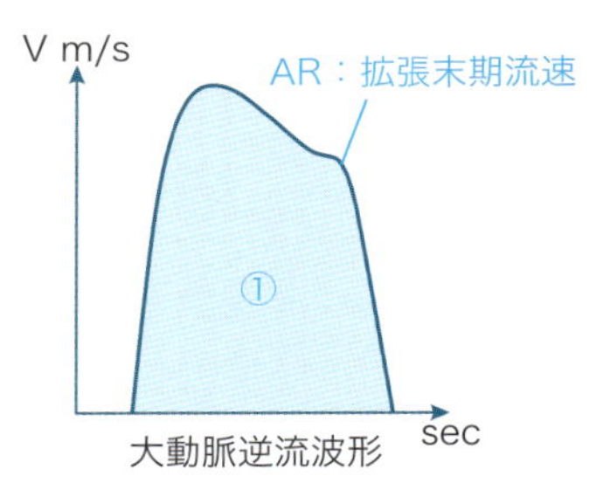

3. 僧帽弁逆流（MR）波形から

左房圧（LA 圧）＝左室拡張末期圧（LVED 圧）
　＝大動脈収縮期圧 － $4V^2$（m/s）
V ＝ MR 流速

カラードップラ法：色の付き方

- プローブに向かってくる血流：赤.
- プローブから遠ざかる血流：青.
- 乱流：速い血流と遅い血流が混在：モザイクパターンで示される.

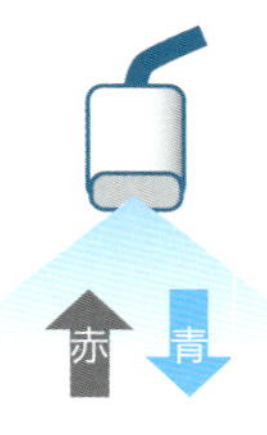

■ MEMO

モザイクパターン

乱流が生じた場合，緑の成分が混入する.

プローブに向かう血流：赤＋緑＝黄

プローブから遠ざかる血流：青＋緑＝明るい青

となる．しかし，血流の方向が乱れているため，赤，青，黄緑，明るい青が混在して，モザイクとして表示される.

- なお，同じ血流でもプローブの位置，向きにより，表示される色は変化する.

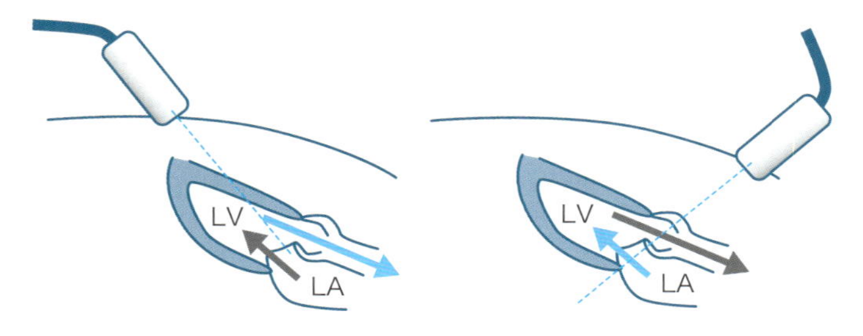

長軸方向の運動を評価する：TAPSE と MAPSE

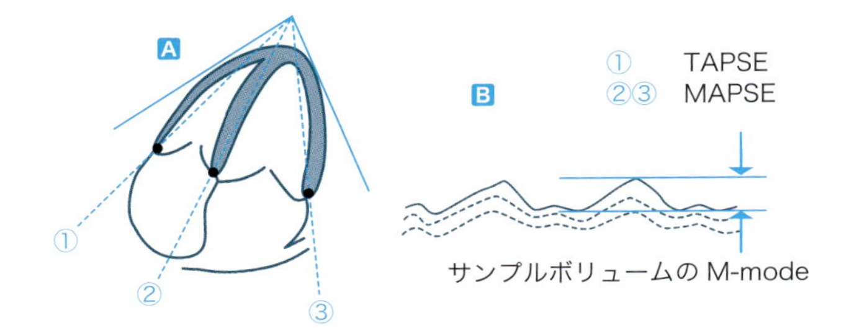

- 心尖部四肢断面像（A）：ビームの方向と弁輪部移動方向のなす角は≦ 20 度に設定し，可能なら息止めで計測する．
  ① TAPSE（tricuspid annular plane systolic excursion）測定時のサンプルボリュームの位置（•）．
  ②③ MAPSE（mitral annular plane systolic excursion）測定時のサンプルボリュームの位置（•）．
- M-mode（B）：長軸方向の最大移動距離を計測する．TAPSE の場合＜ 16 mm で収縮機能不全が示唆される．通常，②，③で求めた MAPSE の値は③＞②で，どちらで計測したか記載しておく．

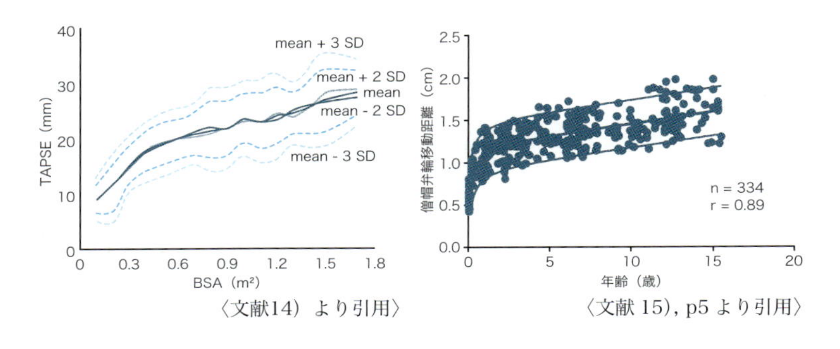

〈文献14）より引用〉　〈文献 15），p5 より引用〉

左室拡張能の評価

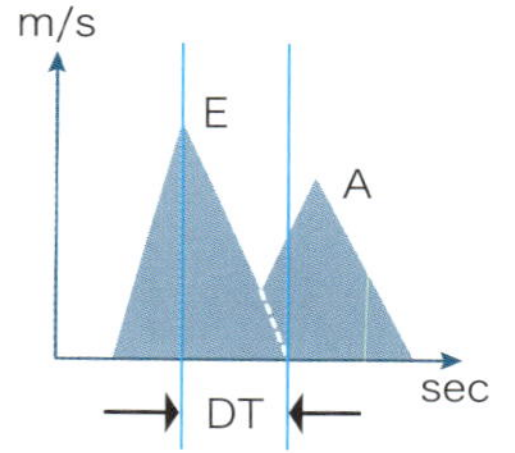

- 僧帽弁尖で左室流入血流波形を記録する(弁輪部でないことに注意).
  - E/A 比
  - Deceleration time (DT)

  を計測.
- 拡張能と一般的な E/A 比，DT の値および，それぞれに対応する肺静脈血流速度波形を記載する.

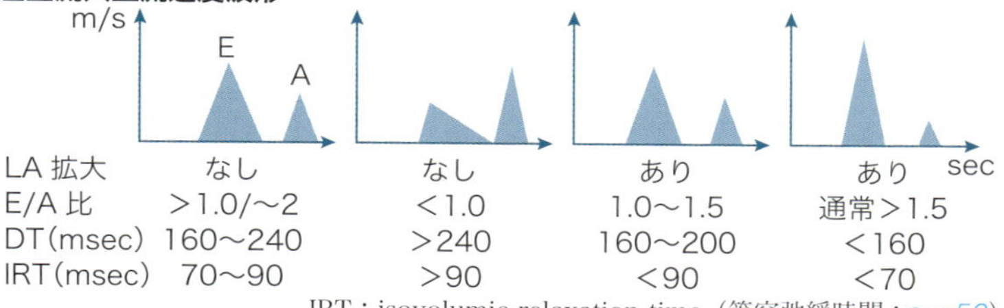

LA 拡大	なし	なし	あり	あり
E/A 比	>1.0/～2	<1.0	1.0～1.5	通常>1.5
DT(msec)	160～240	>240	160～200	<160
IRT(msec)	70～90	>90	<90	<70

IRT：isovolumic relaxation time (等容弛緩時間；☞ p52)

肺静脈血流速度波形

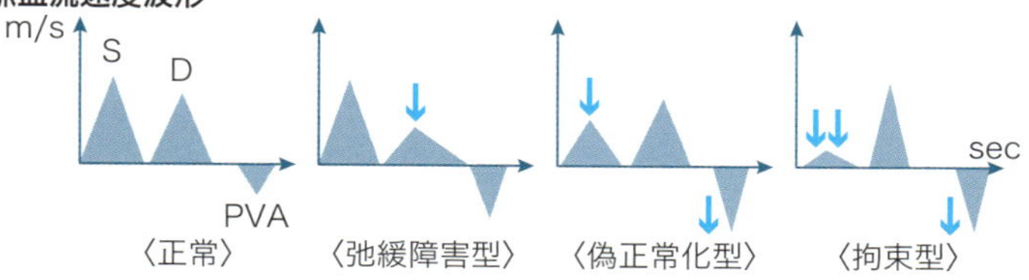

- S 波と D 波の高さの比が左室の拡張障害をより敏感に評価．左室流入速度波形が偽正常化していても鑑別可能[16].
- 肺静脈血流 A 波幅>左室流入血流 A 波幅ならば LVEDP(左室拡張末期圧)> 15 mmHg も参考にする[17].
- 僧帽弁流入血 L 波：E，A 波間の波 (≧ 20 cm/sec).
  LV 弛緩障害や左房圧上昇を表す[18].
- 組織ドップラによる左室拡張能の評価 (☞ p50).

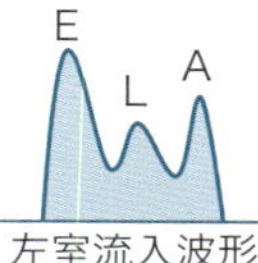

左室流入波形

(パルス) 組織ドップラ法とは

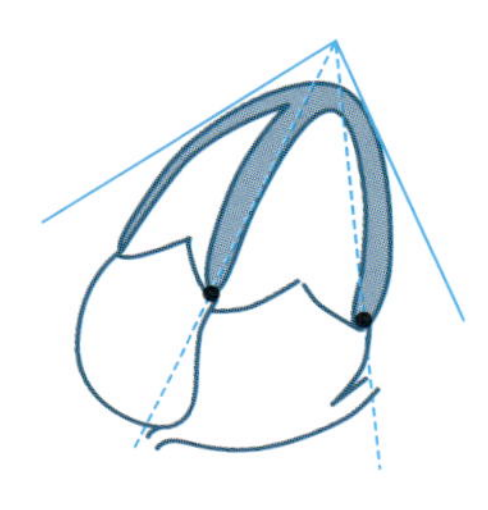

- パルス組織ドップラ法は，心臓の壁や弁の動きに由来するドップラ信号のみを抽出し，その運動速度を表示した方法である．壁由来のドップラ信号の速度は血流に比して遅く，強度は強い．この壁由来の遅く強い信号を従来のパルスドップラ法で記録するには，ローカットフィルターを≦50 Hzに下げる，ドップラゲインを絞る，速度レンジを20 cm/s前後に下げる，側壁側ではサンプルボリュームを5～10 mmと通常より大きく設定するなどの調整が必要であった．しかし最近のほとんどの検査機器には組織ドップラのプリセットが組み込まれているため，その測定は容易になった．
- 通常，心尖部四腔断面像の中隔側と側壁側で記録する．側壁側が若干速度が速い．計測部位を明記する必要がある．

■ MEMO

僧帽弁輪で計測した局所の運動速度が，なぜ左室全体の弛緩を表すのか？

心尖部で固定された左室壁の中で長軸方向に最大運動するのが，僧帽弁輪である．理由はtethering効果により，つなぎ合わされた心尖から心基部までの左室壁の運動が，僧帽弁輪部の一点で代表されるため．

年齢による組織ドップラ血流速度の変化

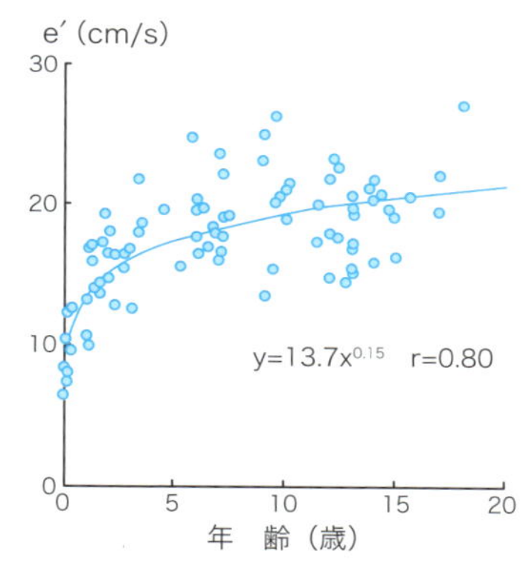

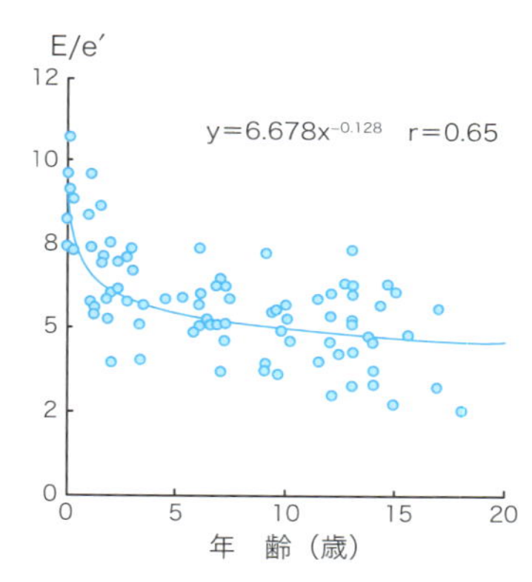

〈(上左図) 文献 19), (上右図) 文献 20) より引用〉

- 健常小児の e′ および E/e′ : 成長とともに e′ が増大し, E/e′ は低下する. 3 歳頃までは E/e′ ＞ 8 のことも稀でない.

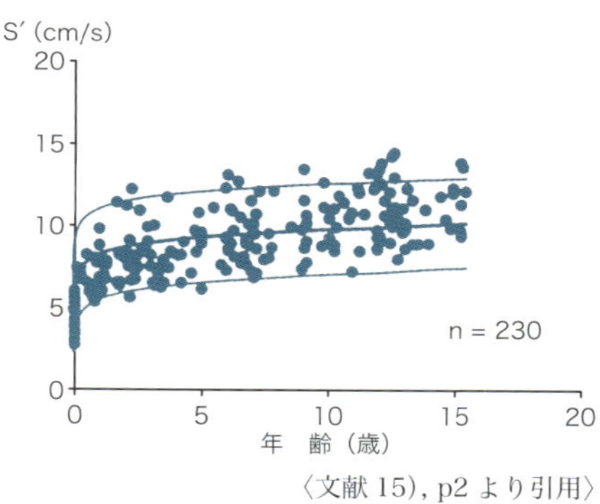

〈文献 15), p2 より引用〉

S′ : 右室, 左室, 中隔における収縮期運動速度

	右室	中隔	左室
日齢 0	6.2±1.1	3.7±0.6	5.3±0.9
日齢 1 ～ 7	6.6±1.2	3.9±0.7	5.5±0.8
小児期 (7.5±5.5 歳)	13.7±2.0	6.7±1.4	9.3±2.8

〈文献 19), 20) より引用〉

組織ドップラによる左室拡張能の評価

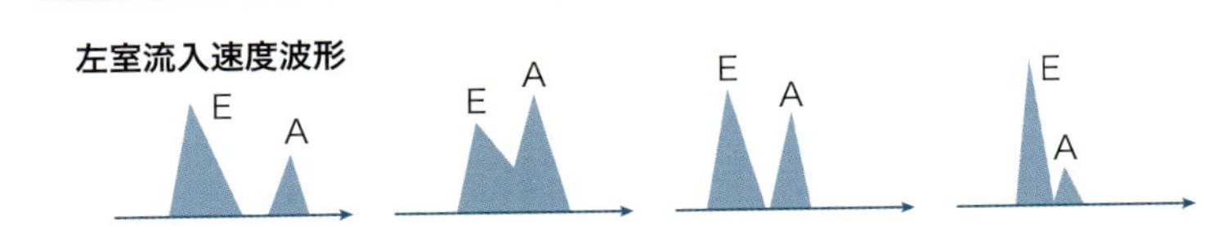

組織ドップラによる僧帽弁輪運動速度波形

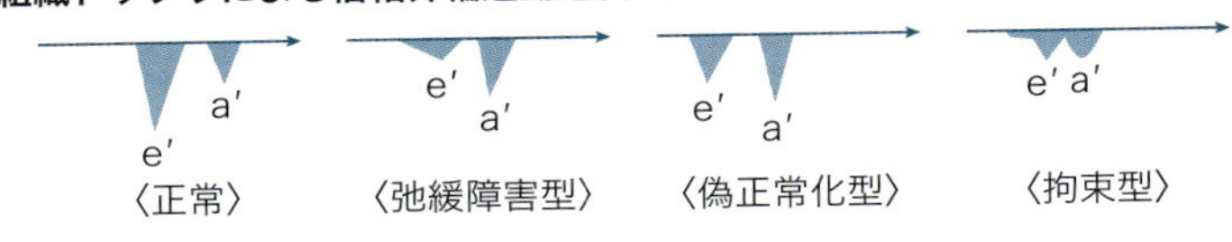

- e′ < 8.5 cm/s かつ e′/a′ < 1.0 で左室拡張障害あり．左室流入速度波形による偽正常化の鑑別可能[21]．
- 拡張障害では e′/E 比は低値（E/e′ 比は高値）となる．
- E/e′ 比や e′/E 比は収縮性心膜炎（CP），拘束型心筋症（RCM）の鑑別にも有用とされる．

e′/E 比による収縮性心膜炎と拘束性心膜炎の鑑別

	e′	e′/E
CP	e′ > 8 cm/s	e′/E > 0.11
RCM	e′ < 8 cm/s	e′/E < 0.11

- 左室拡張末期圧（LVEDP）上昇の推定[22]

E/e′ > 15：　LVEDP ↑（PAWP ≧ 20 mmHg）
E/e′ 8 ～ 15：他の情報を参考にする
E/e′ < 8：　LVEDP 正常
E/e′ ≧ 10 で左室拡張末期圧≧ 15 mmHg ともいわれている[23]．
㊟ e′：中隔側＜側壁側．正常値：中隔側 e′ > 7cm/s，左室側壁側 e′ > 10 cm/s
- 中隔側と側壁側の平均値を E/e′として用いる．正常値は E/e′ < 8．E/e′ > 14 で拡張障害．
- E/e′に中隔側/側壁側のみを用いる際には，それぞれ>15/>13 を異常と判定[18]．

■ MEMO

心周期における，左室圧・大動脈圧・左房圧の変化

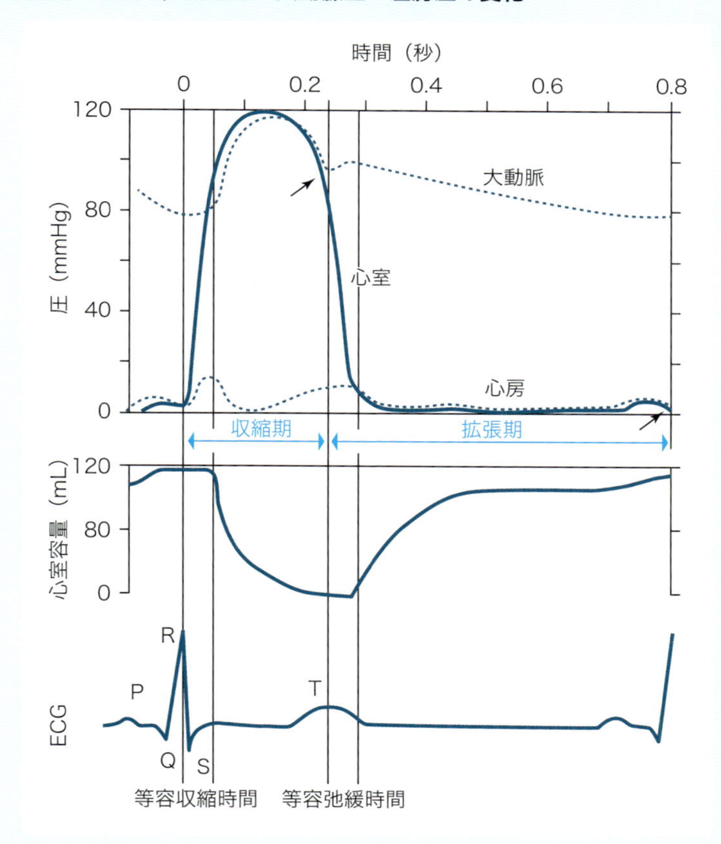

左室流入速度波形や僧帽弁逆流速度波形は，それぞれ拡張期・収縮期における左室と左房の圧較差に影響され描かれる．等容収縮時間・等容弛緩時間は，それぞれ拡張機能・収縮機能の指標であり，TEI indexは収縮能・拡張能を加味した総合的心機能の指標といえる．

TEI index（total ejection isovolume index）

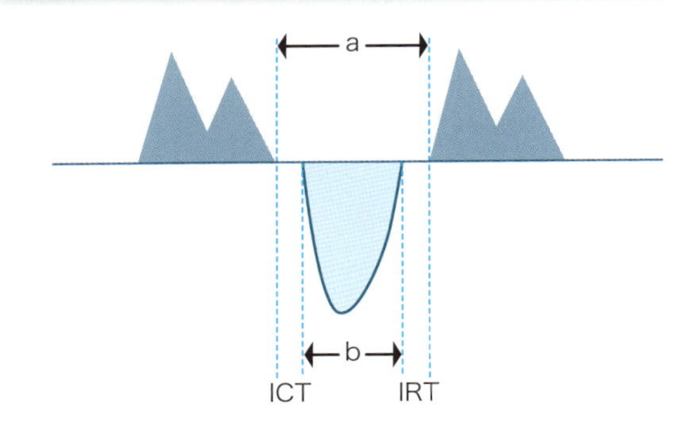

a：流入終了〜流入開始までの時間
b：ET：ejection time（駆出時間）
ICT：isovolumic contraction time（等容収縮時間）
……収縮能低下で ICT 延長
IRT：isovolumic relaxation time（等容弛緩時間）
……拡張能低下で IRT 延長

- ICT/ET は心拍数非依存性の収縮能低下を鋭敏に表す.
- IRT/ET は心拍数非依存性の拡張能低下を鋭敏に表す.
- ICT/ET と IRT/ET の和である TEI index は収縮能，拡張能の低下を表現する指標.

TEI index ＝（ICT ＋ IRT）/ ET ＝（a − b）/ b

- 正常値：左心系 0.38 ± 0.04，右心系 0.28 ± 0.04
- 心機能が障害された状態では，収縮能低下と拡張能低下は共存することが多い．TEI index は収縮能と拡張能を加味した評価法として有用である.
- 流入・流出血は別々にとるため，できるだけ RR 時間が同じ心拍で計測する.

- TEI index の正常値と重症度評価

LV 正常	0.38 ± 0.04	RV 正常	0.28 ± 0.04
左心不全		右心不全	
軽症	0.45 〜 0.60	軽症	0.40 〜 0.55
中等症	0.60 〜 0.80	中等症	0.55 〜 0.70
重症	0.80 〜 1.0	重症	0.70 〜 0.90
非常に重症	1.0 〜	非常に重症	0.90 〜

- ただし，胎児・新生児の TEI index は高く，正常でも＞0.6 となる場合がある．
- 高度房室弁逆流，高度心不全では，心房圧の上昇に伴い，ICT，IRT が短縮する．その結果，TEI index が正常化して計算されるため注意が必要である．

■ MEMO

RV 機能評価（成人異常値）[7)]

- S′　＜ 9.5 cm/s
- TAPSE　＜ 16 mm
- 右室 TEI　≧ 0.43（パルスドップラ）
- 右室 TEI　≧ 0.54（組織ドップラ）
- 右室 FAC ＜ 35%
- 右室拡張能障害：
  e′/a′＜0.52，e′＜ 7.8，E/e′ ＞ 6，DT ＜ 119 or ＞ 242

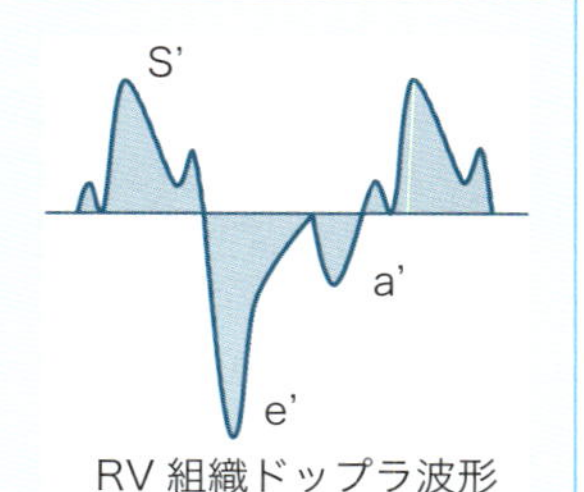

RV 組織ドップラ波形

組織ドップラによる TEI index

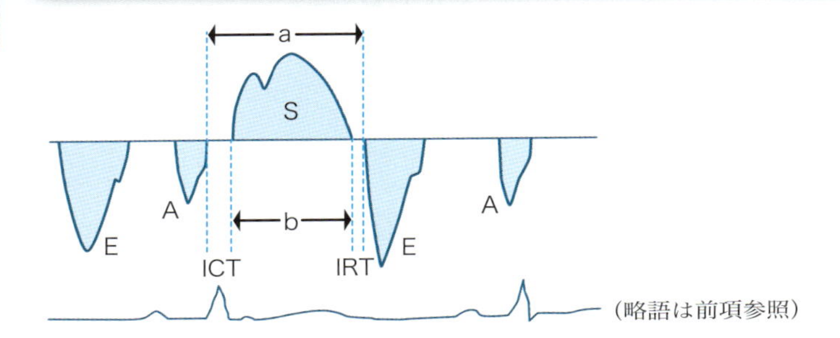

(略語は前項参照)

- 組織ドップラ法でも TEI index を求められる.
- パルスドップラ法で TEI index を測定する場合, 左室流入速度波形と左室流出路速度波形を別々に測定し描出する必要がある. 組織ドップラ法では左室 ICT, IRT, b を同時に一画面で計測することができる. 左室流入速度波形と左室流出路速度波形描出時の心拍数の違いを気にしなくて済む点は重要.
- 組織ドップラ法で求めた TEI index とパルスドップラ法で求めた TEI index はよく相関する.
- また組織ドップラで求めた TEI index (a−b/b) 値は, パルスドップラ法で求めた TEI index の (1.008a−b)/b に相当し, ほぼ等しいともいわれる[24].

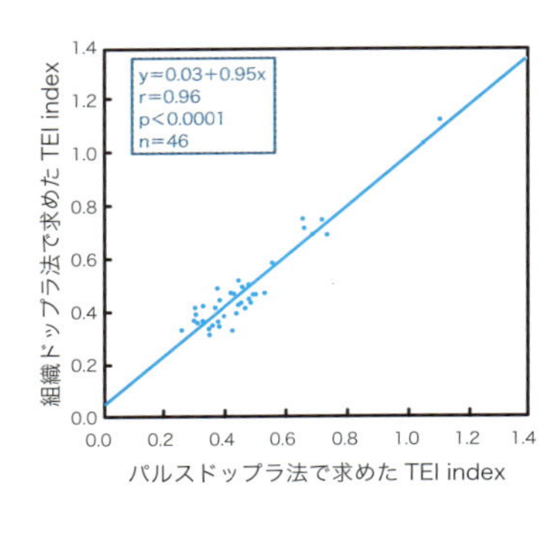

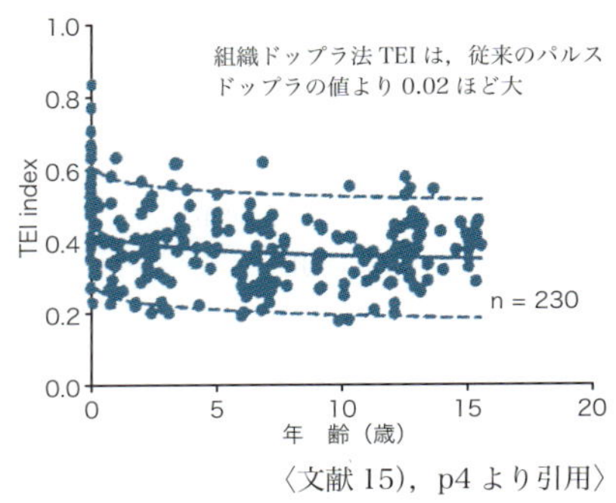

〈文献 15), p4 より引用〉

僧帽弁逆流の評価：さまざまな分類があり総合的に判定する

1. 逆流の到達距離

- 心尖部からの四腔断面で心房を3分割する.

> 軽症：僧帽弁側1/3, 中等症：中央1/3, 重症：心房の天井側1/3

- ただし到達距離だけでなく逆流幅も重要で, その旨コメントに記載する. また左室拡大LVEDD（% of normal 値）も参考にする.

2. MR 面積/左房面積比

- ここではMRの逆流ジェット面積をMR面積と呼ぶ.
- a 胸骨左縁LV長軸断面
  b 心尖部四腔断面
  c 胸骨左縁左房(Valsalva 洞短軸断面 A)
  各断面の左房面積(LAA)とMR面積(MRA)を求めMRA/LAA比(%)の最大値を採用.

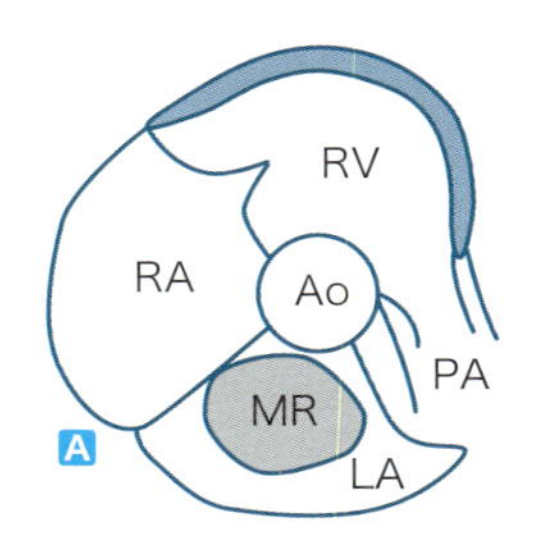

> MRA/LAA＜20% 軽症, 20～40% 中等症, ＞40% 重症

- 偏在性MRでは過小評価する傾向にある.

3. Vena contracta 幅

- a 胸骨左縁LV長軸断面
  b 心尖部四腔断面
  c 心尖部二腔断面
  2断面以上で平均値をとる. フレームレートをできるだけ上げて計測する.

Vena contracta 幅

軽症≦ 3 mm, 中等症 3 ～ 7 mm, 重症≧ 7 mm（成人値）

㊟フレームレートを上げて観察する.

4. Volumetric 法[25)]

僧帽弁(MV)逆流量（mL)

＝左室流入血流量(拡張期)－左室流出血流量(収縮期)

$= \pi \times (D2ch/2) \times (D4ch/2) \times TVI_{MV}$

$- \pi \times (D_{LVOT}/2)^2 \times TVI_{LVOT}$

D2ch, D4ch, D_{LVOT}：二腔断面, 四腔断面での MV 弁輪径, 左室流出路径（大動脈弁輪径）

TVI_{MV}, TVI_{LVOT}：MV 流入血, LVOT 血流の TVI, 計測単位は D(cm), TVI(cm)

僧帽弁逆流率(%)＝僧帽弁逆流量÷左室流入血流量×100

軽症（grade I）＜ 30%

中等症（grade II）30 ～ 39%, （grade III）40 ～ 49%

重症（grade IV）≧ 50%

大動脈弁逆流の評価：さまざまな分類があり総合的に判定する

1. 逆流の到達距離

- 心尖部からの長軸断面で心室を3分割する．

軽症：僧帽弁（MV）前尖まで
中等症：MV乳頭筋まで
重症：MV乳頭筋〜心尖部

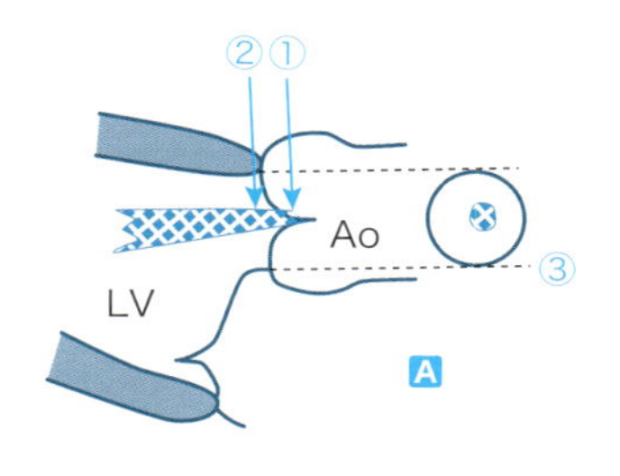

2. Vena contracta幅[25)]

- 大動脈弁直下の逆流ジェットの最も細い幅を測定（A①）．

軽症＜3 mm
中等症 3〜6 mm
重症＞6 mm（成人値）B

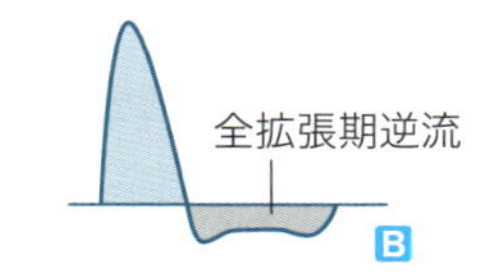

3. AR幅/LVOT径比[25)]

- Vena contracta計測部位よりやや心尖部寄りで測定（A②）（☞p134も参照）．

軽症＜25%，中等症25〜64%，重症≧65%

4. AR/LVOT面積比[25)]

- 短軸断面でLVOT面積に対するARジェット面積の比を求める．

軽症＜5%，中等症5〜59%，重症≧60%（A③）

5. Pressure half time（PHT）[25)]

- 心尖部から計測．

左室の拡張末期圧などに影響される．AR 流速が血圧から考えて遅い場合は不正確．

軽症＞ 500 msec
中等症 200 ～ 500 msec
重症＜ 200 msec（☞ p134 も参照）

6. 下行大動脈血流パターン[25)]

- 大動脈弓直下の下行大動脈での VTI ≧ 15 cm ならば中等度以上の AR（成人）．腹部大動脈での全拡張期逆流＋なら重症 AR（B）．
  ㊟成人で動脈硬化などにより弾性が低下している場合，B類似の拡張期逆流波形が観察される場合あり．

■ MEMO

大動脈弁逆流の形態分類 [25)]

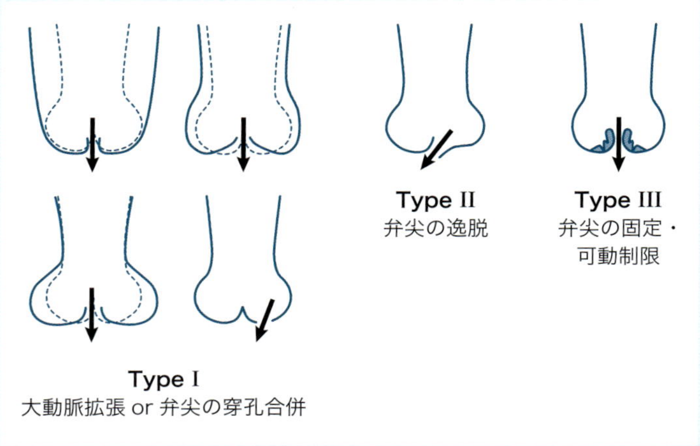

成人慢性大動脈弁逆流の重症度評価

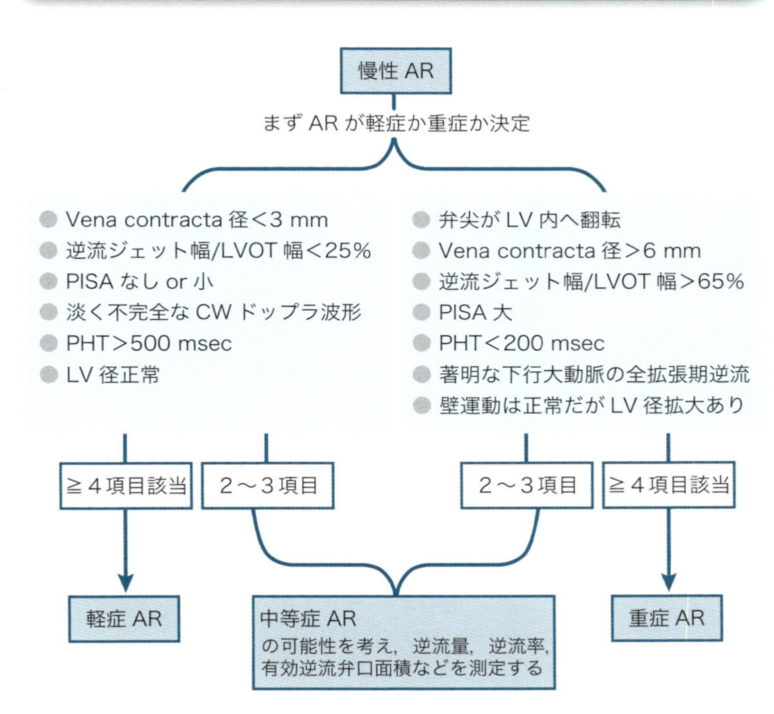

成人慢性大動脈弁逆流の重症度評価
〈文献 25）を参考にして作成〉

- 慢性 AR の重症度を単一の項目で評価することは難しい．
- 慢性 AR の重症度評価には，vena contracta 径，逆流ジェット幅/LVOT 幅，PISA，CW ドップラ波形の強さ，PHT，LV 径などを計測・確認し，網かけ領域の該当項目数を基準に重症度を評価する．

三尖弁逆流（慢性）の評価

- 三尖弁逆流の原因：Ebstein 病や異形成弁，billowing，腱索断裂などの合併，右心拡大に起因する tethering による可動制限，ペースメーカーリードによる干渉がないかなど，逆流の原因について明らかにする．
- 重症度評価：通常カラードップラ法で，右房内への逆流面積，到達距離により半定量的に 3 段階評価しているが，その重症度評価は僧帽弁逆流に比して確立していない．重症度の変化をみるには，成人対象ではあるが以下のような分類がある[25]．

> - 逆流面積：軽症 小/狭/中央，中等症 中等/中央，重症 広/中央 or 偏在壁面衝突
> - 下大静脈：軽症＜ 2 cm，中等症 2.1 ～ 2.5 cm，重症＞ 2.5 cm
> - 右室・右房：軽症 正常，中等症 正常～軽度拡張，重症 拡張
> - 三尖弁形態：軽症 正常～軽度異常，中等症 中等度異常，重症 高度の異常
> - Vena contracta 幅：軽症＜ 3 mm，中等症 3 ～ 6.9 mm，重症≧ 7 mm
> - 有効逆流弁口面積（EROA）：軽症＜ 0.20 cm^2，中等症 0.20 ～ 0.30 cm^2，重症≧ 0.40 cm^2，RA の≧ 50%

- その他，三尖弁輪径：心尖部四腔断面＞ 40 mm（成人），BSA 補正＞ 21 mm で拡大と判定する方法もある[26]．
- 三尖弁 E/E′＞ 6 で異常，＞ 8 では RAP ≧ 10 mmHg と推測される（☞ p50）．

肺動脈弁逆流（PR）の評価

- PR 部位から

> - 肺動脈弁からの逆流（A①）：軽症
> - 主肺動脈からの逆流（A②）：中等症〜重症
> - 左右肺動脈内からの逆流（A③）：重症

- 連続波ドップラ法

Pressure half time（PHT）：軽症から重症へと短くなる．PHT < 100 msec では重症．

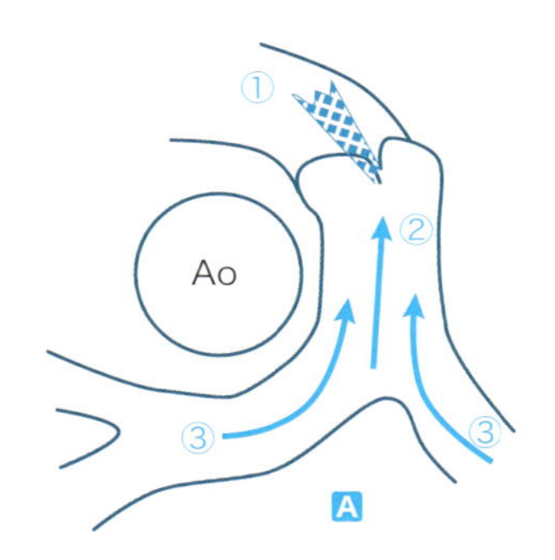

- RV 拡大：軽症 なし，中等症 なし〜拡張，重症 拡大．
- PR 持続時間/RV 拡張期時間 < 0.77 なら中等症以上[25]．
- PR ジェット幅/肺動脈弁輪径 > 0.7 で重症とも[25]．

肺動脈弁逆流・右室駆出血流のドップラ波形からわかること

1. 肺動脈弁逆流のドップラ波形からわかること

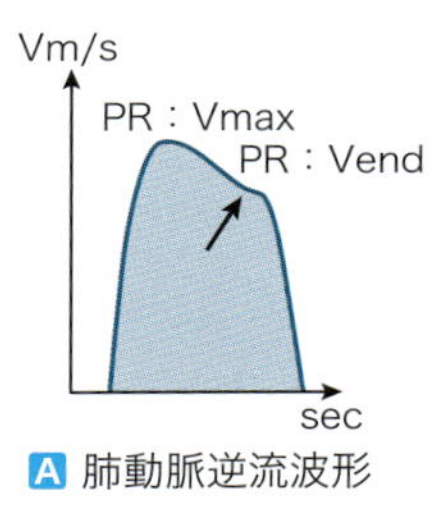

A 肺動脈逆流波形

B 軽症から重症へ

平均肺動脈圧(mmHg)
　$= 4 \times Vmax(m/s)^2 + RAP(mmHg)$
　$\fallingdotseq 4 \times Vmax(m/s)^2$
右房拡張早期圧＝右室拡張早期圧≒0 mmHg と仮定

- 拡張末期切痕（↑）：肺高血圧では浅くなる（A）.

左房圧≒左室拡張末期圧≒肺動脈拡張末期圧
　$= 4 \times Vend(m/s)^2$ ＋右室拡張末期圧
　$= 4 \times Vend(m/s)^2$ ＋右房圧

- Pressure half time（PHT）＜ 100 msec で PR 重症（B）（☞前頁）.

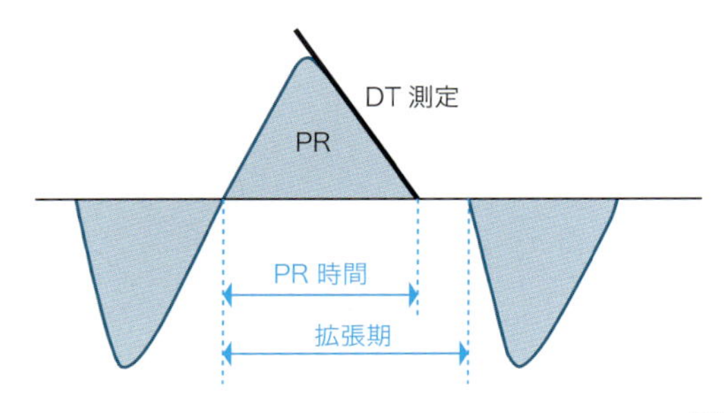

- PR の deceleration time(DT)＜ 260 msec で高度 PR[25].
- PR index= PR 時間/拡張期＜0.77 で PR 中等度以上[25].

2. 右室駆出血流ドップラ波形からわかること

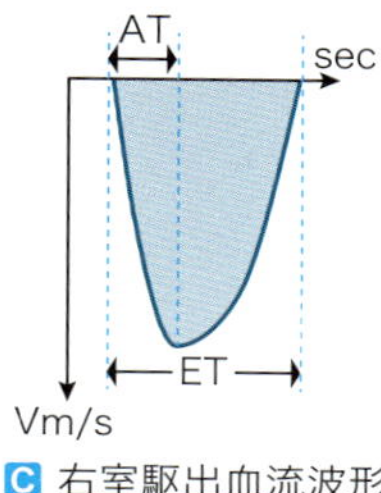

C 右室駆出血流波形

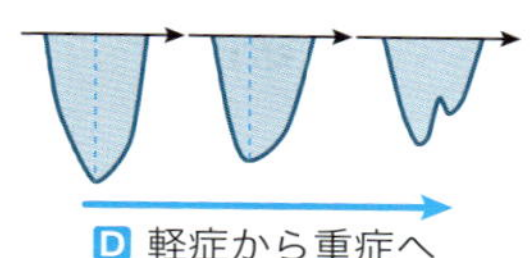
D 軽症から重症へ

- RVAT/ET＜0.3 なら平均肺動脈圧＞30 mmHg
- 肺動脈圧↑で AT は短縮．高度では二峰性（CD）．

㊟右室流出路波形はサンプルボリュームを流出路の中央において記録．流出路壁近くでは AT が短縮する．

- 平均肺動脈圧（mmHg）＝ 79 − 0.45AT（msec）[27)]
- 肺血管抵抗（WU）＝V_{TR}（m/s）÷ TVI_{RVOT}（cm）× 10 ＋ 0.16

V_{TR}：TR 最高流速

また TRV/TVI_{RVOT} ≧ 0.175 で肺血管抵抗＞2.0 の可能性が高い[13)]．

僧帽弁狭窄（MS）・大動脈弁狭窄（AS）の重症度

僧帽弁口面積*（cm^2）＝ 220/PHT（msec）
PHT：pressure half time

- MV 流入波形の拡張早期に突出波形がある場合，拡張中期の slope に接線を引いて PHT を求める（A）[28]．
  ＊低心拍出状態では過大評価，≧中等度 AR では過大評価，≧中等度 MR では過小評価などの問題もあるが，経過を追うには有用．弁口をトレースして計測する planimetry 法と組み合わせて使用．

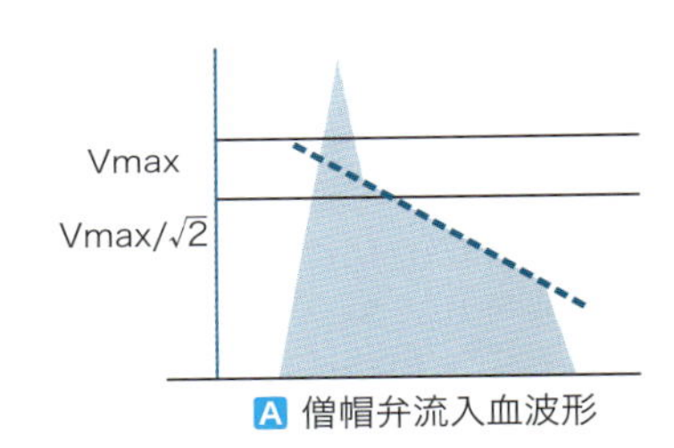

A 僧帽弁流入血波形

MS の重症度分類（成人）

	軽症	中等症	重症
MV 弁口面積（cm^2）	＞1.5	1.0～1.5	＜1.0
PHT（msec）	＜150	150～220	＞220
LV-LA 平均圧較差（mmHg）	＜5	5～10	＞10
収縮期肺動脈圧（mmHg）	＜30	30～50	＞50

PHT：pressure half time
〈文献 28）より引用〉

AS の重症度評価

	軽症	中等症	重症
AVA（cm^2）	＞1.5	1.0～1.5	＜1.0
AVA/BSA（m^2）	＞0.85	0.60～0.85	＜0.6
平均 PA 圧（mmHg） AHA ガイドライン ESC ガイドライン	 ＜20 ＜30	 20～40 30～50	 ＞40 ＞50
最大流速（m/s）	2.6～2.9	3.0～4.0	＞4.0

AVA：大動脈弁口面積，BSA：体表面積，PA：肺動脈
㊟ planimetry 法で弁口面積を計測する場合，AV, MV ともに弁尖輪郭の内側をトレースし，最小弁口面積を拡張早期に計測する．
〈文献 28）より引用〉

人工弁狭窄の重症度指標

- 人工弁狭窄の原因：パンヌス（人工弁周辺から発生する線維性組織），血栓，疣贅，組織片などが考えられるが，血栓によるものが圧倒的に多い．
- 人工弁はベンチュリー管様に開放する．簡易ベルヌーイの法則で圧較差を推測しない．
- 僧帽弁位：Vmax ≧1.9 m/s，PHT ≧130 msec，EOA＜ 2.0 cm^2 なら MS を疑う．
  大動脈弁位：Vmax ≧ 3 m/s，TVI_{LVOT}/TVIpro ≦ 0.29 では AS を疑う．

僧帽弁の狭窄の評価

	正常	狭窄の可能性	有意狭窄
Vmax（m/s）	＜ 1.9	1.9 ～ 2.5	＞ 2.5
PHT	＜ 130	130 ～ 200	＞ 200
平均圧較差（mmHg）	≦ 5	6 ～ 10	＞ 10
経過中の平均圧較差増大	＜ 5	5 ～ 12	＞ 12
EOA（cm^2）	≧ 2.0	1 ～ 2	＜ 1

EOA : effective orifice area = stroke volume/TVI PrMV　〈文献 29）より引用〉

大動脈弁の狭窄の評価

	正常	狭窄の可能性	有意狭窄
AT：加速時間（msec）	＜ 80	80 ～ 100	＞ 100
Vmax（m/s）	＜ 3.0	3.0 ～ 4.0	＞ 4.0
平均圧較差（mmHg）	＜ 20	20 ～ 35	＞ 35
経過観察中圧較差増大	＜ 10	10 ～ 19	≧ 20
EOA（cm^2）	＞ 1.2	1.2 ～ 0.8	＜ 0.8
DVI	≧ 0.30	0.29 ～ 0.25	＜ 0.25

EOA : effective orifice area = $(LVOTD/2)^2 \times 3.14 \times TVI_{LVOT}/TVIpro$
DVI = TVI_{LVOT}/TVIpro，TVI : time velocity integral, pro: prosthetic valve
〈文献 29）より引用〉

- 大動脈弁位への人工弁は，prosthesis-patient mismatch を避けるように，有効弁口面積＞ 0.85 cm^2/m^2 を満たすように選択される．

各論 I
先天性疾患

各論 I
先天性疾患

心房中隔欠損
atrial septal defect（ASD）

1. 発生率 568/100 万生産児．しかし，多くの症例が成人期に発見（学童期以後に発見される先天性心疾患のなかで最多）されており，より高率と考えられる．
2. 性差 2～3：1 で女性に多い．
3. 家族例が少なくない．
4. ほとんどは二次孔欠損であるが，約 10％は上大静脈（SVC）と右房（RA）連結部近傍に ASD を有する静脈洞型（sinus venosus defect）である．さらに稀ではあるが，IVC と RA 連結部近傍に欠損孔を有する静脈洞型もある．
5. 約 9％例で部分肺静脈還流異常（PAPVC）を伴う．右肺静脈が RA か SVC・RA 連結部近傍に還流する型が多い．これは静脈洞型 ASD に多くみられ，IVC 側の静脈洞型 ASD にも PAPVC を合併しやすい．
6. 不完全右脚ブロックを認め，学校心臓検診で発見されることも多い．孤立性陰性 T 波を伴うことも少なくない．年齢とともに不整脈の発生率は上昇する．最も多いのは心房細動で，心房粗動を伴うものもある．稀に高度の発作性上室性頻拍を伴う．
7. 奇異性塞栓（paradoxical embolization）：最も多いのは下肢の静脈血栓が原因．ASD の場合，小欠損より大欠損で発症率が高い．右左短絡の検出には Valsalva 操作を併用したコントラストエコーが有用．
8. ASD サイズの変化：新生児期の ASD は大きいもので 10～15 mm であるが，成人期には 40 mm 近いものも存在する．どのようなスピードで ASD が拡大するか明らかでないが，65％例で ASD は大きくなる．これらの症例はもともと大きい欠損孔を有することが多い．

心房中隔欠損の解剖と基本心エコー

- 型（右図参照）：二次孔型（II），静脈洞型（上位：SVs，下位：SVi），冠状静脈洞型（CS），一次孔型（I）．
- 右房・右室拡大．
- 相対的肺動脈狭窄．
- 心室中隔の奇異性運動．

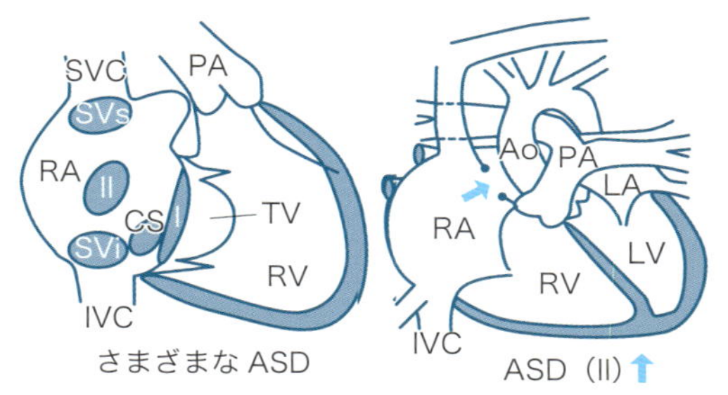

1. 合併症

- 肺動脈弁狭窄．
- 部分肺静脈還流異常．
- 左上大静脈遺残：肺高血圧合併に注意．
- 三尖弁逆流：肺高血圧の有無推定（連続波ドップラで流速を測定）．
- 僧帽弁逸脱・逆流．

2. 根治術

- カテーテル治療：デバイスによる心房中隔欠損（ASD）閉鎖（☞ p 74-75）．
- 外科的ASD閉鎖術：パッチ閉鎖，直接縫合．
- 開胸法：正中切開，右背側切開，右側切開．

3. 術後チェックポイント

- 右心系拡大の改善．
- 三尖弁逆流，僧帽弁逆流の程度．
- ASD遺残短絡．
- 心機能．
- 肺動脈血流速度の変化．

心房中隔欠損（二次孔欠損型）の解剖と基本心エコー

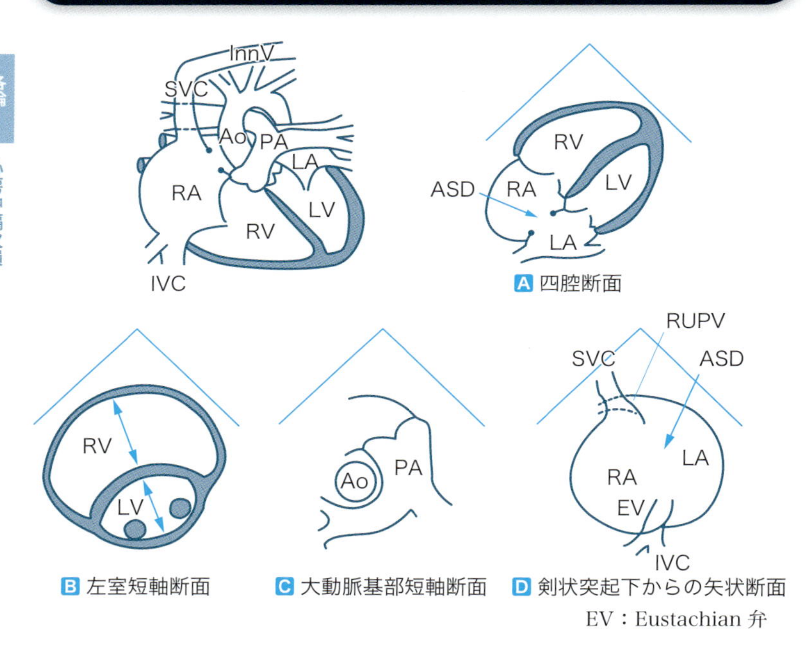

A 四腔断面　B 左室短軸断面　C 大動脈基部短軸断面　D 剣状突起下からの矢状断面

EV：Eustachian 弁

- 四腔断面（A）：右室拡大で左右心室がアンバランス．心房中隔欠損（ASD）の確認（大きさ，位置，数，リムについては後述☞ p76），心房中隔瘤，僧帽弁逆流，三尖弁逆流，Ebstein 奇形の有無．
- 心室短軸断面（B）：右室拡大，左室縮小，楕円形の左室，僧帽弁逸脱（逆流部位同定），M-mode：右室拡張末期径（RVEDD），左室拡張末期径（LVEDD），RVEDD/LVEDD 比，心室中隔の奇異性運動（MEMO 参照）．
- 大動脈基部短軸断面（C）：肺動脈拡張，肺動脈血流速度（弁狭窄，相対的肺動脈弁狭窄），右室流出路，左室流出路の断面積，平均流速から Qp/Qs 推定（☞ p42-43）．
- 剣状突起下からの矢状断面（D）：ASD の大きさ，右上肺静脈（RUPV）の確認，静脈洞型 ASD，静脈洞弁（下大静脈弁 Eustachian 弁，冠静脈洞弁 Thebesian 弁☞ p79）をチェック．

■ MEMO

相対的肺動脈弁狭窄

ASD での左右短絡が大きいと，肺動脈弁が正常でも肺動脈弁通過血流速度は大きくなる.
2.5 m/s を超える場合には，肺動脈弁自体に問題があると考える.

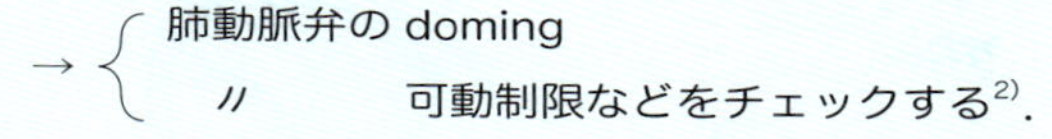

■ MEMO

心室中隔の奇異性運動（仰臥位で）

拡張期に左室は拡大した重い右心室に圧排され，心室中隔は背側に移動.
収縮期には左室内圧が，右室圧＋右室重量に打ち勝って，心室中隔は腹側に移動する.

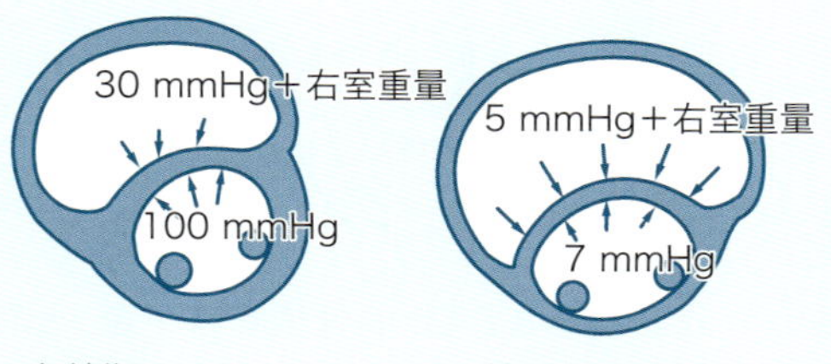

収縮期
IVS は前方運動

拡張期
IVS は後方運動

心房中隔欠損の合併症

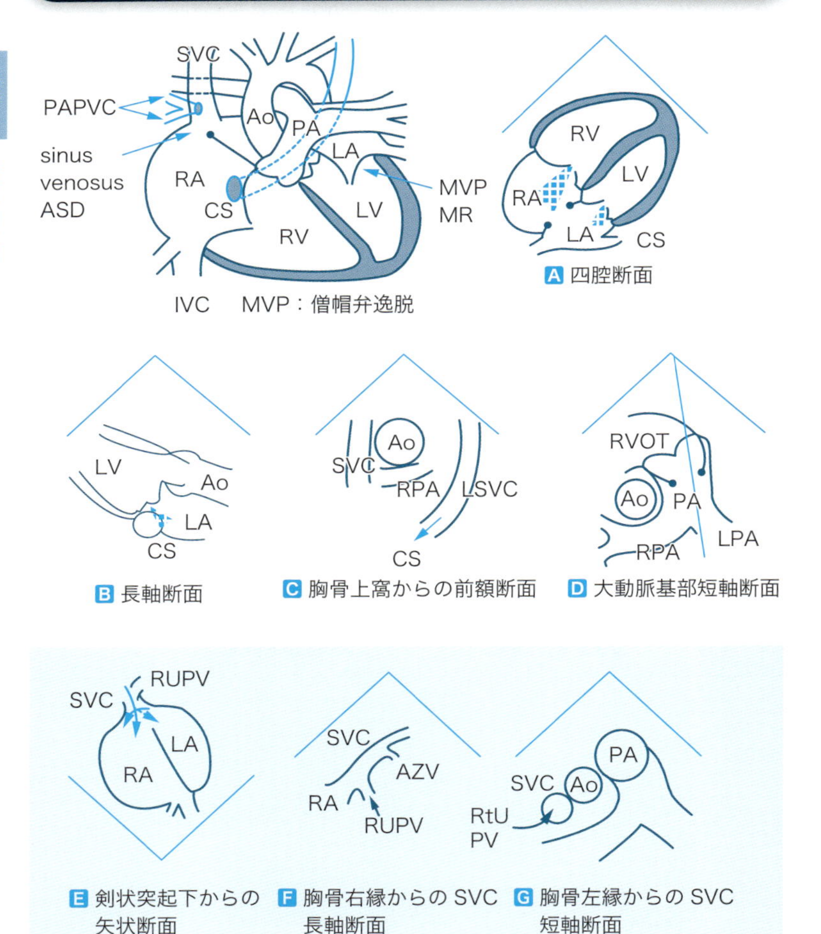

A 四腔断面

B 長軸断面

C 胸骨上窩からの前額断面

D 大動脈基部短軸断面

E 剣状突起下からの矢状断面

F 胸骨右縁からの SVC 長軸断面

G 胸骨左縁からの SVC 短軸断面

（E～G：SVC への部分肺静脈還流異常を伴う静脈洞型 ASD；☞ p115）
AZV：奇静脈，RUPV：右上肺静脈

●四腔断面（A）：僧帽弁逆流（MR），三尖弁逆流（TR），Ebstein 奇形の合併などについて評価する．左上大静脈遺残，右拡大にもかかわらずASD二次孔が見えない場合，静脈洞型，冠状静脈洞型，部分肺静脈還流異常に注意する．通常より上下方もチェックする．

- 左室長軸断面（B）：MR，拡張した冠状静脈洞があれば，左上大静脈遺残の可能性大．肺高血圧が合併しやすい．
- 胸骨上窩からの前額断面（C）：冠状静脈洞拡張例では，左上大静脈遺残を確認する．肺静脈が冠状静脈洞に還流する部分肺静脈還流異常の可能性もあり．
- 大動脈基部短軸断面（D）：ドップラで肺動脈血流速度測定，肺動脈弁のdoming確認．
- 剣状突起下からの矢状断面（E）：静脈洞型心房中隔欠損（ASD）（上位，下位ともに）の診断に有用．
- 剣状突起下からの矢状断面（E）で上位静脈洞型ASDの場合，高率に部分肺静脈還流異常を合併するため，FG断面で部分肺静脈還流異常について確認．
- 組織ドップラによる右室TEI index ＞ 0.54で右心機能低下（パルスドップラ＞ 0.43）．

■ MEMO

卵円孔（patent foramen ovale：PFO）と心房中隔欠損（ASD）

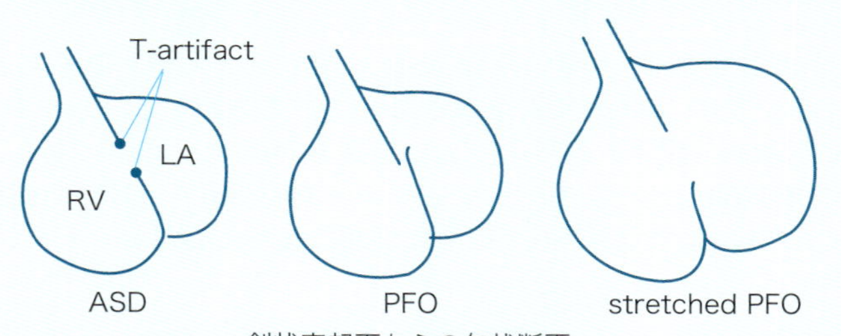

剣状突起下からの矢状断面

剣状突起下からの矢状断面で観察すると，違いがわかりやすい．典型的にはPFOは弁様でASDは欠損孔としての形態を有している．しかし，動脈管開存，心室中隔欠損など，心房が大きくなるような心奇形を合併する場合には，心房中隔が引き伸ばされ（stretched PFO）鑑別が難しくなる．

ASDの場合，欠損孔端にT-artifactを認めることが多い（上図）．

奇異性塞栓：卵円孔の場合，心房中隔瘤を合併する症例で発生率が高い．ASDの場合には大きい欠損孔を有する症例で起こりやすい．奇異性塞栓が疑われる病歴があれば，PFOもカテーテル治療の適応と考えられている（☞次頁）．

デバイスによる心房中隔欠損閉鎖と心房中隔欠損周囲リム
Amplatzer® Septal Occluder, Occlutech® Figulla Flex II, GORE® CARDIOFORM Septal Occluder

1. Amplatzer® Septal Occluder（ASO）

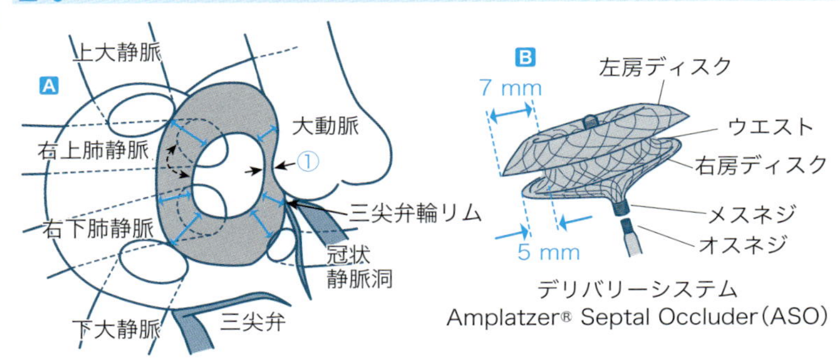

デリバリーシステム
Amplatzer® Septal Occluder（ASO）

- Aの８ヵ所＋僧帽弁までの距離の計９ヵ所の計測が必要．
- ニッケル・チタン合金でMRI対応．塞栓効果を高めるため，左右ディスク，ウエストにポリエステル膜を縫着（B）．
- ASOによるASDの閉鎖術はASOのLAディスクとRAディスクにより，ASD周囲のリムをはさんでこれを閉鎖する．したがって，大動脈背側（A①）以外のリムは原則5 mm以上必要になる．
- よりflexibleなデリバリーケーブル（Trevisio®）が使用可能になり，ASOによるASDの閉鎖術は以前に比して容易になった．

2. Occlutech® Figulla Flex II（FF II）

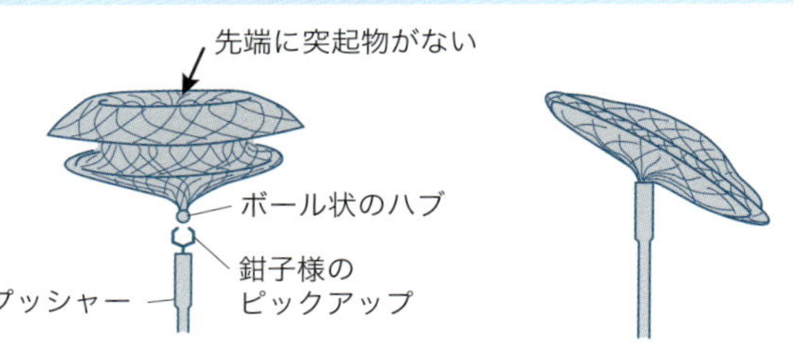

- ネジ式ではなく，鉗子様のピックアップでボール状のハブをつかむ着脱方式になっており，オクルーダーとプッシャーが50度まで可

変となった．留置が容易になったが，ASO の重要な合併症であった erosion の発生率低下についてはなお明らかでない．

3. GORE® CARDIOFORM Septal Occluder

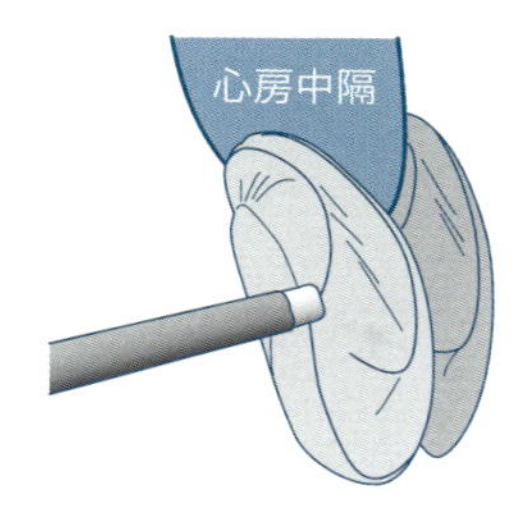

- 2021 年に保険適用を獲得．フレームは軟らかく，両側はゴアテックスの膜で覆われる．構造が ASO，FF II と大きく異なり，いまだエロージョンの報告はない．しかし，ASO や FF II で認められていないワイヤフレームの破損が少なからず発生，心タンポナーデの合併が報告されている．

デバイスによる心房中隔欠損閉鎖術前の胸壁心エコー

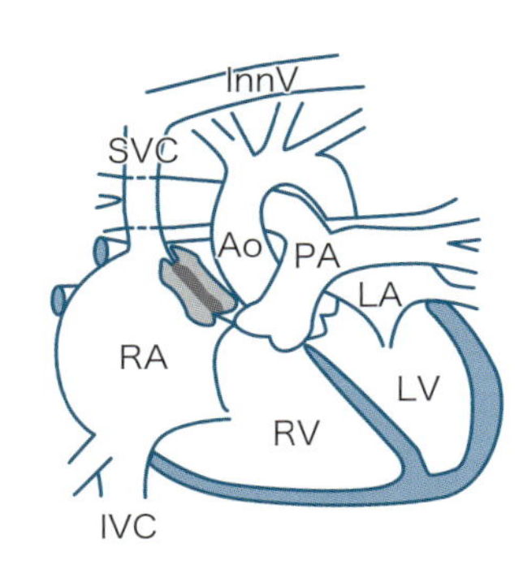

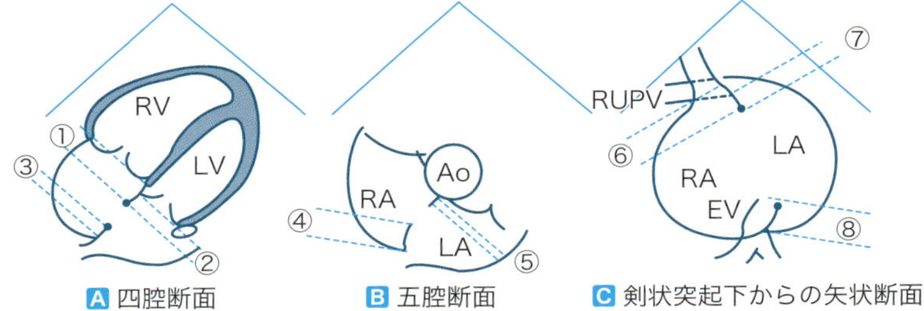

A 四腔断面　B 五腔断面　C 剣状突起下からの矢状断面

EV：Eustachian 弁

- ASD サイズ計測.
- リム計測[2)]：

> ① TV リム，② MV リム，③ posterior リム，
> ④ Ao 基部の posterior リム，⑤ Ao リム，
> ⑥ SVC リム（superior リム），
> ⑦ right upper PV リム，⑧ IVC リム（interior-posterior リム）

- デバイスにより ASD を閉鎖する場合，Ao リムは 0 mm でもよいが，その他の部位では原則≧ 5 mm のリムが必要.

デバイスによる心房中隔欠損閉鎖術後の胸壁心エコー

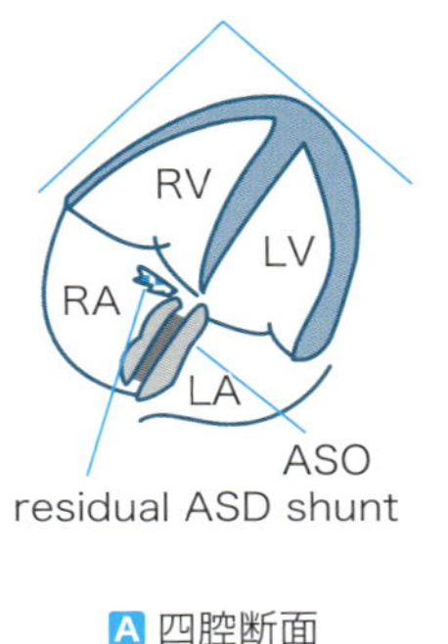

A 四腔断面

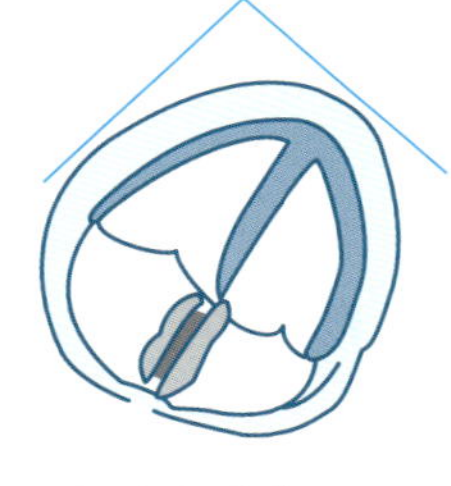

pericardial
effusion（? blood）

B 四腔断面

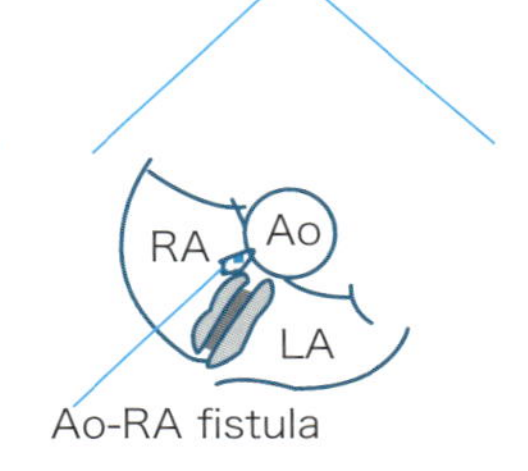

C 五腔断面

- **A**遺残短絡の有無，右室拡大の程度などをチェック．
- **B**有意な心膜液貯留を認め，デバイスによる erosion から心タンポナーデへの進行が危惧される（☞ p305）．→緊急で心膜穿刺，排液を行い，状態をまず安定化させる．同時に手術の準備を整える．
  右心房，左心房，右室の圧迫状況をチェックし，心膜腔内圧を推定．
- **C**心膜液貯留は認めないが，大動脈（Ao）から右房（RA）や左房（LA）への瘻形成を認める場合もある．

心房中隔欠損外科手術後のチェックポイント

- ASD を閉鎖したパッチが稀に外れることあり．遺残短絡をチェックする．
- 右心負荷の軽減をチェック：RVEDD/LVEDD 比，三尖弁逆流の程度，肺高血圧の程度など．
- 相対的肺動脈狭窄の軽減をチェックする．
- 心膜切開後症候群などにより，心タンポナーデに至る可能性もあり，心膜液貯留，心臓の拡張能などにも留意する．

■ MEMO

ASD に対する外科手術（皮膚切開線）

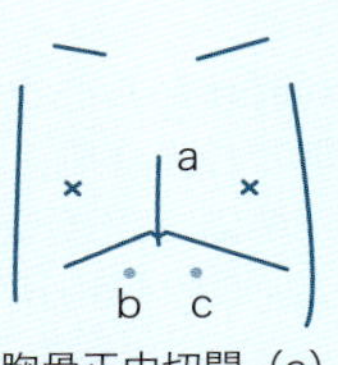

胸骨正中切開（a）
ドレナージ跡（b, c）

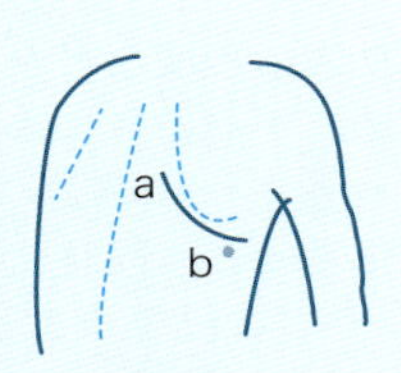

右背側切開（a）
ドレナージ跡（b）
正面から術創は見えない

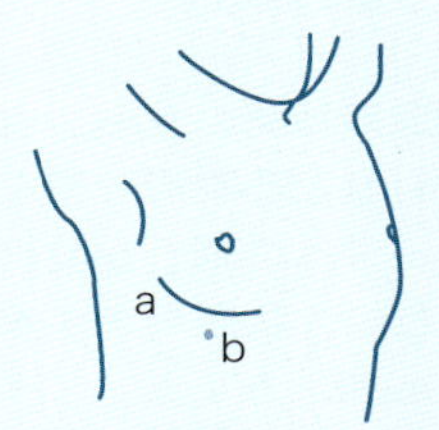

右側胸部切開（a）
ドレナージ跡（b）

われわれの施設では右背側切開も採用している．正面から術創が見えず好評である．年齢が高くなると切開線から心臓までの距離が深くなるため，切開線をやや前方に伸ばす必要がある．

静脈弁：Eustachian 弁

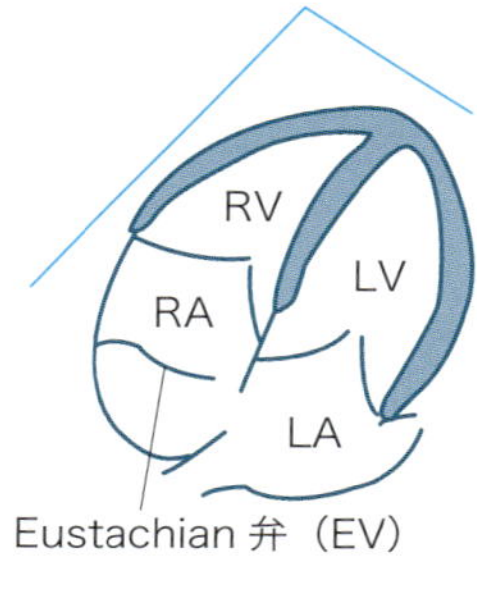

四腔断面

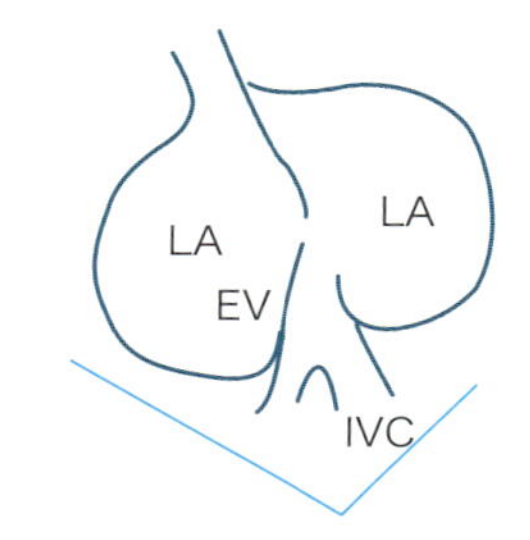

剣状突起下からの矢状断面

- Eustachian 弁は胎生期に卵円孔を介して，臍帯静脈からの酸素を多く含んだ血流を左心系に送る働きを担っていた．下大静脈前縁から（RA 連結部）卵円孔に向かって伸びる膜様の構造物として観察される．
- Thebesian 弁：冠状静脈洞からの酸素の乏しい血流を卵円孔方向に流さないための静脈弁．
  - ㊟下縁欠損を伴う大きな心房中隔欠損（ASD）の場合，あたかも Eustachian 弁が心房中隔のリムのようにみえることがあり，ASD サイズ，下方リムなどの評価に際して注意する．
- 静脈洞弁が大きくネット様に遺残したものは Chiari network と呼ぶ．デバイスを用いて ASD を閉鎖する際，その存在により手技が難しくなることがある．

心房中隔瘤
atrial septal aneurysm（ASAn）

- 心尖部四腔像または傍胸骨短軸像で，ASAn の偏位部分を明らかにする．
- 心房中隔面より 10 mm 以上（成人）突出するものを ASAn という（定義 I，II：下図）．
- ASAn の偏位の方向は左房・右房の圧較差によるため，左右，右左，いずれの方向にも心周期の中で偏位しうる．
- シャントの有無をカラードップラ，コントラストエコーで確認．
- 血栓が pouch の中で形成される可能性があるが，それは pouch の左房側，右房側，いずれにも形成される可能性あり．
- 75％例で卵円孔，心房中隔欠損を合併．
- 卵円孔（PFO）と ASAn の合併は，塞栓症のリスクとして注目．ASAn が発見されればコントラストエコーを行う．

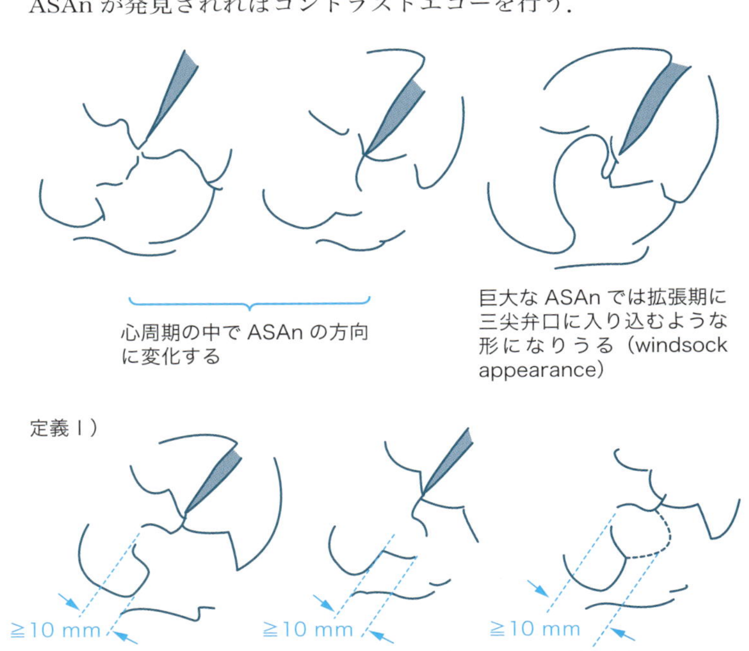

〈文献 30）より引用〉

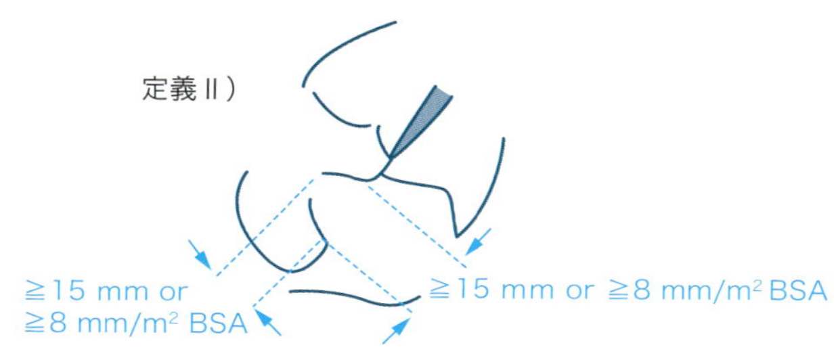

〈文献 31）より引用〉

■ MEMO

心房中隔瘤を有する症例のカテーテル治療

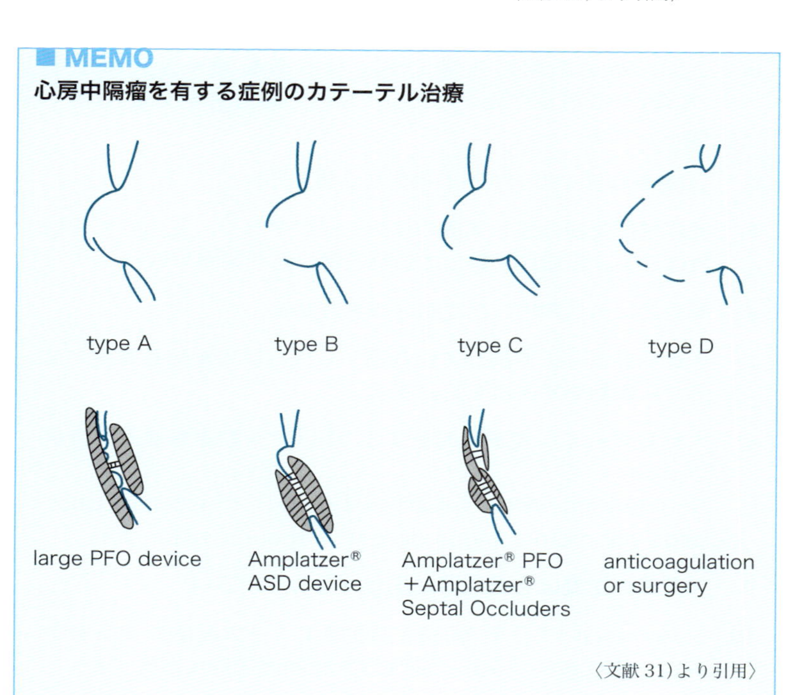

〈文献 31）より引用〉

心室中隔欠損
ventricular septal defect (VSD)

1. 最もよくみられる先天性心疾患.
2. 新生児期では，すべての新生児の5％例で心室中隔欠損（VSD）を認める．ほとんどは小さな筋性部中隔欠損であり，1歳に近づくにつれて自然閉鎖する.
3. 上記，新生児期の非常に小さなものを除くと，発生率2839/100万生産児．ただし子宮内で閉鎖するVSDも稀でない.
4. 20％例はほかの先天性心疾患を合併する.
5. 傍膜様部欠損は最も頻度の高いタイプであり，三尖弁に近ければ三尖弁組織が癒着してこれを覆い自然閉鎖する.
6. 胎児期に自然閉鎖した症例の報告もある.
7. 大動脈弁近くに伸展していれば，しばしば大動脈弁逸脱・変形から大動脈弁逆流を合併する.
8. 大動脈弁近くに欠損孔を有するVSDで大動脈弁逆流を合併しうる.
   Doubly committed subarterial defect, muscular outlet, large perimembranous defect with conal extension.
9. 大動脈弁逆流は2歳以降に出現することが多い.
10. Subarterial VSDの90％が30歳までに大動脈弁変形を合併し，そのうちの50～90％が大動脈弁逆流に進展する.
11. Small defectでも10～20％例は大動脈弁逆流を合併するといわれる.
12. VSD大欠損にもかかわらず，肺高血圧の低下なく心室拡大が軽くなっていく場合，肺血管抵抗の上昇に注意する.

心室中隔欠損のタイプを鑑別する 1

傍膜様部欠損

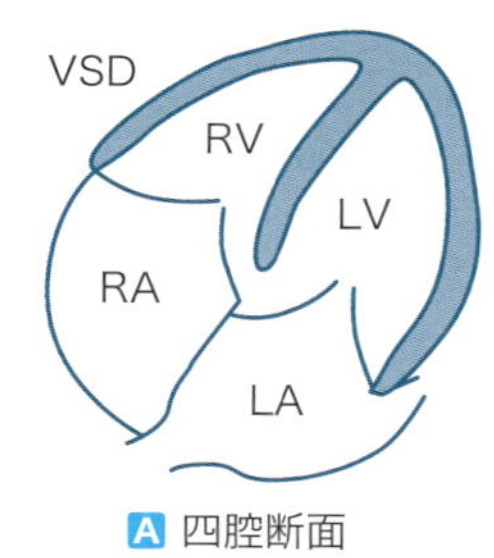

A 四腔断面

膜様部欠損

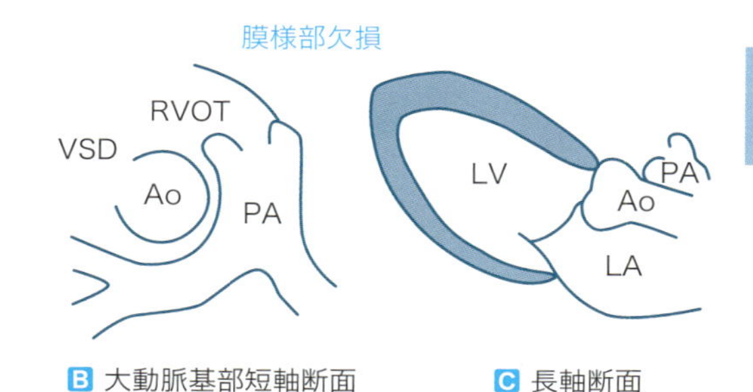

B 大動脈基部短軸断面

C 長軸断面

膜様部流出路伸展

D 大動脈基部短軸断面

E 長軸断面

- 四腔断面（A）：心室中隔欠損（VSD）が確認できる．左心系拡大，僧帽弁逆流，三尖弁逆流，tricuspid pouch，心房中隔欠損，卵円孔（stretched PFO），三尖弁，僧帽弁付着部位のずれ（off-settingがなければinlet VSDを考慮）をチェック．傍膜様部VSDの自然閉鎖は，VSDを三尖弁組織が覆う（tricuspid pouch）ことによる．
- 大動脈基部短軸断面（BD）：欠損孔の位置（大動脈を時計に見立てて何時の方向か→傍膜様部：10時の方向），PSの有無．
- 長軸断面（CE）：きれいな長軸断面で膜様部欠損孔は見えない（プローブをやや右室側に振ると見える）．きれいな長軸断面で欠損孔が見えれば，傍膜様部欠損が大動脈基部短軸断面で12時の方向にまで伸びていることを意味する（D）：膜様部流出路伸展．
- 傍膜様部欠損：膜様部に限定した欠損は稀で，流出路，流入路などに伸展することが多いため，傍膜様部欠損と呼ぶ．

心室中隔欠損のタイプを鑑別する 2

高位欠損（muscular outlet, subpulmonary, doubly committed subarterial defect）

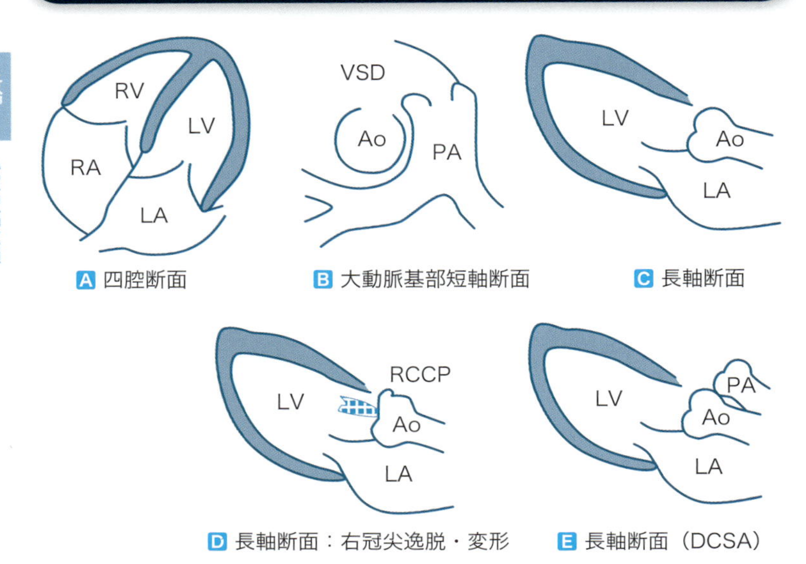

A 四腔断面　B 大動脈基部短軸断面　C 長軸断面

D 長軸断面：右冠尖逸脱・変形　E 長軸断面（DCSA）

- 四腔断面（A）：欠損孔は見えない，左心系の拡大，MR，TR を確認．
- 大動脈基部短軸断面（B）：12 ～ 2 時（大動脈を時計に見立てて）の方向に欠損孔がある．12 時：muscular outlet，1 ～ 2 時まで：subpulmonary VSD.
- 心室長軸断面（CDE）：きれいな長軸断面でも欠損が見える．subpulmonary VSD では，肺動脈弁直下まで欠損孔が広がる．これら高位欠損では高率に右冠尖が逸脱（right coronary cusp prolapse：RCCP）し，大動脈弁逆流を合併するようになる（D）．Doubly committed subarterial defect：DCSA）では，大動脈弁と肺動脈弁の高さが同じ（E）．両者の直下に心室中隔欠損が広がる．

心室中隔欠損のタイプを鑑別する 3
流入部欠損

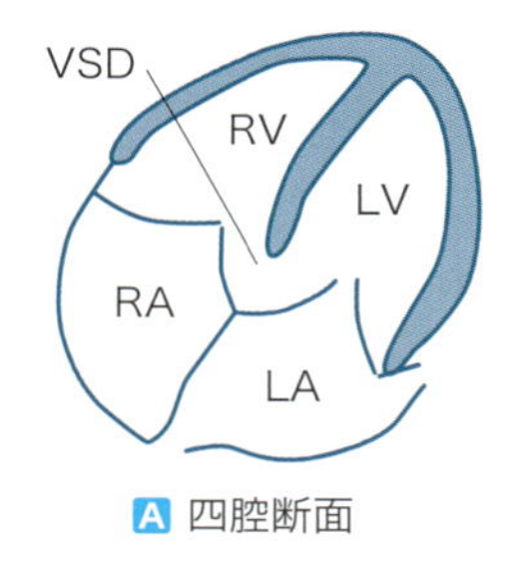

A 四腔断面

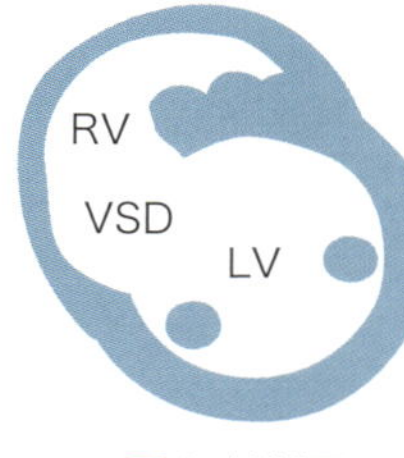

B 短軸断面

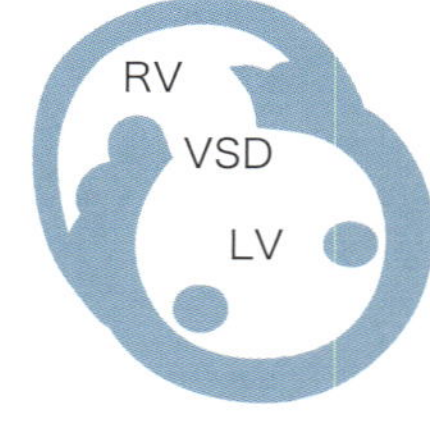

C 短軸断面
肉柱部伸展

- 四腔断面（A）：三尖弁の下方に欠損孔があり，三尖弁と僧帽弁の付着部のずれ（off-setting）が消失する．欠損孔は通常大欠損となる．MR, TR, 心房間交通を確認．
- 心室短軸断面（B）：流入部欠損では三尖弁の下方：心室中隔背側に欠損孔が広がる．
- 傍膜様部欠損肉柱部伸展（C）：膜様部に続いて，欠損孔が肉柱部に掘れ込む．
- なお，流入部欠損では，しばしば房室中隔欠損と同様にECGのQRS軸が左軸偏位を呈する．

心室中隔欠損のタイプを鑑別する 4

筋性部欠損

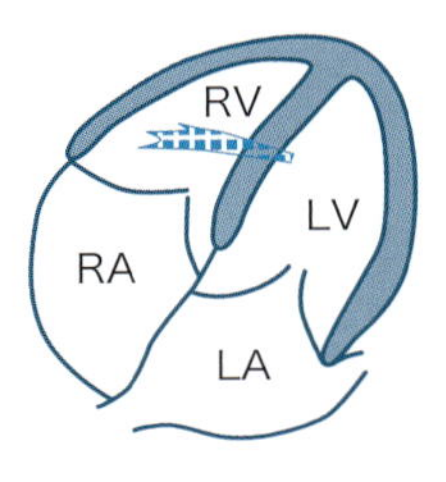

A 四腔断面

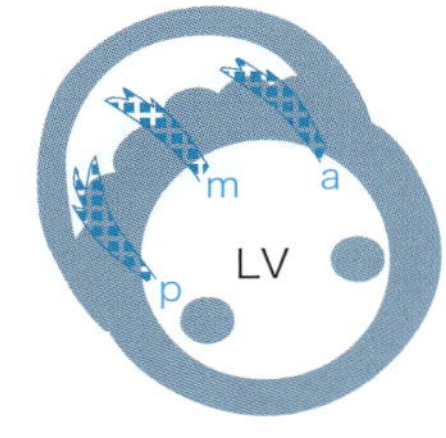

B 短軸断面

C 短軸断面

- 新生児心エコー検診で発見され，1 歳までに自然閉鎖する症例は少なくない．
- 小さな VSD はカラードップラで観察しないと見逃される．聴診が重要．
- 四腔断面，短軸断面，長軸断面などで以下の点に留意して観察する．

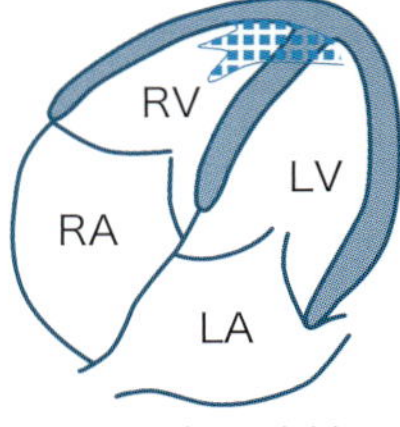

D 心尖部四腔断面

- 小さな筋性部欠損か，冠動脈瘻か迷うことがある．カラードップラが心室中隔を左室から右室へ突き抜ければ VSD（A）．
- 大きな傍膜様部欠損などに合併すると，左室圧＝右室圧で筋性部欠損は見逃されやすい．Velocity range を十分下げて，心室中隔全体をスキャンする．
- 筋性部 VSD の位置は，右室からみるとわかりにくい．乳頭筋レベル，もしくは乳頭筋より上，下のレベルで，前中隔（a），中中隔（m），後中隔（p）にあるなどと外科医に説明しておく（B）．
- 左室側欠損孔は 1 個で右室側に複数個開口することがある（C）．
- 心尖部 VSD は傍胸骨左縁からではなく，心尖部からの四腔断面や長軸断面で診断する（D）．

心室中隔欠損の合併症

1. 傍膜様部欠損

- 傍膜様部欠損でも大動脈弁逸脱変形を合併する．その場合，10時の方向に逸脱するため，右冠尖のみならず無冠尖も同時に逸脱する可能性がある．

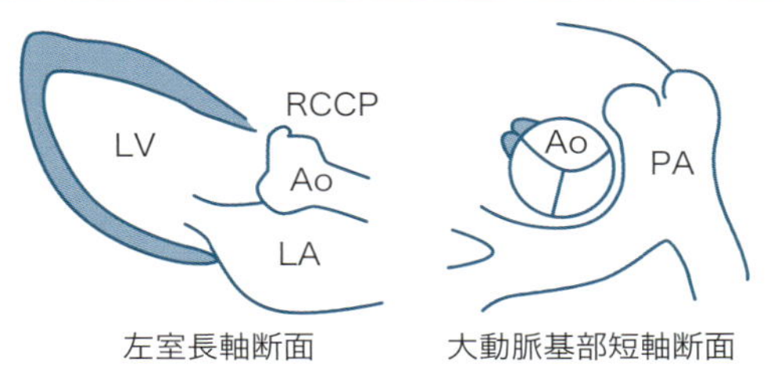

左室長軸断面　大動脈基部短軸断面

2. 不整合型心室中隔欠損

- 漏斗部中隔が前方偏位した不整合型心室中隔欠損（大動脈弁が心室中隔に騎乗する型）：大動脈弁下構造物（subaortic ridge：SAR）が張り出し，大動脈弁下狭窄（subaortic stenosis：SAS）を合併することがある．

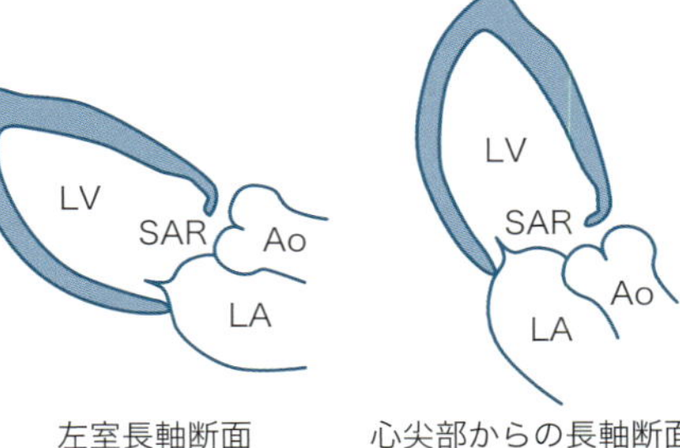

左室長軸断面　心尖部からの長軸断面 SARを観察しやすい．

- SAS：進行性の病変で手術後の再狭窄率は高い（33%）[2]．
- Subvalvular aortic stenosis の ridge 切除後の再手術予測[2]．
  - ・Fibromuscular ridge と大動脈弁間距離 ＜ 6 mm
  - ・Max Doppler gradient ≧ 60 mmHg
- 漏斗部中隔が後方偏位した不整合型心室中隔欠損：大動脈は正常より細く，大動脈縮窄，離断を合併することが多い．

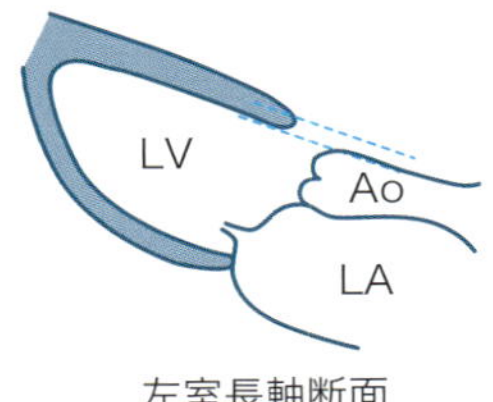

左室長軸断面

3. 右室二腔心

- 上記，不整合型の心室中隔欠損（VSD）では，SAR のほか，右室二腔心（two chambered right ventricle：TCRV）も合併しやすい．後天的に進行するため定期的チェックが必要である．
- 右室二腔心では多くの場合 VSD は高圧腔にあるため，異常筋束の発達に伴って症状が次第に軽減．
- TCRV：他の心奇形を合併することが通例で，80 ～ 90％例で VSD を合併する．VSD は通常膜様部欠損であるが，どこにあっても構わない．2 番目に合併することが多いのは valvular PS である．

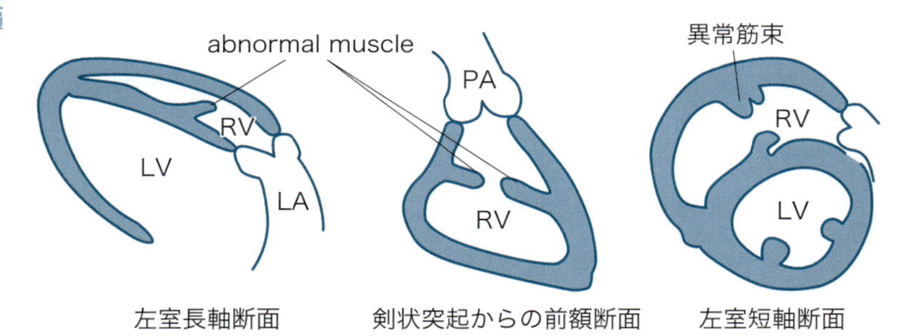

左室長軸断面　剣状突起からの前額断面　左室短軸断面

4. 左室右房交通症（LV-RA シャント）

- VSD のタイプは傍膜様部で，tricuspid pouch（TP）を伴っている．TR と区別がつきにくいこともあるが，鑑別には血流速度の測定が有用である．血圧と VSD 血流速度から右室圧の推定は容易である．通常，VSD は TP で小さくなっているため右室圧は高くない．したがって，左室短軸断面で左室が正円の形態をとっているにもかかわらず，血流速度が速く血圧に近い圧較差があれば LV-RA シャント，遅ければ TR と判定される．

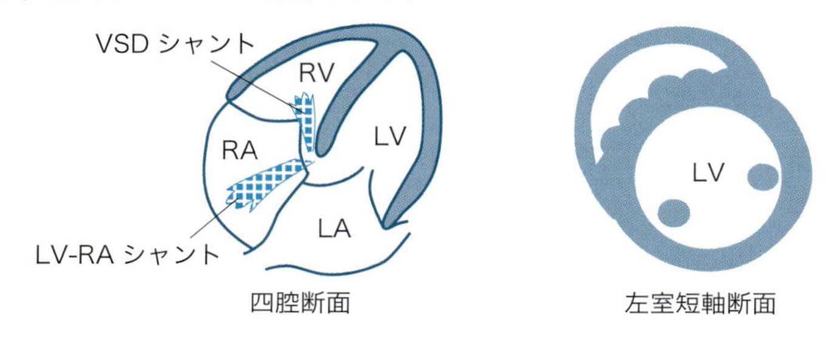

四腔断面　左室短軸断面

■ MEMO

VSDに合併する大動脈弁逆流（AR）の成因

①大動脈弁逸脱
②大動脈弁下狭窄（SAR）によるもの
③もともと大きい大動脈弁によるもの

などが考えられる．

したがって，①によるものならVSDを閉鎖，②ならSARを切除すればよい．しかし，③ならVSDを閉鎖しても問題の解決にならないことに注意する．ARがわずかで肺体血流比が小さければ，大動脈弁の変形や逆流の進行に留意しながら様子観察を行う場合もある．

■ MEMO

VSDの自然閉鎖[2)]

- 子宮内で閉鎖するVSDも稀でなく，5～30%の自然閉鎖率といわれる．
- 筋性部欠損：3 mmまでのものは3歳までに多くが閉鎖する．傍膜様部の大欠損や不整合型のVSDは閉鎖しにくい．
- 自然閉鎖するVSDはカラードップラ幅が4 mmまでのことが多い．
- 4 mmまでのVSDでは44%，4～6 mm：30%，≧6 mm：16%で，欠損孔は縮小する．
- 新生児期の筋性部欠損では，76～89%が1歳までに自然閉鎖する．

心室中隔欠損に対する手術 1

姑息術（肺動脈絞扼術）

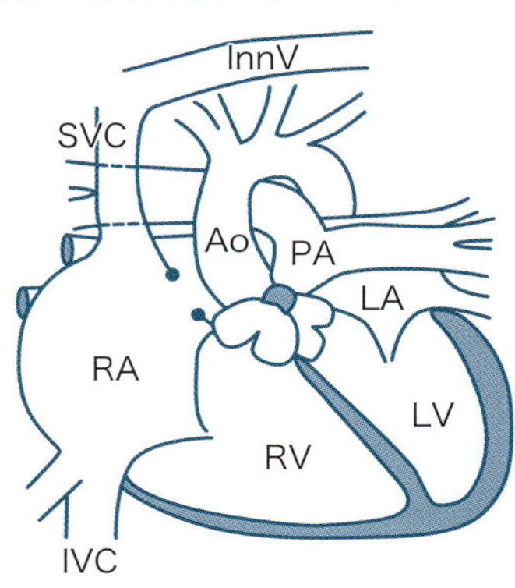

- 肺動脈絞扼術：PA banding（PAB）
- 人工血管を 2 ～ 3 mm 幅に切断したものを利用する．
- バンドが末梢にずれないように外膜に糸を掛けておく．
- 肺動脈絞扼術のバンドが圧に負けて末梢にずれる場合，右肺動脈狭窄に注意する！　通常，主肺動脈から分岐した後，右肺動脈は体軸に対して右に，左肺動脈は背側に向かって走行する（A）．したがって，バンドがずれなければよいが（B），末梢にずれた場合には右肺動脈の分岐部（AC矢印）を圧迫することになる．

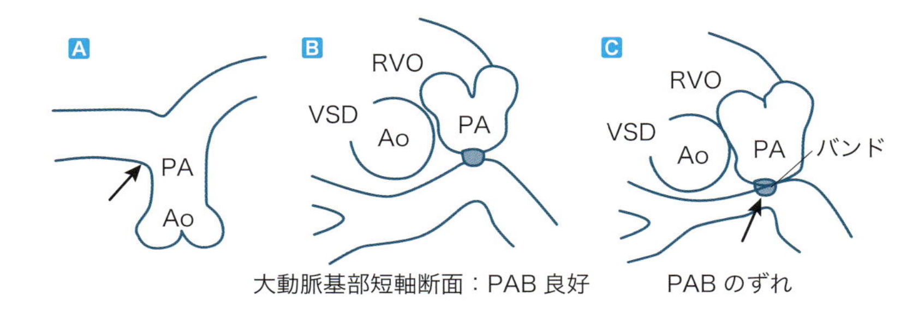

大動脈基部短軸断面：PAB 良好　　PAB のずれ

- Trusler の公式：心室中隔欠損（VSD）などの肺動脈絞扼術に際して用いられる公式

> 肺動脈絞扼術バンド周径＝ 20 mm ＋ 1 mm ×体重（kg）

主肺動脈径を計測し，求めた円周から何 mm 縛ることになるのか，PAB をする意味があるのか，評価する．

- 単心室で将来 Fontan 手術予定の場合には，強めに縛ることが多い．

心室中隔欠損に対する手術 2

心内修復術

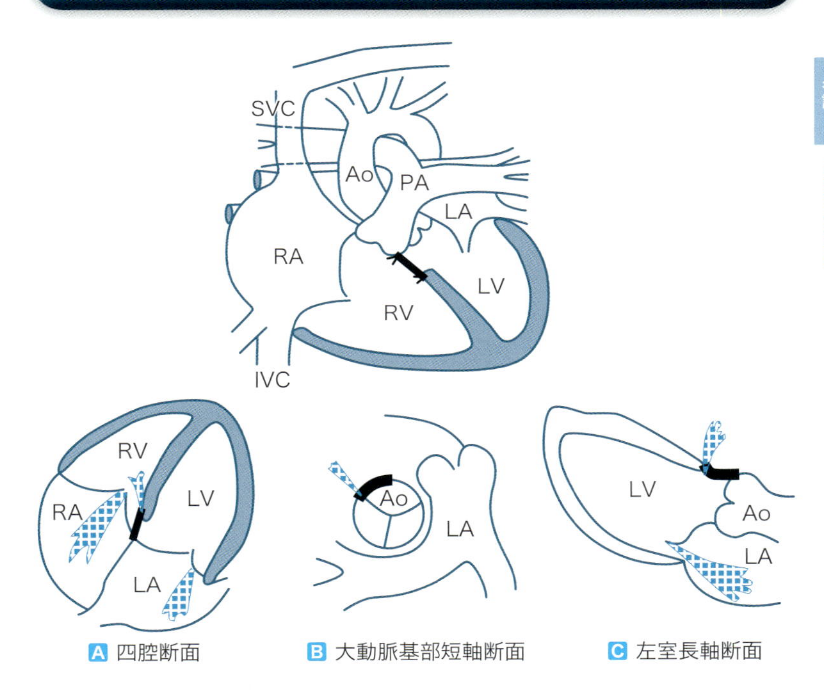

A 四腔断面　B 大動脈基部短軸断面　C 左室長軸断面

- 心内修復術：多くの場合パッチ閉鎖術を行う．
- 四腔・五腔断面（A）：三尖弁逆流の悪化はないか？　心室中隔欠損（VSD）遺残短絡の確認．VSD 遺残短絡の流速および三尖弁逆流（TR）流速から，右室圧（肺動脈圧）の推定．大動脈弁逆流，僧帽弁逆流（MR）の確認．
- 大動脈基部短軸断面（B）：VSD 遺残短絡の確認．肺動脈狭窄の有無．特に肺動脈弁下型 VSD を閉鎖した場合，パッチが右室流出路に張り出して，軽い右室流出路狭窄を生じ，心雑音の原因となることがある．
- 左室長軸断面（C）：VSD 遺残短絡の大きさ，位置（パッチの上縁，下縁など），MR．
- 左室短軸断面：M-mode で左室拡張末期径の縮小・改善を評価する．

Valsalva 洞動脈瘤
aneurysm of the sinus of Valsalva (AnSV)

1. AnSV の病態

- 30 歳前後に瘤破裂で発症，急速に心不全が進行することが多い．
- 胎生期における右円錐隆起と左腹側円錐隆起の癒合不全による．
- 先天的な Valsalva 洞壁の脆弱性や感染性心内膜炎のような病態から，瘤拡大・破裂に至る．
- 発生率：0.14 ～ 0.35%，東洋人に多い．
- 乳児期，小児期の発症は稀．

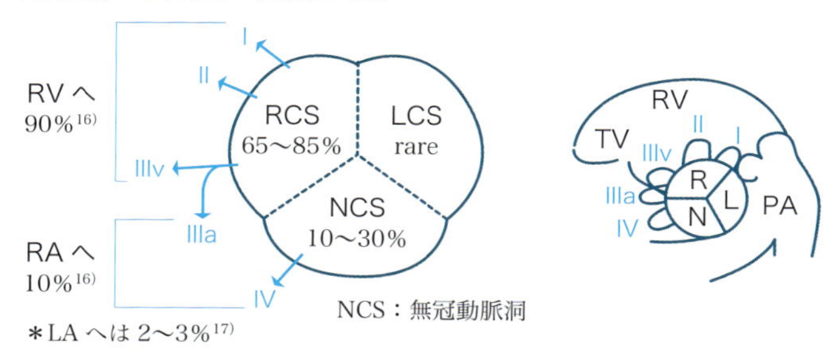

2. 未破裂の AnSV をどうするか？[4]

- 明らかなガイドラインはない．予後，自然歴もはっきりしていない．
- 冠動脈を圧迫→心筋梗塞．
- 右室流出路（RVOT）狭窄．
- Complete AV block，RVOT 起源の心室頻拍などが報告されている．AnSV 内部に血栓が形成されることもある．
- 未破裂でも大きな AnSV は外科的に処理する．

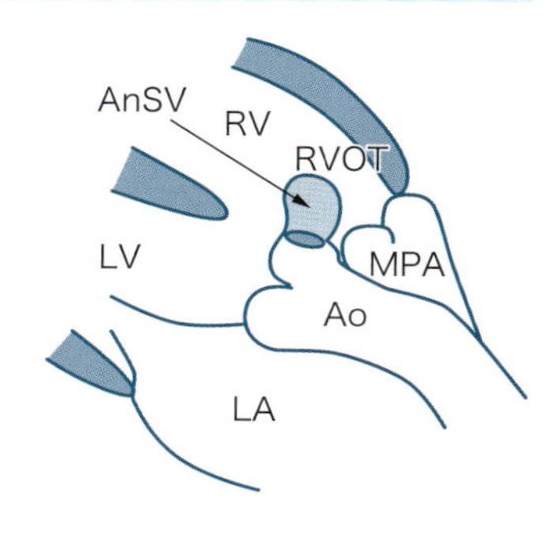

3. 破裂 Valsalva 洞動脈瘤をどうするか？

- 外科手術：破裂 AnSV は外科的に処理する．瘤を切除し，大動脈側や心房側，右室・肺動脈側，およびこれら複数箇所からアプローチする．例えば大動脈側から心膜で閉鎖し，破裂腔側からパッチで閉鎖して補強する．冠動脈口の狭窄・閉鎖や大動脈弁のねじれ・変形に留意する[4]．

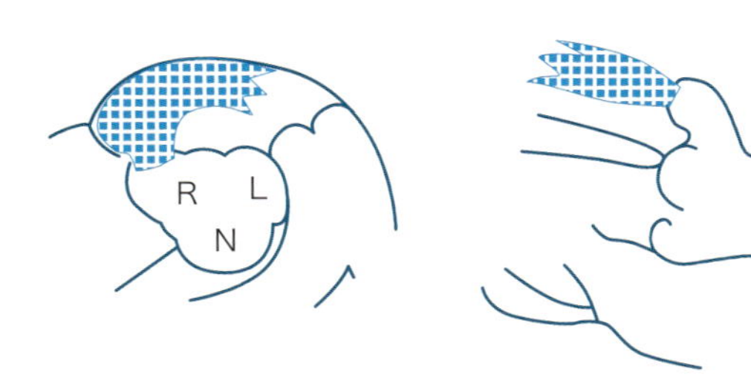

動脈管開存
patent ductus arteriosus（PDA）

1. 発生率 567/100 万生産児で，先天性心疾患の 7.1 〜 11.6% に相当.
2. Down 症など染色体異常でよくみられる.
3. 動脈管のサイズを論じる際には，その絶対値でなく体格との関係を考える必要あり．年齢が高くなると，血圧が高くなり，同じサイズでも動脈管を通過する血流量は増加する.
4. 動脈管サイズは年齢とともに大きくなる.
5. 一般に通常動脈管≧ 2 mm は Amplatzer® Duct Occluder（ADO）適応．＜2 mm（われわれは＜ 1.7 mm で）はコイル塞栓術の適応.
6. Krichenko 分類：特に動脈管のカテーテル治療の際に有用な分類.

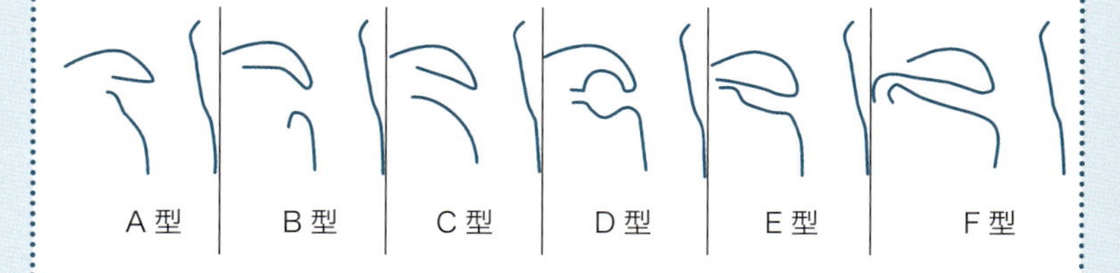

F 型は fetal type で比較的太さを保ったまま長く走行して肺動脈に接続する手前で屈曲し，ホッケー・スティックに似た形状になる．Piccolo Occluder で未熟児 PDA を閉鎖できるようになり注目．F 型としてしばしば付記される.

動脈管開存の基本心エコー

- 動脈管は左肺動脈の基部に連絡する.
- 通常，肺動脈側に最小径を有する.
- 短絡量が多い場合，大動脈径は拡大しARを合併しやすい.
- 拡張期に胸腹部大動脈から動脈管に逆流する.

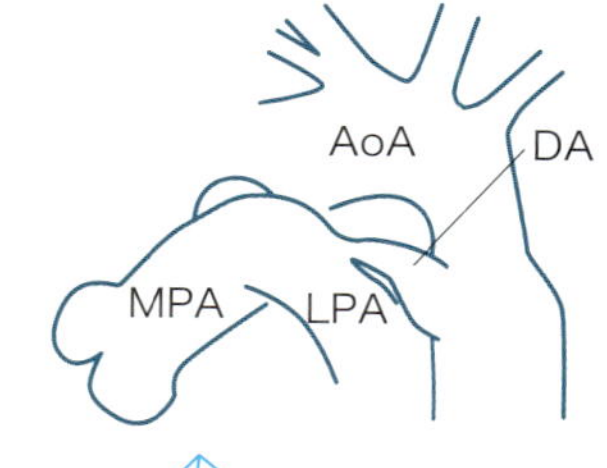

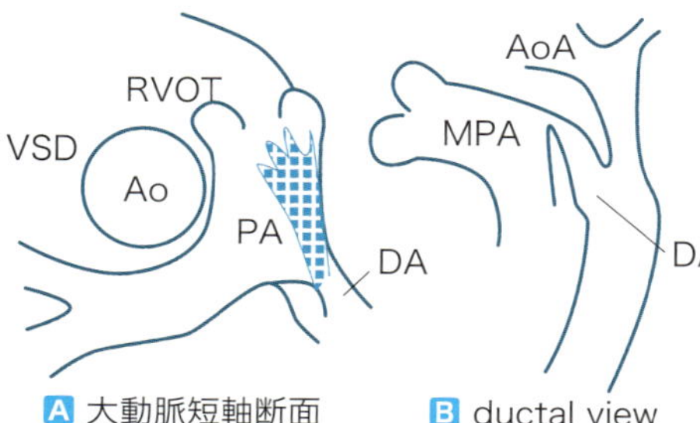

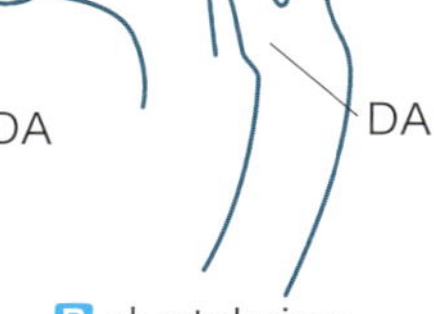

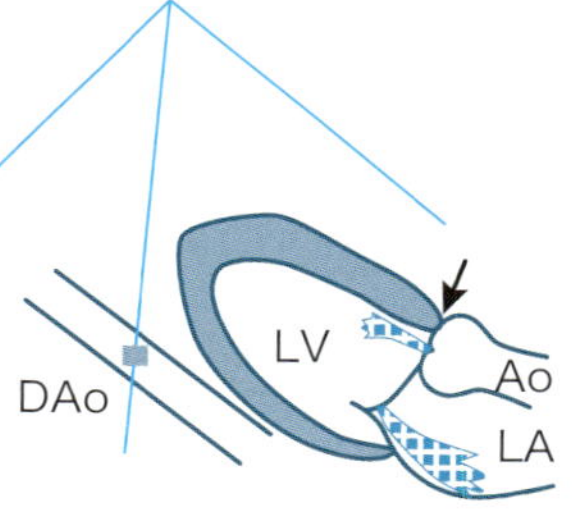

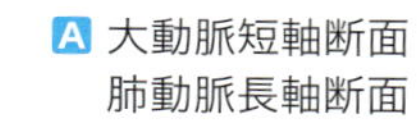

A 大動脈短軸断面
肺動脈長軸断面

B ductal view

C 腹部下行大動脈長軸断面

- 大動脈短軸断面（A）：左肺動脈基部から主肺動脈内に短絡してくる動脈管（DA）血流を認める.
- Ductal view（B）：DAの全体像がつかみやすい．DA最小径，基部の幅，長さなど計測．大動脈縮窄も見逃さないように注意する.
- 腹部下行大動脈長軸断面（C）：腹部長軸断面でPDAによる逆流波の有無をチェック．全拡張期に逆流波を認めれば中等度以上のDAと評価（D）.

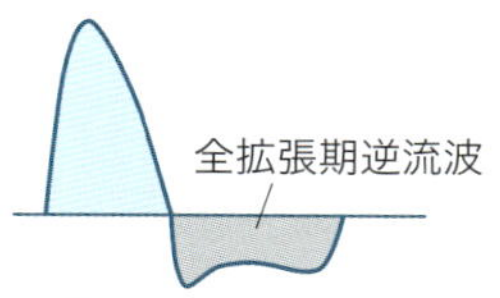

D 腹部長軸断面で
パルスドップラ

㊟肺動脈内で収縮期駆出流が反転し（反転流），動脈管血流様にみえることあり．収縮期のみに認め流速は遅い.

動脈管血流（動脈管内）

動脈管短絡血流の方向は，動脈管内にサンプルボリュームをおいてチェック．

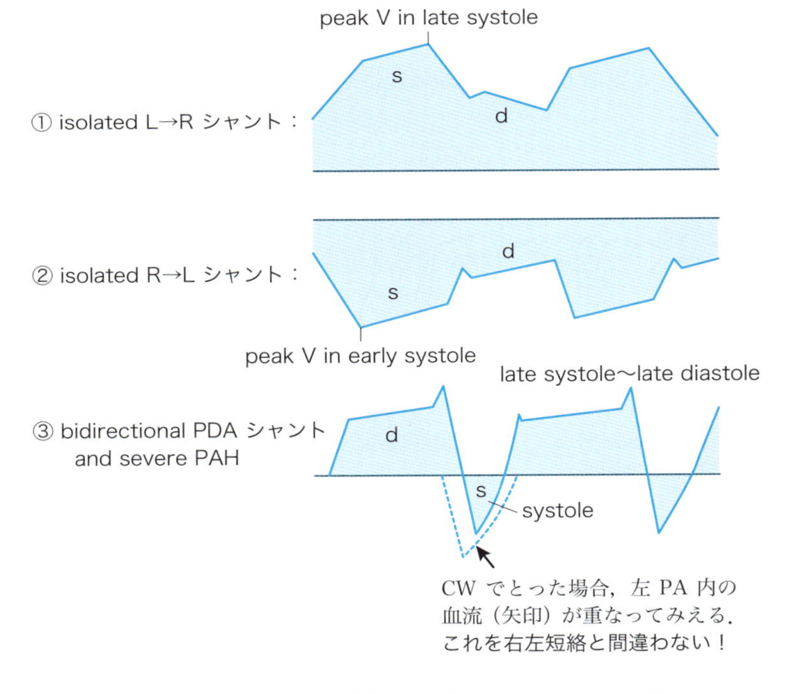

上図，左肺動脈血流と動脈管右左血流の鑑別：前者は収縮早期から出現し，ピークはより早期に認める．後者は収縮中期～後期に出現し，より後にピークをむかえる[2, 3]．

胎生期の血行動態と動脈管形態

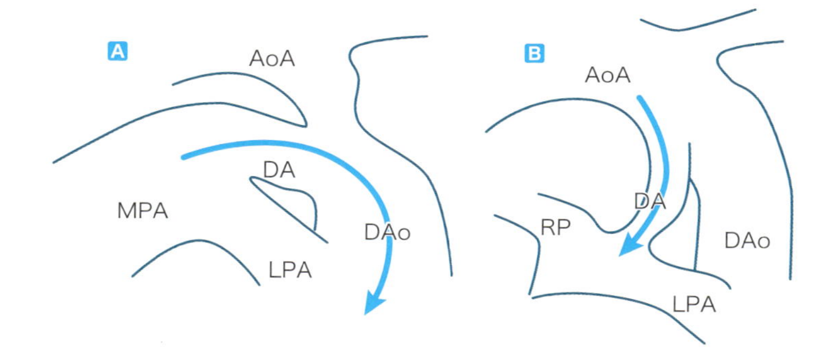

- 正常の胎児循環において，左右心室を合わせた拍出量を 100%とすると，左心室からの血流は 45%に相当し，冠動脈，上半身に血流を送った後，峡部を通過する血流は 10%にすぎない．一方，右室からの血流（55%）は肺動脈に 8%流れるのみで，残りの 47%は動脈管（DA）を介して下半身，血管抵抗の小さい胎盤に送られる．したがって動脈管を通過する血流は主肺動脈，動脈管，下行大動脈で形成される動脈弓を流れるため，動脈管は前上方から後下方へ向かう走行をとるようになる．もちろん，出生後は後下方の大動脈側から前上方の肺動脈側へ向かう形態となる（A）．
- 一方，肺動脈閉鎖を伴った場合，肺動脈へ流れる血流は大動脈側からのみとなりBのような形態，いわゆる vertical DA の形が自然になる．
- 以上より，胎児心エコーで vertical DA をみれば，肺動脈閉鎖，もしくは高度肺動脈狭窄を合併した症例と考える．

左右大動脈弓と動脈管

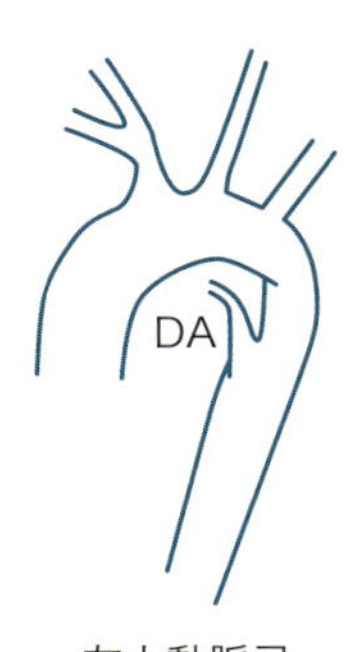

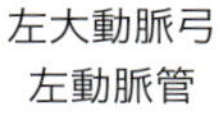

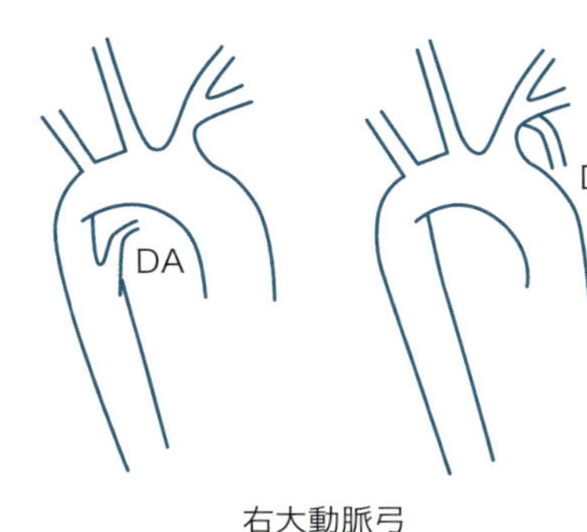

右大動脈弓
右動脈管　　左動脈管

- 右大動脈弓における動脈管は無名動脈から起始するものがほとんどで，大動脈弓の異常の中で最も頻度が高い（カテーテル検査例の2%，異常大動脈弓の47%）.
- 先天性心疾患の中で右大動脈弓を合併する率が高いのは，ファロー四徴，総動脈幹などであるが，後者の場合には動脈管が欠如することが多い.
- 左右大動脈弓の診断に関しては，別項（☞ p274）を参照.

動脈管開存に対するカテーテル治療 1
治療前のチェックポイント

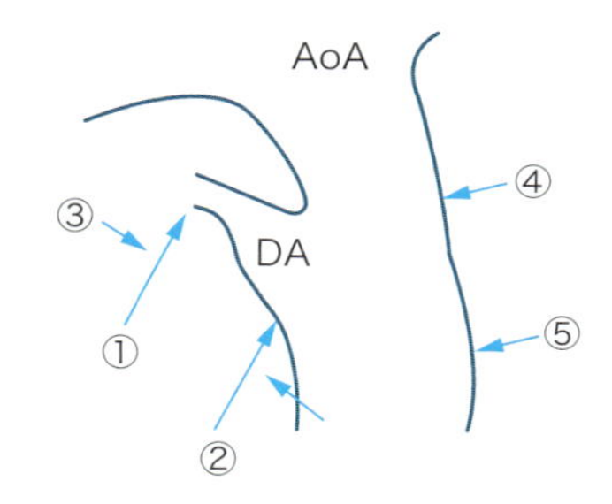

- 心エコー検査（特に動脈管断面）により（図参照），下記を計測する．

①最小径	④大動脈峡部	カテーテル治療 ☞ p100-101
②膨大部径	⑤下行大動脈径	
③動脈管長	⑥左肺動脈径（☞ p95）	

- Krichenko 分類の型を診断（☞ p94）．
- 心血管造影検査における収縮期の動脈管最小径は拡張期最小径の 1.2 ～ 1.3 倍あることが少なくない（特に乳幼児例）．
- しかし，収縮期には造影剤が wash out されて正確な計測が難しい．心エコー検査で収縮期径を計測しておくことは，非常に重要である．

■ MEMO

PDA 閉鎖デバイスの選択

①コイル留置：動脈管（DA）最小径の 2 倍以上の径を有する Flipper coil（F コイル）が選択されてきた．しかし，F コイルの製造が中止されたため，今後使用できるのは残っているコイル（使用期限まで）のみとなっている．

② Amplatzer® Duct Occluder I（ADO I）：従来，最小径 2 mm 以上の DA が良い対象とされ，DA 最小径より 2 mm 大きいサイズの ADO I が使用されてきた．しかし，上記理由により，より小さい DA に対しても，ADO I・II，Piccolo などの使用が拡がっている．

動脈管開存に対するカテーテル治療 2
コイル塞栓術

1. 方 法

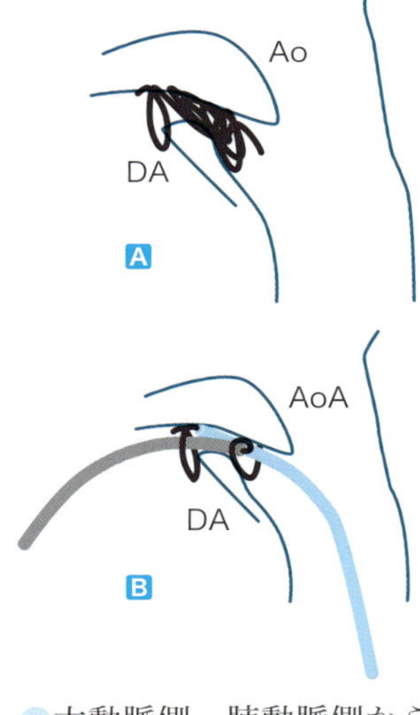

- 動脈管（DA）最狭部をコイル（主にFlipper コイル）で挟み込む（A）．コイルにはダクロン®のファイバーがついており，血栓が付着することにより閉鎖能が向上する．われわれの経験では最小径 1.7 ～ 1.8 mm 以上の動脈管に対しては，複数個のコイルが必要になることが多い．
- 通常，大動脈側からアプローチし，動脈管内にコイルの大部分を残すことで閉塞効果が向上する．
- 着脱様式はネジ式で，ニッケル，チタンの合金でできており，MRI 検査を行うことが可能である．最小径 3 ～ 4 mm 以上の動脈管には，2 個のコイルを同時に留置していく（B）．
- 大動脈側，肺動脈側からのアプローチ（B）：2 本の 4Fr カテーテルを交差するように通過させて，両側から 1 巻ずつコイルループを出していく．両側のコイルを出し切った後でコイルを離脱する．

2. 合併症

- コイルの脱落（肺動脈側，大動脈側）や，有意な遺残短絡を残した場合の赤血球破砕症候群などに注意する．後者の場合，ヘモグロビン尿を伴うが，体内のハプトグロビンが消費されて後，すなわち塞栓術後 2 ～ 3 日してから発症することがあり，退院後の注意点として説明しておく必要がある．有意な遺残短絡を残したと感じた場合，翌日の採血で LDH，Hb の値に注意する．

㊟これまで Flipper coil が主に使用されてきた．しかし，ADO1（次頁）をはじめとする種々のデバイス導入により，同コイルの製造が中止され，動脈管閉鎖栓としてのコイルの役割は低下している．

動脈管開存に対するカテーテル治療 3
Amplatzer® Duct Occluder によるカテーテル治療

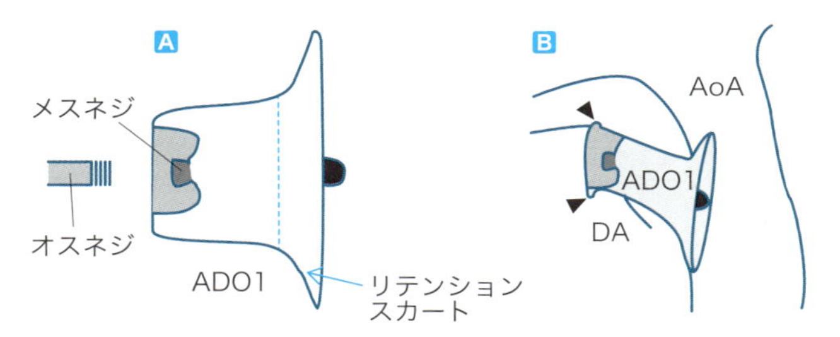

- Amplatzer® Duct Occluder（ADO1）（A B）：ネジ式の着脱法を採用した動脈管閉鎖システム．
- 材質：ニッケルとチタンの合金で，留置後にMRI検査を行うことが可能である．塞栓効果を高めるため，内部にポリエステル繊維を縫い付けてある．本来ADO1はAのような形で肺動脈側にリテンションスカート（以下スカート）を有さない．しかし，ADO1体部は動脈管最狭部で締め付けられるため，肺動脈端は自然にスカート状になり（▲），大動脈側，肺動脈側ともに脱落しない（B）．
- ほとんどの症例においてADO1を留置することは可能であるが，BのようにADO1スカートが大動脈内に突出しやすい．この場合，大動脈峡部に狭窄を残してしまうため特に体重10 kg未満の児にADO1を留置する場合には，大動脈の形態，太さにも留意する．
- また，留置後，左肺動脈内にADO1肺動脈端が突出するため，左肺動脈狭窄にも注意が必要である．ドップラエコーで血管形態・流速を確認する．
- ADO1の他にもADO2, Piccolo Occluderが使用できるようになってきた．ADO2は大動脈・肺動脈側のディスクが同じサイズで，大動脈側からも肺動脈側からもアプローチできる．Piccolo Occluderは本来，未熟児PDA対応のデバイスで海外では体重＜1 kgの症例にも使用されている．

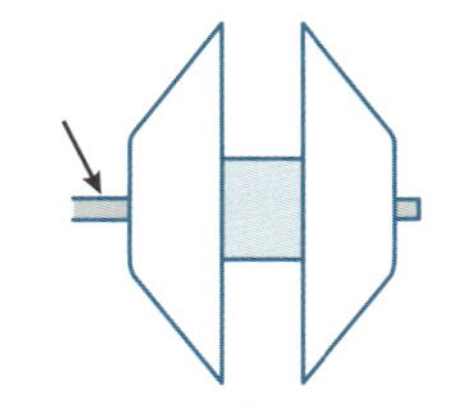

Amplatzer® Duct Occluder 2（ADO2）

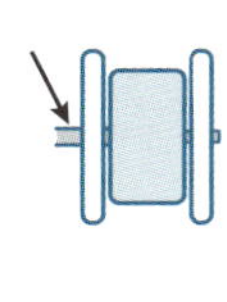

Piccolo Occluder

動脈管開存に対するカテーテル治療 4

カテーテル治療の合併症

1. コイル塞栓術（A）

- PDA 遺残短絡.
- 左肺動脈狭窄.

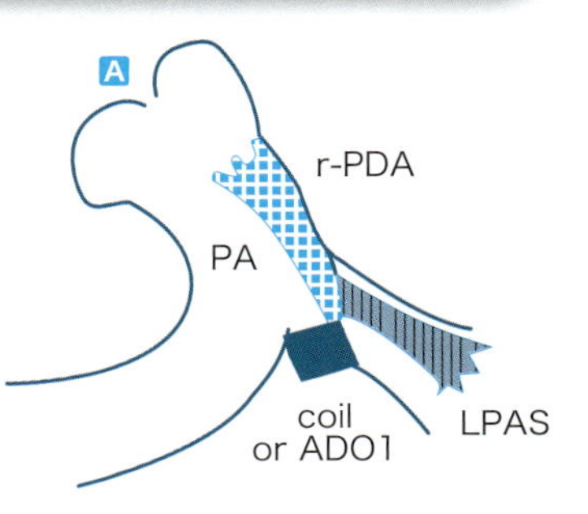

2. Amplatzer® Duct Occluder（ADO1）（AB）

- PDA 遺残短絡（r-PDA）.
- 左肺動脈狭窄.
- ADO スカートの大動脈突出による大動脈狭窄や大動脈の過拡張（ADO 1のリテンションスカートが大動脈径よりかなり大きい場合）.

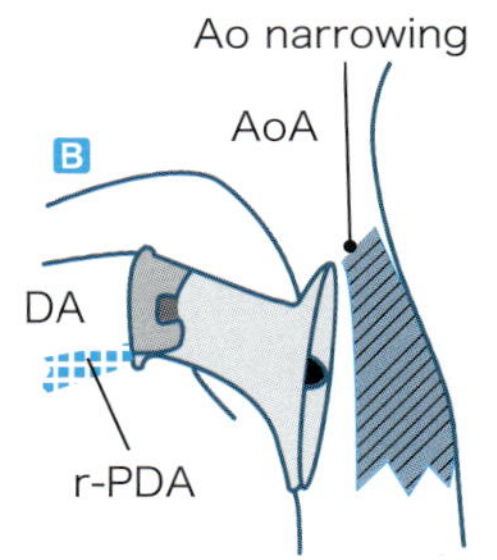

3. PDA の外科治療

- 小児期の動脈管結紮は二重，三重結紮で処理.
- 術後は動脈管の遺残短絡に留意する．新生児例などで左肺動脈結紮例なども報告されており，術後状態が改善しない場合など注意.
- 成人期の動脈管切離：結紮でなく，体外循環下に切離する（C）.

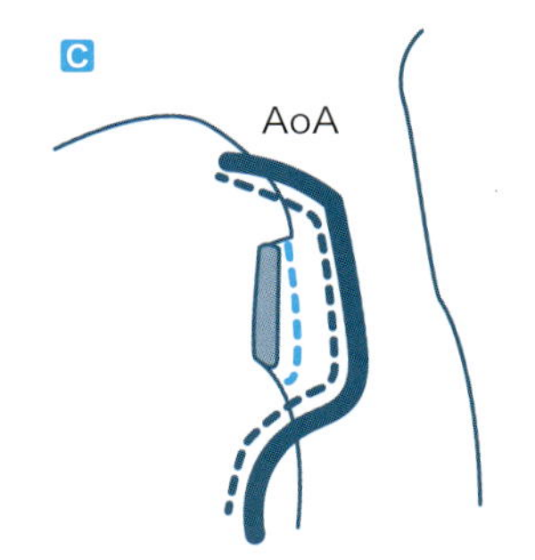

房室中隔欠損（心内膜床欠損）
complete atrioventricular septal defect (CAVSD)

1. 発生率 284/100 万生産児.
2. Down 症, heterotaxy（☞ p242）などに合併することが多い.
3. 完全型房室中隔欠損の 60%が Down 症, 8%が heterotaxy, 8%が他の染色体異常/症候群.
4. Down 症以外の症例の 65%が症候群なし.
5. Down 症例で先天性心疾患合併例の 33 ～ 44%が完全型房室中隔欠損.
6. 他の合併先天性心疾患：ファロー四徴（ToF）, 両大血管右室起始, 心室中隔欠損などの頻度が高く, より低いものとしては, 単心室, 完全大血管転位, 大動脈縮窄などの報告がある. ToF 合併率は約 10%.
7. Down 症例では, 非 Down 症例に比して, ToF の合併が多く, 左室流出路狭窄（LVOTS）, CoA など左心系の狭窄病変は少ない.
8. LVOTS が術後あきらかになることがあるが, 部分型に比して完全型で少ない.
9. Down 症の患者では流出路は広く, 術後に LVOTS が顕性化することは少ない.
10. 総じて術後に LVOTS が発達する頻度は 5%と考えられている.
11. 術後問題になるのは左側房室弁逆流が最も重要で, 術後に左側房室弁逆流が重症な症例の予後は悪い.
12. 術前左側房室弁逆流が軽症であった症例の 12 年再手術回避率は 90%, 重症例では 50%と大きな差がある.
13. ECG では不完全右脚ブロック, 左軸偏位を示すことが多い.

房室中隔欠損の解剖

1. 房室弁

- 正常では三尖弁の心室中隔への挿入部位は，僧帽弁に比べてより心尖部寄りにある（offset）．この“offset”部分はAV septumと呼ばれ左室と右房を隔てている（図斜線部位）． 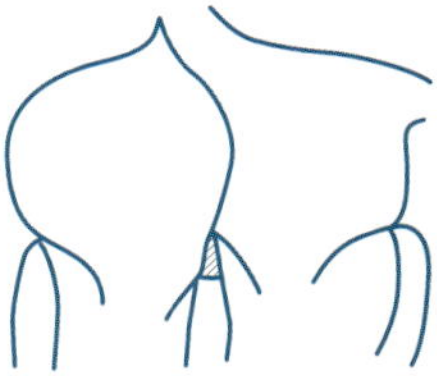
- 房室中隔欠損（AVSD）では，左右の房室弁成分は同じレベルに挿入しており，これは四腔断面で明瞭に描出される．すべての房室中隔欠損に共通の特徴はこのAV septumの欠損である．

2. 大動脈弁（AoV）の房室弁に対する位置

- 正常では大動脈弁は僧帽弁と三尖弁の間に楔入する形で位置している．しかしAVSDではAoVは前方に飛び出した形に位置している．このため左室流出路は長く伸展している（☞ p107）．

3. 長く伸展した左室流出路

- 正常では左室心尖部から大動脈弁と僧帽弁までの距離はほぼ同じである．一方，AV septumが欠損し，房室弁が心尖部寄りに偏位するAVSDでは流入部が短い形態になる．
- 加えて上で述べた大動脈の前方への偏位により左室流出路は長く狭くなり，“goose neck sign”を呈する（☞ p110）．
  特に左房室弁異常腱索や，乳頭筋が前方（左室流出路）に位置する場合などがあればより顕著になる．

4. Cleft of left AV valve →短軸（subcostal, parasternal）

- 部分型AVSDではanterior mitral leafletは心室中隔の頂部に挿入する．Cleftは常にanterior mitral leafletに存在し，心室中隔の中央に向かう．一方，僧帽弁のcleft単独例ではcleftは左室流出路に向かう．本質的に superior bridging leaflet は僧帽弁前尖の上半分，inferior bridging leaflet は三尖弁中隔尖と僧帽弁前尖の下半分が癒合したものである．

5. LV 乳頭筋の clockwise rotation（エコーの view では counterclockwise 短軸 rotation）

- 傍胸骨短軸像：正常の場合，乳頭筋は 4 時と 8 時の位置にある．一方 AVSD では 3 時と 7 時の位置にある．このため，anterior bridging leaflet はより前方に位置し，左室流出路（LVOT）は狭くなる．

共通房室弁・左側成分異常

- 僧帽弁または共通房室弁の左側成分の異常は房室中隔欠損（AVSD）の完全型よりも部分型で合併しやすい．
- Double orifice mitral valve（DOMV）：AVSD の 3 〜 5%に合併．短軸像で確認．
  …double orifice の弁口面積は single orifice の場合の弁口面積より小さいため，DOMV は弁狭窄を合併しやすい．弁尖は厚く，開口制限あり．
- Parachute mitral valve
  …左側房室弁狭窄の合併．left mural leaflet（☞ p108）の発育は不良もしくは欠損→短軸像で確認．
  ㊟左側房室弁狭窄の程度はドップラで評価できるが，大きな ASD を伴うため左房圧の上昇は緩衝され，術後の状態を過小評価してしまう可能性があり注意．
- LVOT obstruction
  …術後に顕性化するため注意．
  完全型 AVSD よりも部分型 AVSD で多く問題になる．
- 一側心室の低形成：balanced AVSD か unbalanced AVSD か剣状突起下からの矢状断面で評価する（☞ p111）．
  unbalanced AVSD…AVSD の 10 〜 15%で 2/3 は RV dominant．
  RV dominant →大動脈縮窄に注意．
  LV dominant →肺動脈狭窄・閉鎖に注意．
  →心房中隔と心室中隔のずれ（malalignment）に注意（☞ p231）．

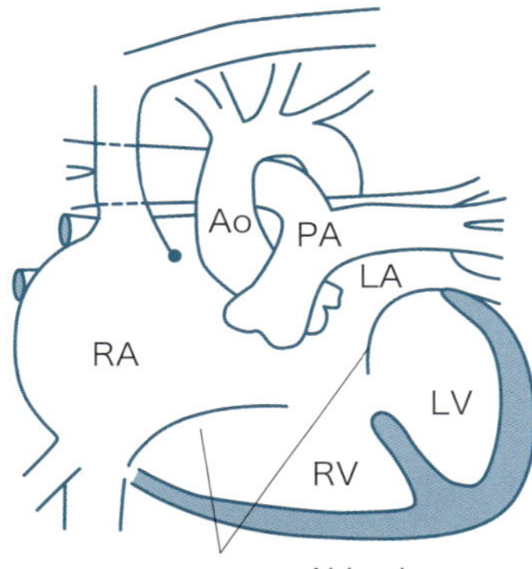

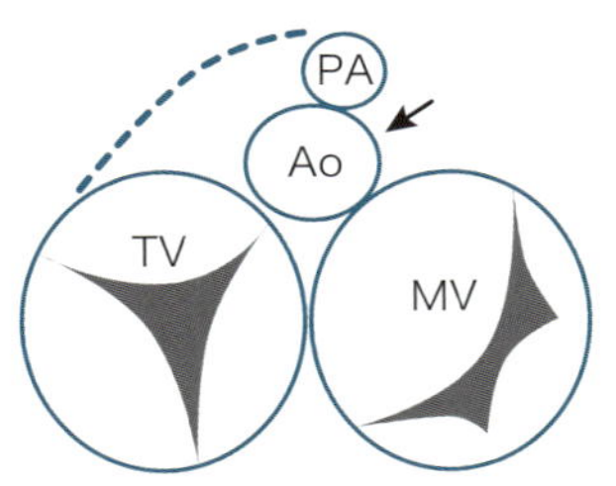

Ao は TV，MV に wedge（矢印）

Ao-LVOT の前方偏位

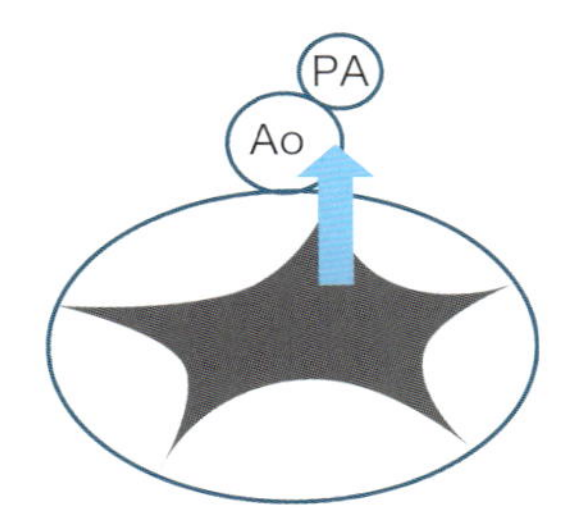

共通房室弁のために房室弁間に wedge できず，前方に偏位

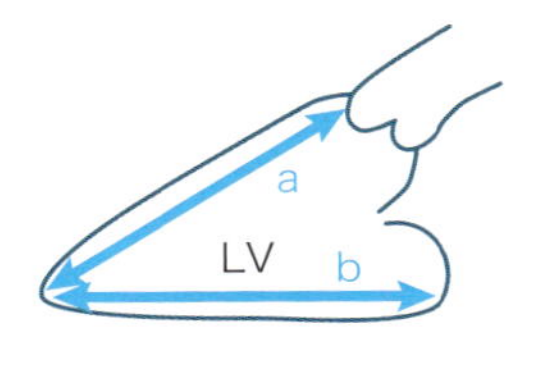

a/b はほぼ同じ

〈正常〉

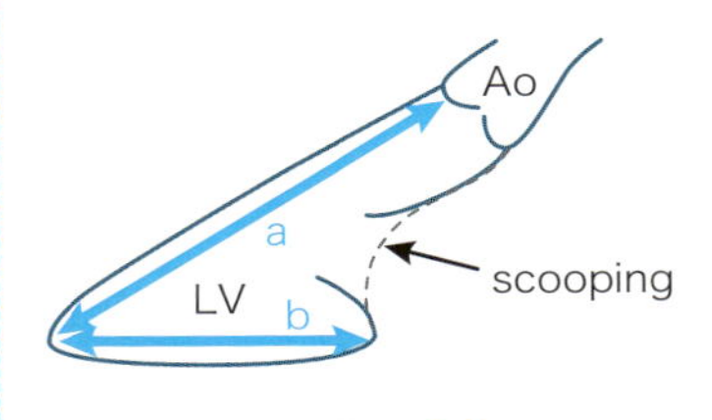

a/b ＝1.2～

〈房室中隔欠損〉

房室中隔欠損の解剖と Rastelli 分類

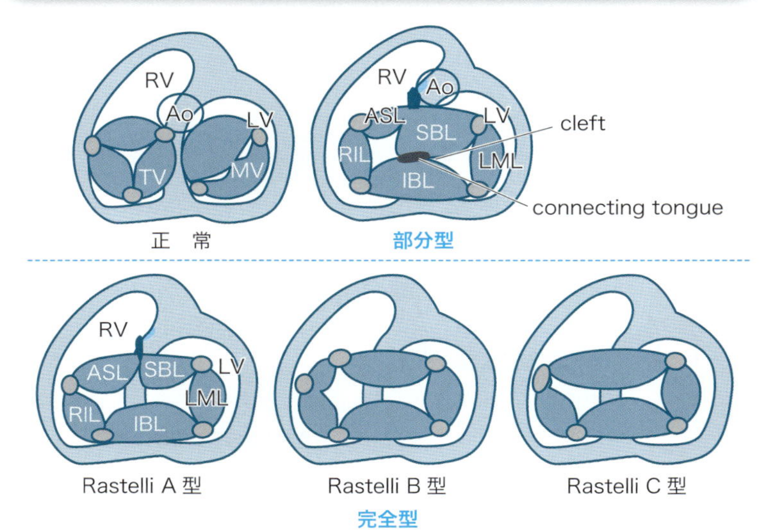

ASL：antero-superior leaflet
IBL：inferior bridging leaflet
LML：left mural leaflet
RAPM：right sided anterior papillary muscle
RIL：right inherior leaflet
SBL：superior bridging leaflet

- B 型はほとんどいない．現実問題として，A 型と C 型で考えればよい．

Rastelli 分類 A 型と C 型の鑑別

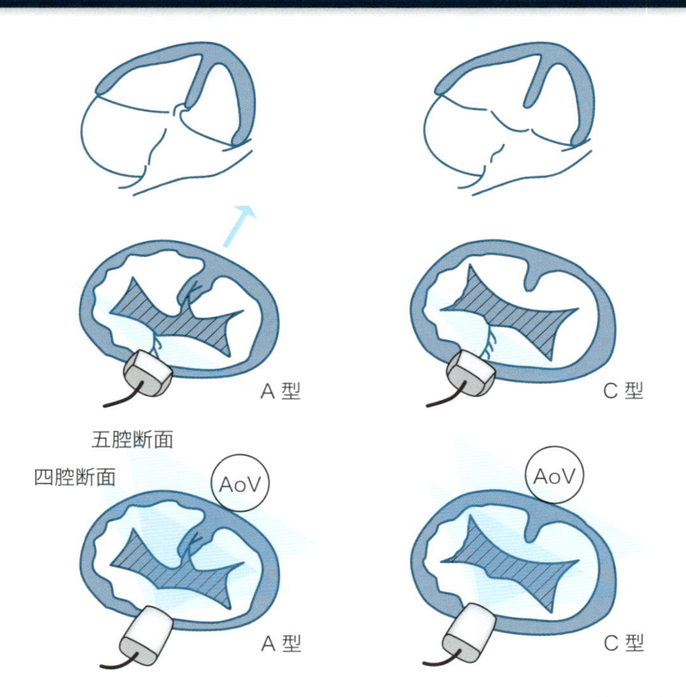

探触子を背側に向けると Rastelli A 型，C 型ともに共通房室弁下に腱索を有している．A 型，C 型は，anterosuperior leaflet, superior bridging leaflet の状態（☞前頁），そこから心室中隔にわたる腱索の有無により，鑑別される．したがって，五腔断面からやや背側をのぞき込んだところで判定する．

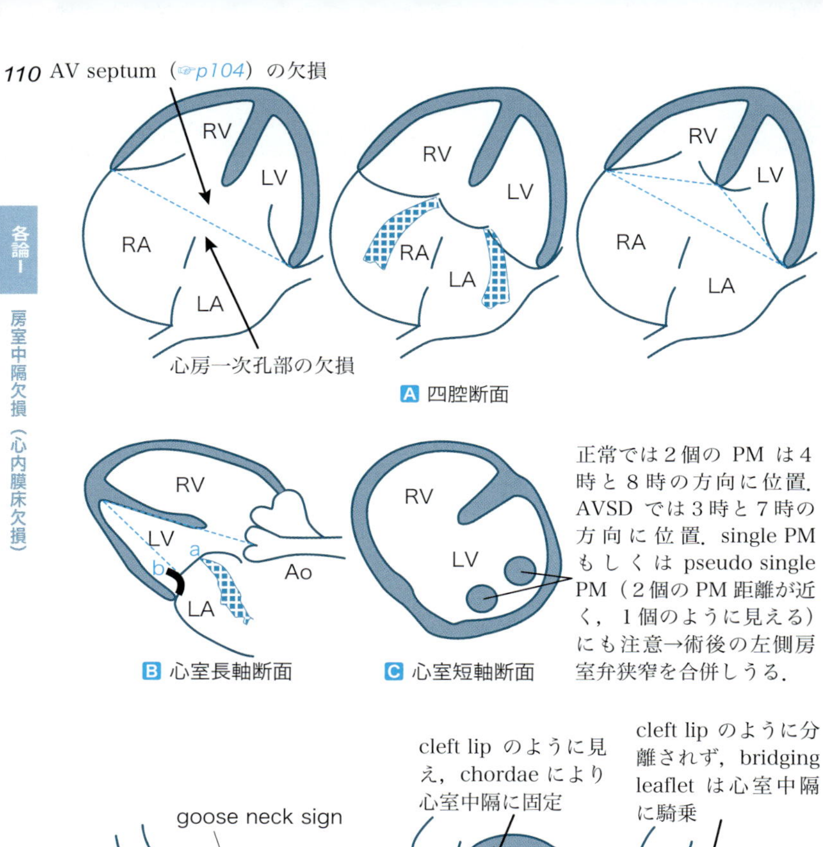

A 四腔断面

B 心室長軸断面

C 心室短軸断面

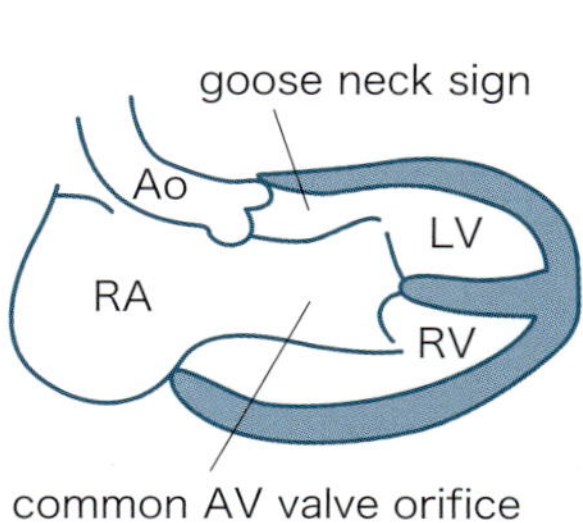

D 剣状突起下からの前額断面

E 矢状断面（Rastelli A 型）

F 矢状断面（Rastelli C 型）

1. 四腔断面（A）

- 共通房室弁の性状（タイプ A, C）．拡張期には弁が上がってくるが，前方の弁が腱索で中隔に固定されているかどうかが鑑別に重要．心室のバランス，心室中隔欠損，心房中隔欠損の大きさ，共通房室弁（common AV valve：CAVV）逆流の程度をチェック．房室中隔欠損ではVSDの有無にかかわらず，房室中隔が欠損しているため，房室弁の付着部は正常の解剖に比し，えぐれた形：scoopingになっている．そのほか，心室のバランス，CAVV逆流の程度，方向，そして流速などに留意する．左室が小さいものもあり注意．

- 心房一次孔部の欠損のみならず，二次孔欠損にも留意する．

2. 長軸断面（B）

- 房室中隔欠損ではscoopingのため流入部長に比して流出路長が長く，その比が1.2～1.25以上になることが特徴．左室流出路狭窄は部分AVSDに比して少ない．

3. 心室短軸断面（C）

- 心室のバランス，Rastelliの分類，共通房室弁の性状，double orifice of mitral valve,（pseude）parachute mitral valve, 左室乳頭筋の時計方向回転などに留意する．

㊟尾側からのぞいた左室短軸断面を時計板に見立てた場合，その4時と8時の方向に正常乳頭筋は位置している．一方，房室中隔欠損では3時と7時の方向に乳頭筋が位置している．

4. 剣状突起下からの前額断面，矢状断面（DEF）

- goose neck sign，Rastelli分類鑑別に有用．
- AVVI=left valve area/total valve area

> AVVI 0.4～0.6：balanced
> 　　　<0.4：右室優位型
> 　　　>0.6：左室優位型

Balanced：二心室修復，AVVI < 0.19：単心室として治療，0.19～0.4：個々の症例で検討する[34]．右室低形成が高度でなければ1.5心室修復も考慮しうる．

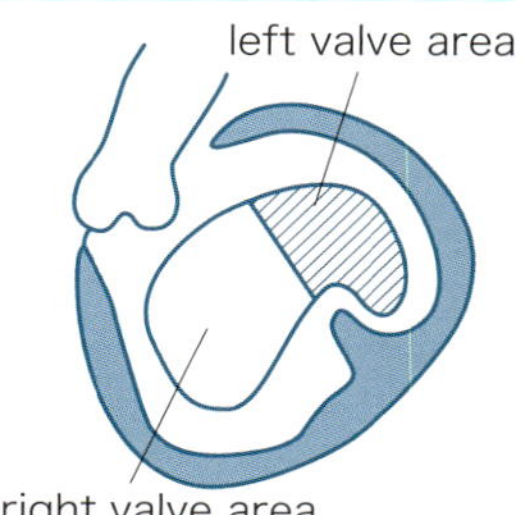

矢状断面

完全型房室中隔欠損に対する手術

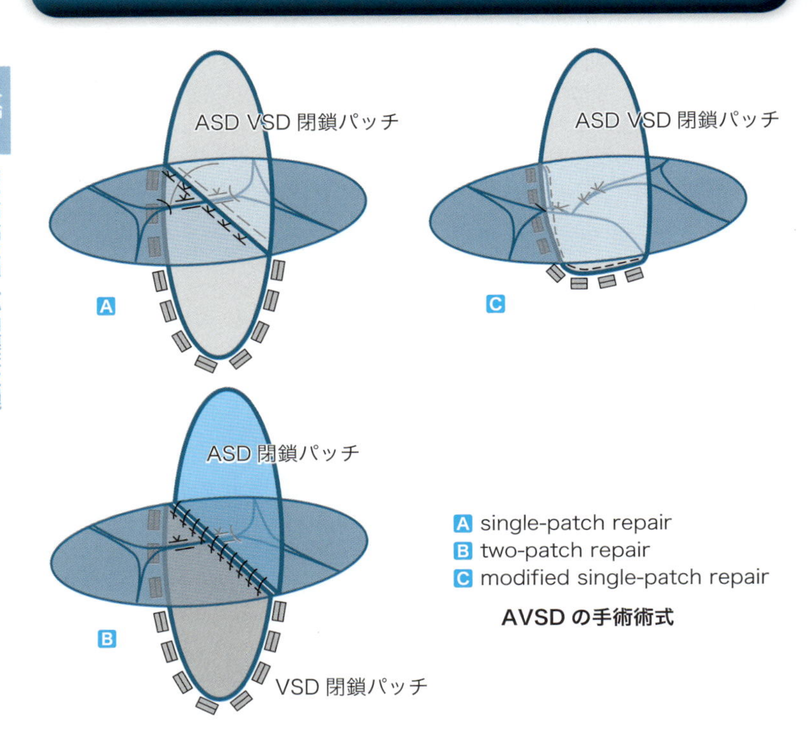

A single-patch repair
B two-patch repair
C modified single-patch repair

AVSD の手術術式

修復方法として，上記３種類の修復術が試みられている． 特にVSDが浅い場合，modified single-patch repairの優位性が報告されている．

完全型房室中隔欠損の術後心エコー

● 最も重要なのは房室弁逆流で，特に左側房室弁逆流は予後を決定する重要な因子である．

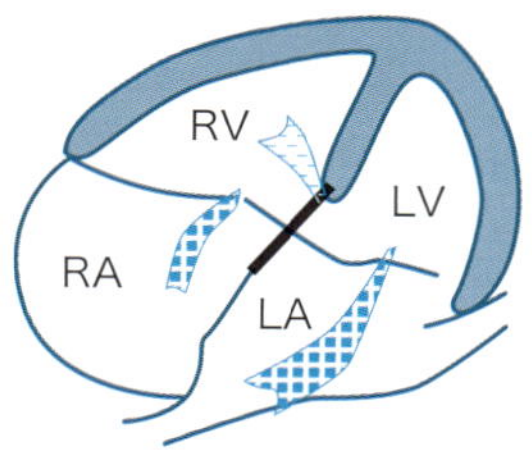

A 四腔断面

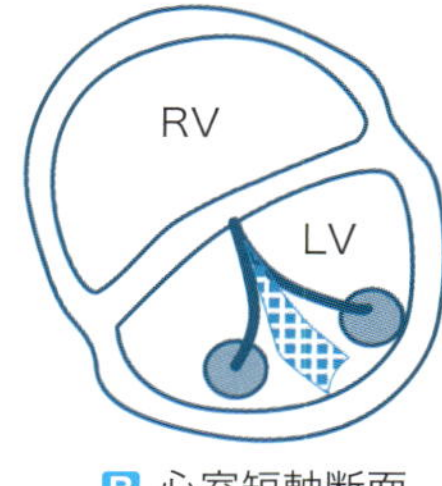

B 心室短軸断面

1. 四腔断面（A）

● 左側，右側房室弁逆流，左側，右側房室弁狭窄，心室中隔欠損（VSD），心房中隔欠損（ASD）遺残短絡の有無を確認．

● 肺高血圧の評価：右側房室弁逆流速度，VSD 血流速度から．

2. 左室長軸断面

● 左側房室弁逆流の確認，左室流出路狭窄．

3. 心室短軸断面（B）

● 僧帽弁逆流の程度，部位（いわゆる cleft：superior bridging leaflet と inferior leaflet の間からか），左室形態から右室圧評価（☞ p40）．

■ MEMO

左側房室弁逆流

術後最も重要な問題で再手術の原因でもある（術直後の）高度房室弁逆流の残存は 20％例に認められるが，その 1/4 は経過とともに接合が改善し房室弁逆流も改善する．結果 10 ～ 15％例で再手術が必要になる．高度房室弁逆流の予測因子として重要なのは術前の高度房室弁逆流．

術後左側房室弁狭窄

Hypoplastic，dysplastic，double orifice，parachute 僧帽弁で重要．ASD 閉鎖後に顕性化する可能性がある．

部分肺静脈還流異常
partial anomalous pulmonary venous connection（PAPVC）

1. 多くは心房中隔欠損（ASD）に合併するが，15～35%は単独で発生する．
2. 単独例は剖検例の0.6～0.7%で発生．
3. 異常肺静脈の起源：右肺起源90%，左肺起源7～9%，両肺：2%程度．
4. 異常肺静脈（PV）の数：ASD合併例も含めた中で，1本：51～54%，2本：35～42%，3本以上：稀．
5. 最も多いのは，右上肺野PVか右上中肺野PVが上大静脈と右房連結部に還流するもので，静脈洞型ASD（sinus venosus type ASD）を通常合併する．
6. PAPVCの74%は，右PVがSVCに還流する形で発生（その87%は静脈洞型ASDを合併）．12%例では右PVの何本か or すべてがRAに還流する．
7. Mayo Clinicからの報告では，左PVのPAPVCでは，70%が左上肺PVが，30%では左PVすべてが異常還流（うち1/3例でASD合併）する．
8. PAPVCの6%が，scimitar症候群，右肺低形成を伴う．

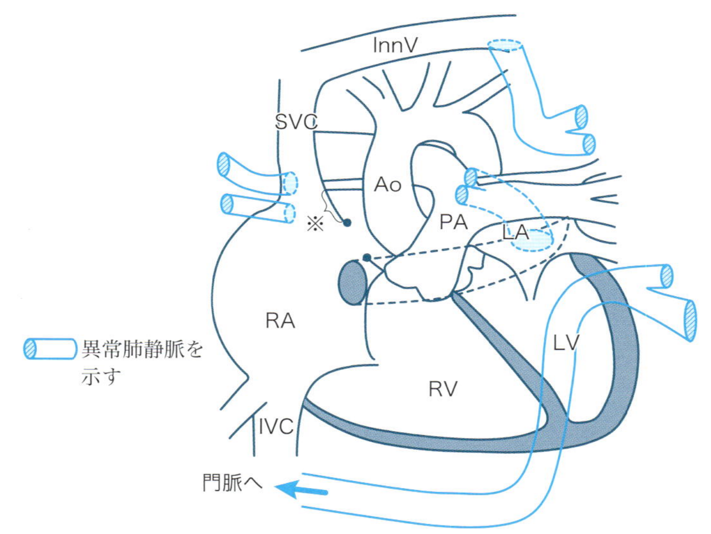

上図は ASD（二次孔欠損）を示す．静脈洞型 ASD では※の部分がなく，SVC が心房中隔に騎乗する形態をとる．

静脈洞型 ASD

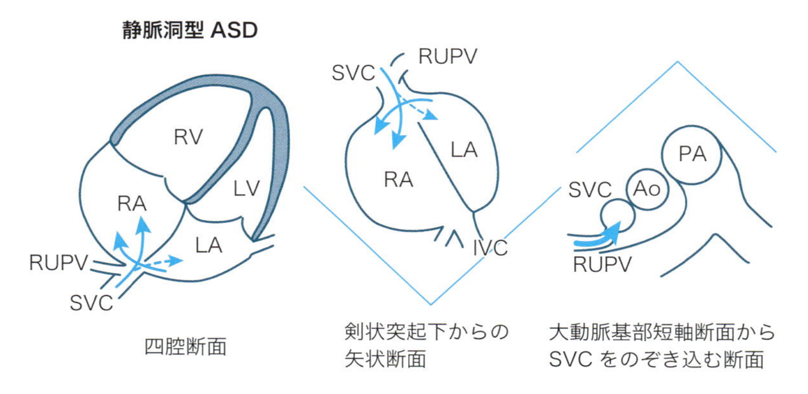

四腔断面

剣状突起下からの矢状断面

大動脈基部短軸断面から SVC をのぞき込む断面

静脈洞型 ASD（sinus venosus type ASD）：主に左右短絡
静脈洞型 ASD では上記断面で上大静脈に還流する異常肺静脈をさがす．

1. 胸骨上窩からの前額断面

- 左肺静脈が無名静脈に還流．左上肺野からのみの場合と左全肺野からの異常還流する場合がある．
- カラードップラで観察するとわかりやすい．

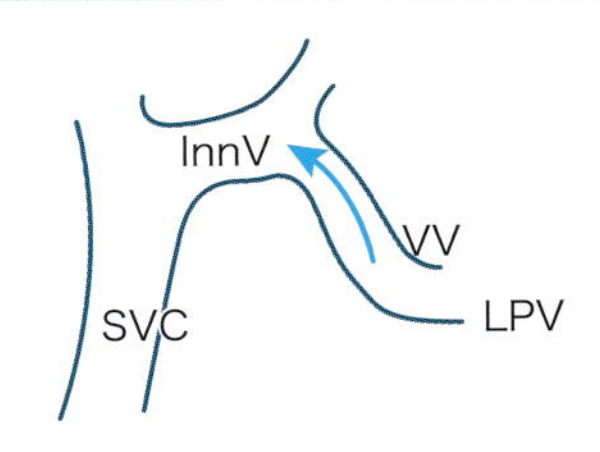

2. 四腔断面から背側をのぞく断面

- 右心系の拡大に加えて，冠状静脈洞が大きい場合，冠状静脈洞に還流する肺静脈を確認．

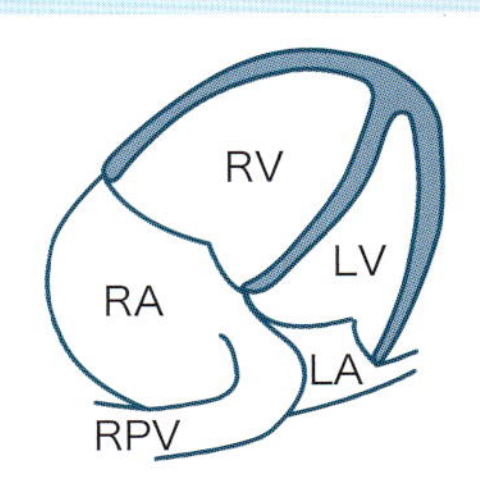

3. 下大静脈長軸断面〜bicaval view

- IVC，RA境界近傍から流入してくる異常肺静脈血流（※）が観察されるとscimitar症候群の存在が疑われる．
- 胸部X線で右肺低形成（scimitar sign）を認める．

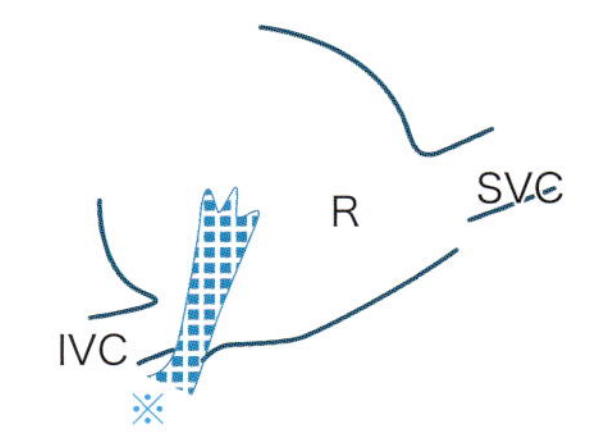

4. 門脈系，下大静脈系に異常肺静脈が還流する場合

- 腹部短軸断面，長軸断面でIVC，Aoの間に異常血管を認める．稀．

VV：vertical vein.

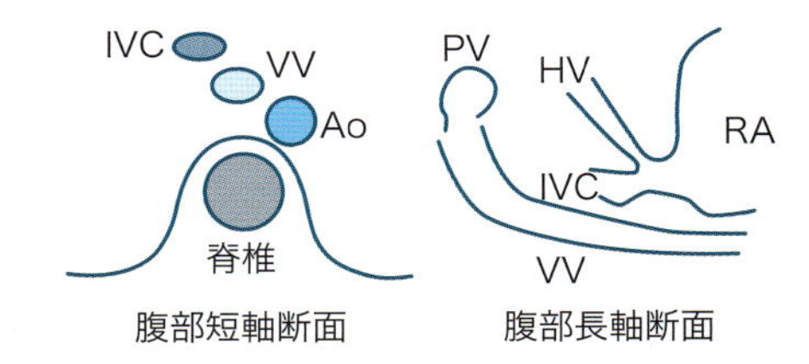

腹部短軸断面　　腹部長軸断面

肺静脈血流か体静脈血流か

- 肺静脈か体静脈かはっきりしない場合，血流パターンをみるのも有用．

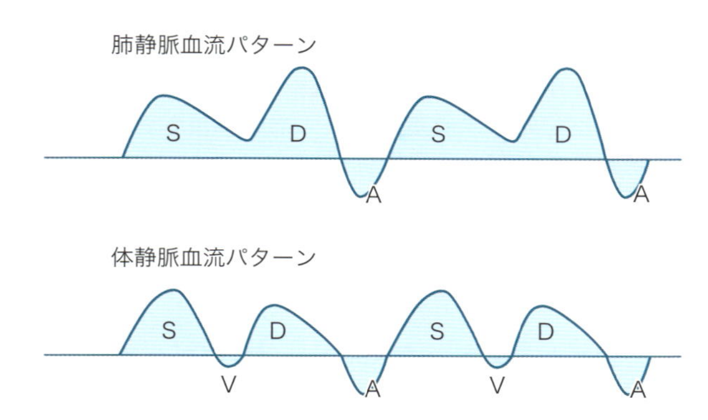

- PV 血流は肺静脈内で計測すること．
- PV：peak S slightly ＜ peak D で，ともに 0.5 m/s 前後，peak A 0.2 m/s 前後．
  新生児期早期（＜ 24 hr）peak S ≒ 0.7 m/s，paek D ≒ 0.8 m/s．
- SVC：呼気 S 0.7 m/s, D 0.4 m/s 前後，吸気には増大し深呼吸時には 2.0 m/s にも．
  正常小児例では A 0.2 m/s 前後で小さい．観察できない場合も少なくない．
- IVC：呼気 S 0.44 m/s，D 0.25 m/s，A 0.24 m/s，V 0.18 m/s 前後．

肺動脈狭窄
pulmonary stenosis（PS）

1. 発生率 532/100 万生産児．先天性心疾患の 7% に相当．
2. 肺動脈狭窄は肺動脈弁，その上下，いずれにも起こりうる．
3. 先天性心疾患との合併：心室中隔欠損，完全大血管転位，両大血管右室起始，単心室，修正大血管転位などに合併しやすく，大動脈弁狭窄との合併は稀．
4. 肺動脈の分岐部狭窄はファロー四徴，肺動脈閉鎖や Williams 症候群，Alagille 症候群などに合併する．
5. 単独の肺動脈弁下狭窄は，稀である．
6. 心臓外疾患との関連では Noonan 症候群が有名で，その他，神経線維腫症（neurofibromatosis）や del22q11.2 症候群などが挙げられる．
7. 肺動脈弁は交連部が欠如したものもある．多い順に 3 弁，2 弁，単弁，さらに 4 弁などさまざまで，Noonan 症候群では弁が厚く，粘液腫状の異形成弁となる．Noonan 症候群の約 25%で肺動脈弁狭窄あり，約 7%例で肺動脈弁は異形成[35]．
8. 石灰化が起こるのは 40 歳以降が多い．
9. 狭窄後拡張はときに非常に強くなり，左肺動脈にまで及ぶ．一方，異形成弁を伴う場合には狭窄後拡張を伴わず，弁上狭窄を認めることもある．
10. 重症度：Paul Wood's 分類
    mild：右室圧 ＜ 50 mmHg
    moderate：右室圧 ≧ 50〜100 mmHg
    severe：右室圧 ≧ 100 mmHg

11. カテーテル検査で求めたpeak to peak gradientと心エコーのドップラ法で求めたmax gradient（最大瞬時圧較差）は必ずしも一致しない．大動脈弁狭窄に比してカテーテル検査時のpeak to peak gradientとドップラ法で求めたmax gradientは近似する[3)]がmean gradientや三尖弁逆流速度から求めた推定右室圧－20（正常肺動脈収縮期圧）も参考にする．

12. 右室容量は通常正常（重症肺動脈狭窄，純型肺動脈弁閉鎖などは除く）．

13. 特に10歳以上の症例で二次性の漏斗部肥大をきたすことがある．この場合，肺動脈弁狭窄が解除されるまで高圧により押し広げられていた右室流出路が，狭窄の解除後に狭くなり，弁狭窄の解除がなされていないように見えることがある．術後にはβ遮断薬が投与される．

14. 卵円孔閉鎖後の新生児期，乳児期早期に認める10～20 mmHgの圧較差は消失することが少なくない．出生時に肺動脈弁が浮腫または粘液腫状に肥厚していたもので，これが改善するとともに薄くなり可動性も増すためと考えられている．

肺動脈狭窄の基本心エコー

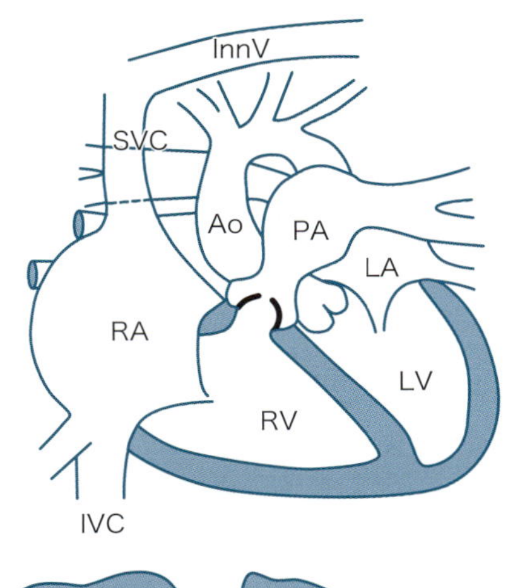

・肺動脈弁の肥厚，doming，弁尖数
・弁上，弁下狭窄
・主肺動脈の狭窄後拡張
・右室肥大
・三尖弁逆流

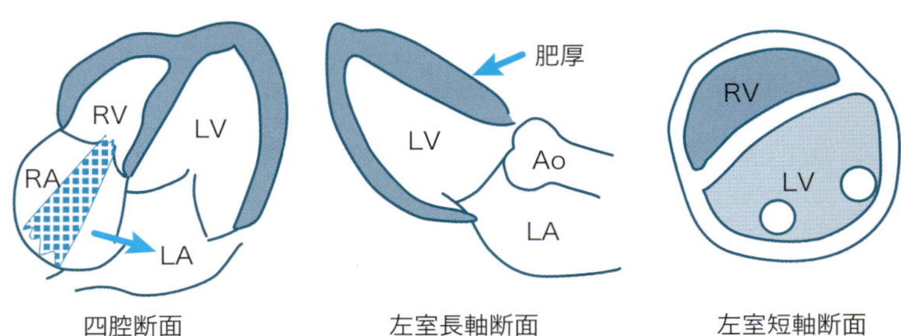

四腔断面　左室長軸断面　左室短軸断面

1. 四腔断面

- 右室低形成の有無，右室心筋の厚さ，三尖弁逆流（TR）の程度，流速，心房間交通の大きさ・方向（新生児で右左の場合，重症肺動脈狭窄の可能性も考慮），三尖弁輪径，僧帽弁輪径，三尖弁/僧帽弁輪径比．
- 右室圧＝TR 流速から求めた圧較差＋右房圧（右房圧としては 6 〜 10 mmHg が用いられることが多い[2)]）．

2. 左室長軸断面

- Noonan 症候群では心室中隔の肥厚をしばしば伴う.

3. 左室短軸断面

- 左室形態からの右室圧推定（楕円，半月形，三日月形；☞ p40）.

4. 大動脈基部短軸断面，肺動脈長軸断面（A）

- 肺動脈弁輪径，肺動脈弁形態（二尖弁，異形成弁など），主肺動脈の狭窄後拡張，肺動脈血流速度，動脈管開存の有無，肺動脈弁逆流の程度.

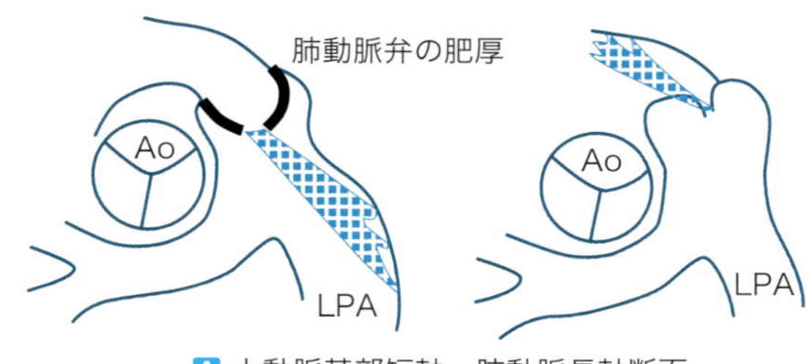

A 大動脈基部短軸，肺動脈長軸断面

肺動脈狭窄に対する治療

1. バルーン肺動脈弁形成術

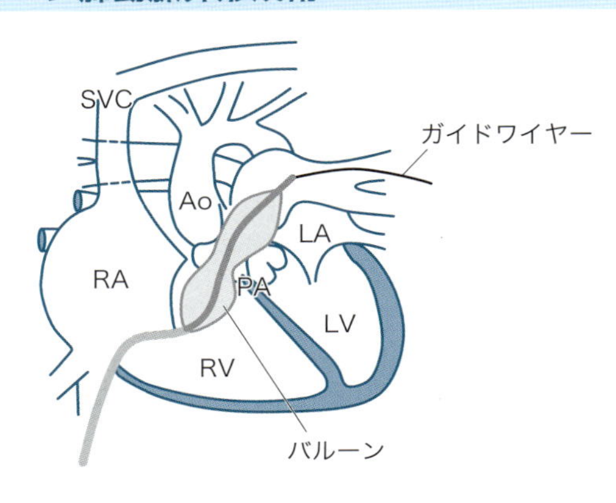

- 肺動脈弁狭窄の治療上，第一選択.
- 肺動脈弁輪径×120 ～ 130% 大のバルーンを用いることが多い.
- 異形成弁の場合には，肺動脈弁輪径×140 ～ 150% で試みることもある.
  右室流出路破裂の可能性もあり，肺動脈弁輪形の正確な測定が必須．術後にはβ遮断薬を投与する（1 週間～ 1 ヵ月）.
- 弁輪径が大きければダブルバルーン法（バルーンカテーテル 2 本を組み合わせる）で形成する．直径 Dmm のバルーン 2 個で直径 Φ 1.64 Dmm バルーンに相当する.

2. 外科的肺動脈弁交連切開術

- ほかの外科手術を必要とする場合，Noonan 症候群などで異形成弁を伴いバルーン形成術が無効な場合などで適応．肺動脈弁交連切開に加えて，弁尖肥厚部分の slicing も行われる.

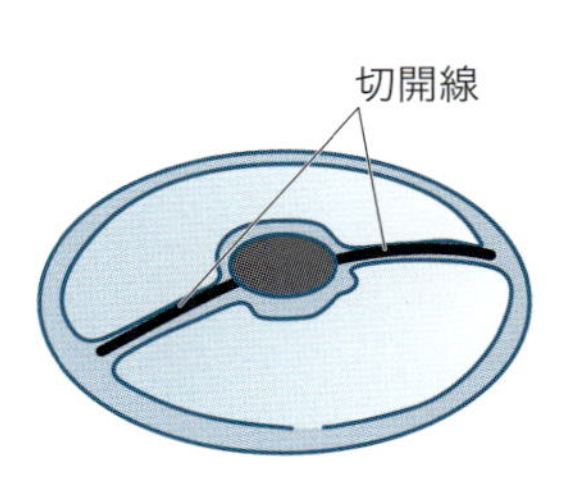

末梢肺動脈狭窄

- 2/3 の症例では他の心奇形を合併.
- 心室中隔欠損，肺動脈弁狭窄の合併が多い.
- 動脈管開存，心房中隔欠損の合併にも注意.
- Williams 症候群では大動脈弁上狭窄を合併する（☞ p132）．末梢肺動脈狭窄には自然軽快が多いが，大動脈弁上狭窄は進行する.
- その他，末梢肺動脈狭窄は Noonan 症候群，Alagille 症候群，Ehlers-Danlos 症候群，先天性風疹症候群などでも認められる.

〈Type I〉 Single, central stenosis

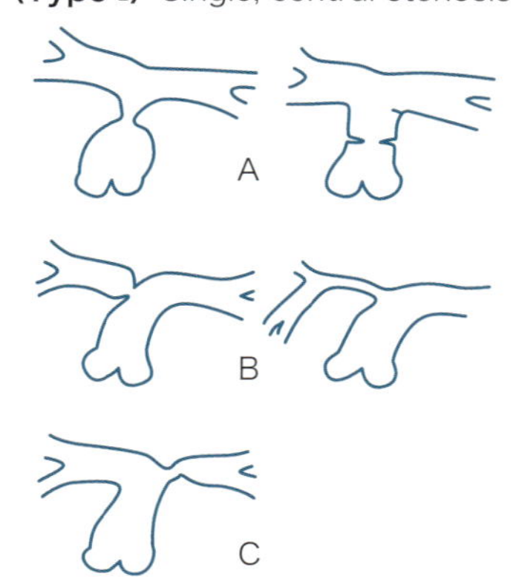

〈Type II〉 Bifurcation stenosis

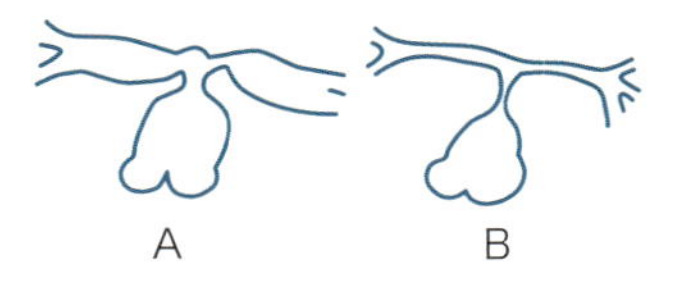

〈Type III〉 Multiple, peripheral stenosis

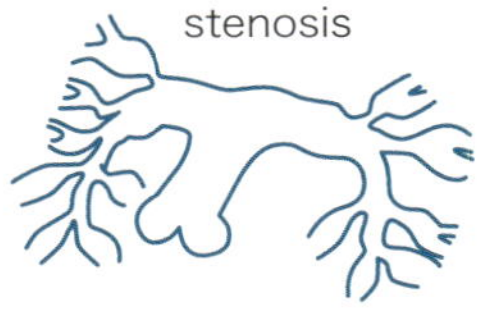

〈Type IV〉 Central, peripheral stenosis

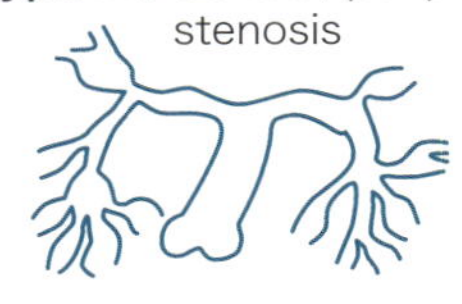

肺動脈狭窄の分類
〈文献 36）より引用〉

- 約 2/3 の症例では主肺動脈，左右肺動脈分岐部，肺動脈主要分枝の狭窄を伴う[36]．
  狭窄が局所的→ post stenotic dilation（＋）．
  狭窄が long segment → post stenotic dilation（－）．あっても軽

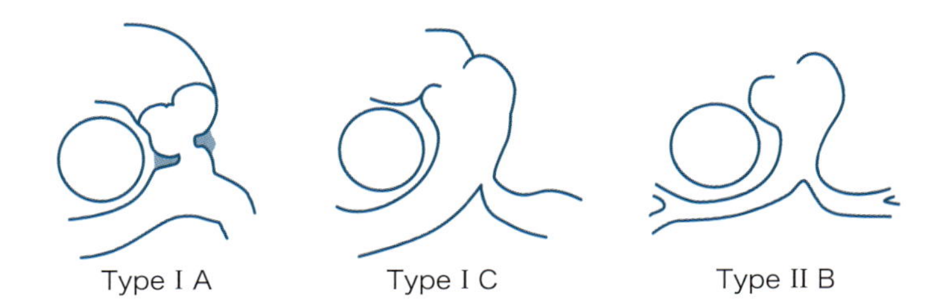

い．
- Type Ⅲ，Ⅳの末梢肺動脈狭窄はエコーで描出困難．末梢肺動脈狭窄が強い症例では連続波ドップラで記録した肺動脈血流（前方流）が拡張期に及ぶ所見がしばしば認められる（末梢性狭窄のために拡張期にも圧差が残存）．
- 管状，紡錘状狭窄の場合，簡易ベルヌーイの法則では過大評価となる（☞ p34）．三尖弁逆流から推定した右室圧と比較検討する必要がある．

大動脈弁狭窄
aortic stenosis（AS）

1. 発生率 256/100 万生産児.
2. 合併心奇形：新生児・乳児重症大動脈弁狭窄（critical AS）では 40%に認められる（大動脈弁上狭窄，大動脈縮窄，大動脈弁下狭窄，僧帽弁狭窄，動脈管開存，心房中隔欠損など）.
3. 大動脈弁は 60～80%で二尖弁で，それぞれの大きさは異なることが多い．Critical AS では 59～82 %が単尖弁といわれる.
4. 大動脈二尖弁：左右冠尖の間が癒合 70～86%，右無冠尖間の癒合 12～28% で，左無冠尖間の癒合は稀[2].

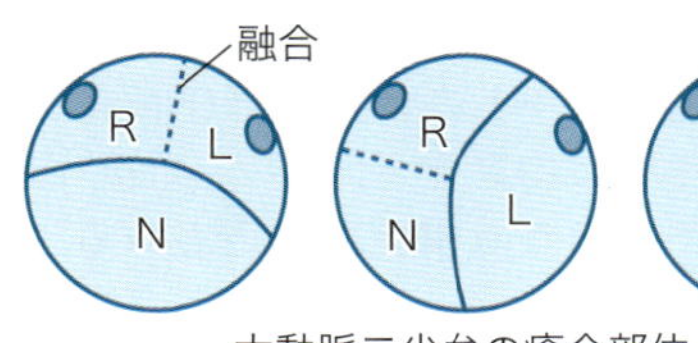

大動脈二尖弁の癒合部位

5. 大動脈弁の石灰化は 30 歳未満では稀.
6. Critical AS では大動脈弁輪径は僧帽弁輪径，左室容量とともに正常より小さいことが多い．10 歳を超えた症例でも大動脈弁輪は小さく，弁は粒状変化を伴っていることがある.
7. 突然死：peak systolic gradient ＞ 50 mmHg の例で注意．ECG で虚血性変化がある症例でリスクは高い．安静時 ECG が正常な例で突然死が起こる場合には，通常有症状である.
8. 1）大動脈二尖弁＋大動脈基部/上行大動脈≧55 mm なら Valsalva 洞再建/AAo 置換（class I）.
   2）大動脈二尖弁＋大動脈基部/上行大動脈≧50 mm＋大動脈解離の家族歴があるなら Valsalva 洞再建/AAo 置換（class IIa）.
   3）大動脈二尖弁で AS/AR で手術予定＋上行大動脈径≧45 mm or 弓部大動脈径≧50 mm なら Valsalva 洞再建 AAo 置換（class IIa）[37].

大動脈弁狭窄の重症度

- 最近の AHA ガイドライン[38] では,

> 軽症：最大流速 2.0 ～ 2.9 m/s，平均圧較差＜ 20 mmHg
> 中等症：最大流速 3.0 ～ 3.9 m/s，平均圧較差 20 ～ 39 mmHg
> 重症：最大流速＞ 4 m/s，平均圧較差≧40 mmHg

と定義されている.
- わが国の学校心臓検診のガイドライン（2016）[39] でも同定義に準じ，中等症で E 禁以上，重症で C 以上の要運動制限となっている.
- 大動脈弁狭窄の重症度：大動脈弁狭窄は年齢と共に進行すること，また心機能が低下した状態では圧較差で重症度を判定することが難しくなることに留意する.
- なお，以下のような重症度判定もある[2].

> - 軽症と中等症の境界：ドップラ法での最高流速から求めた最大圧較差 25 ～ 30 mmHg
> - 中等症と重症の境界：ドップラ法での最高流速から求めた最大圧較差 50 ～ 60 mmHg

- ドップラ法による最大圧較差は心臓カテーテル検査での圧較差を過大評価，平均圧較差は過小評価する.

大動脈弁狭窄の基本心エコー

- 狭窄後拡張.
- 厚い弁，二尖弁，異形成弁.
- 僧帽弁逆流.
- 大動脈弁逆流.
- 左室肥大.
- 心内膜線維弾性症（特に新生児重症大動脈弁狭窄）.
- 左室拡張末期圧上昇による肺高血圧.
- 大動脈縮窄（CoA）の合併.

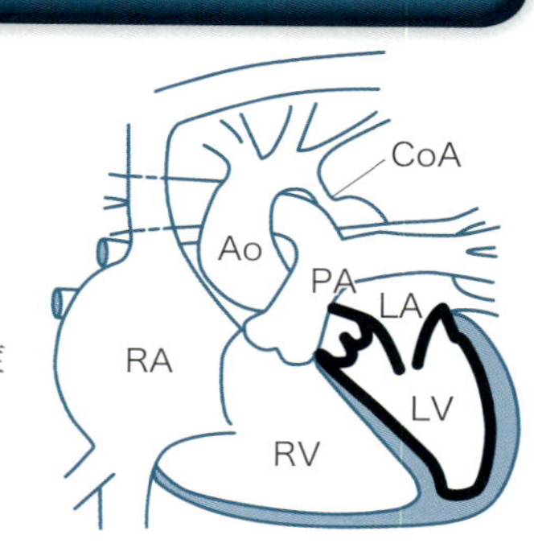

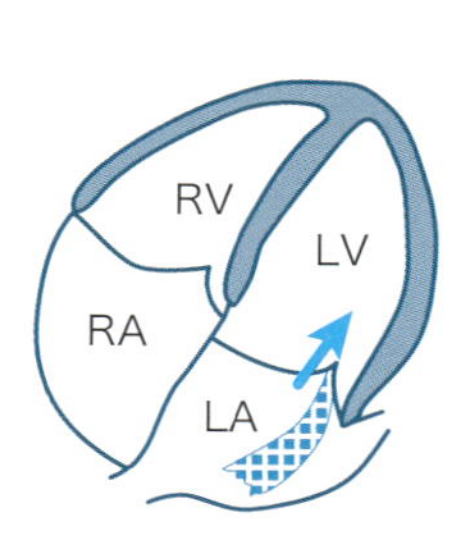

Ⓐ 四腔断面

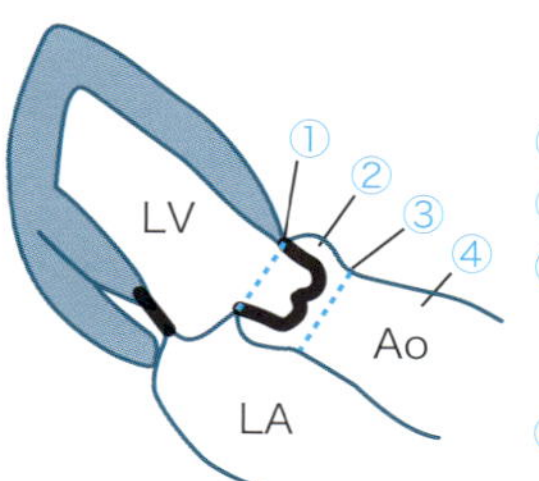

①大動脈弁輪部
②Valsalva 洞
③Valsalva 洞上行大動脈接合部（sinotubular junction：STJ）
④上行大動脈

Ⓑ 左室長軸断面

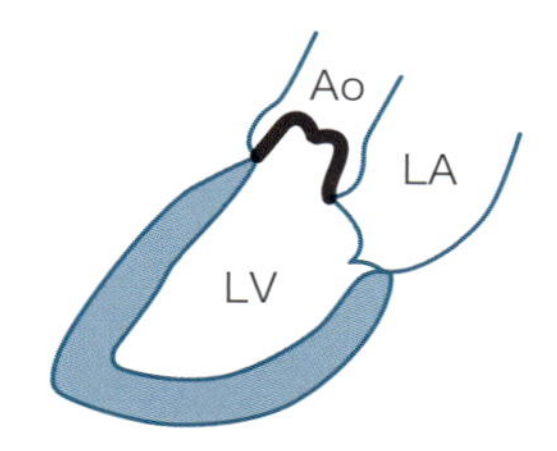

Ⓒ 胸骨上窩からの左室長軸断面

Ⓓ 左室短軸断面

Ⓔ 大動脈基部短軸断面

1. 四腔断面（A）

● 左室の大きさ，左室壁厚，僧帽弁逆流（MR）の程度．MR 流速から左室圧（LV 圧）推測．LV 圧－血圧が圧較差．

> 大動脈弁狭窄
> LV 圧＝4 × MR 流速^2 ＋左房圧

2. 左室長軸断面（BC）

● 大動脈弁輪径，Valsalva 洞（大動脈根部）径，sinotubular junction（STJ）径，上行大動脈径を計測，大動脈弁形態，大動脈弁下狭窄，左室壁厚，MR，大動脈弁逆流（AR）の評価，大動脈血流流速（しばしば胸骨上窩からの観察でより速い）．

3. 左室短軸断面（D）

● 左室壁厚，左室拡張末期径（LVEDD），左室収縮末期径，左室駆出率，心内膜や乳頭筋尖端のエコー輝度などをチェック．

4. 大動脈基部短軸断面（E）

● 大動脈弁形態（二尖弁，異形成弁など；☞ p125）．

大動脈弁狭窄の合併症

SAS：大動脈弁下狭窄，SMR：僧帽弁上輪

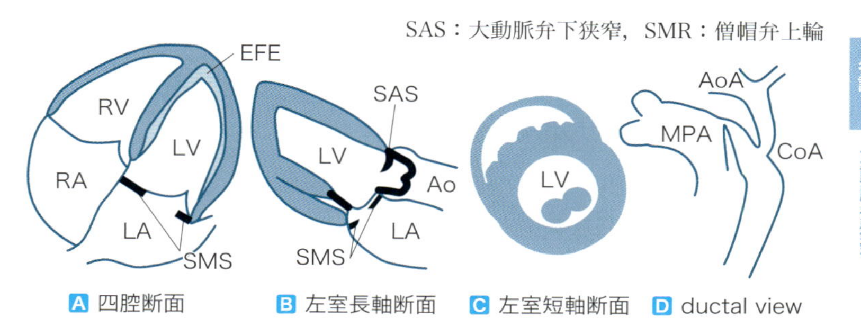

A 四腔断面　B 左室長軸断面　C 左室短軸断面　D ductal view

1. 四腔断面（A）

- 左室低形成，僧帽弁狭窄（MS；乳頭筋・腱索の異常），僧帽弁上狭窄（Shone 症候群），心内膜線維弾性症（EFE），心房間交通．

2. 左室長軸断面〜上行大動脈（B）

- 心内膜線維弾性症，大動脈弁形態（二尖弁，異形成弁），大動脈弁輪径，大動脈弁下狭窄（SAS），MS（乳頭筋・腱索の異常），僧帽弁上狭窄（SMS），左室拡張末期径，左室駆出率，左室肥大（HCM と異なり対称性，全体的に肥大）．（新生児重症大動脈弁狭窄；☞ p148，狭窄後拡張）
- 上行大動脈瘤状拡張：大動脈二尖弁に合併することは稀でなく，上行大動脈径の測定は重要である．大動脈壁固有の障害に基づく変化（aortopathy）であり，狭窄後拡張という呼称は使用すべきでない[2]．
- 大動脈弁下狭窄：心室中隔欠損，大動脈二尖弁，右室二腔心，大動脈縮窄・大動脈弓離断，房室中隔欠損などに合併しやすい．切除術後の再狭窄率も 33% と高い[2]．

3. 左室短軸断面（C）

- MS：乳頭筋・腱索の異常，（偽性）parachute MV など，左室拡張末期径・駆出率，左室肥大.

4. 胸骨上窩から大動脈弓，動脈管観察断面（D）

- 大動脈縮窄・離断，動脈管開存など確認.

■ MEMO

大動脈弁下狭窄の進行予測[2)]

①左室流出路断面積/体表面積 ≦ $0.7 cm^2/m^2$

② $\dfrac{\text{Fibromuscular ridge〜大動脈弁間距離}}{\text{体表面積}} > 0.2$

③僧帽弁前尖が狭窄にかかっている場合

■ MEMO

Discrete な大動脈弁下狭窄の切除後に再手術予測[2)]

① Fibromuscular ridge と大動脈弁間距離 < 6 mm

②ドップラ最大圧較差 ≧ 60 mmHg

③外科的に peeling が必要な大動脈弁・僧帽弁がある場合

1. バルーン大動脈弁形成術：Balloon valvuloplasty

- 大動脈弁輪径の 90％大のバルーンを使用して行う．高圧でバルーンが大動脈へ吹き飛ばされると，大動脈弁が傷害される原因となる．ワイヤーを心尖部で反転させ，しっかりと左室心尖部に固定しておく．また，バルーンが拡張し，ウエストが消失すればすぐにバルーンを縮小させる．この間，左室内腔は非常に高圧で，大動脈への駆出が途絶えることと相まって，心筋の機能障害を引き起こす．

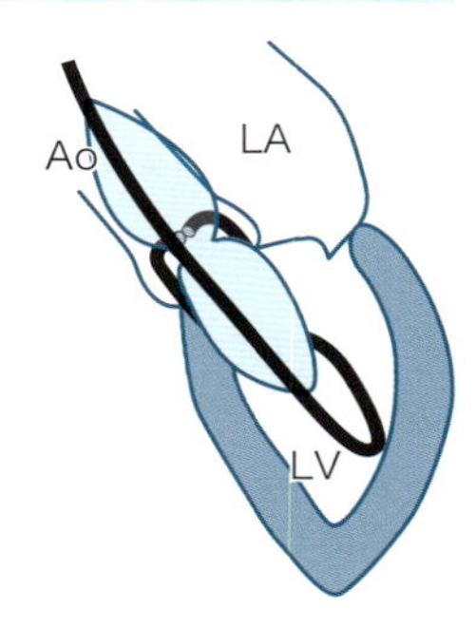

2. 外科的大動脈弁交連切開術

- 肺動脈弁狭窄に対する交連切開術と異なり，大動脈壁まで約 1 mm 残したところ以上は切り込まない．

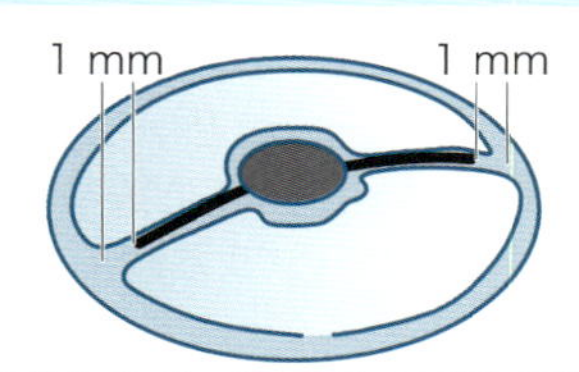

〈安井久喬 監：“先天性心疾患手術書”．メジカルビュー社，2003 を参考に作成〉

3. 大動脈弁置換術

- 機械弁の場合，二葉弁を使用して行われるが，最小の弁でも 16 mm である．小児期には弁形成術を原則とする．小児例などでは自己の肺動脈弁を大動脈弁として使用する Ross 手術などがあるが，難易度は高い．また自己の肺動脈弁を摘出した後には，人工血管による右室流出路再建術が必要となる．

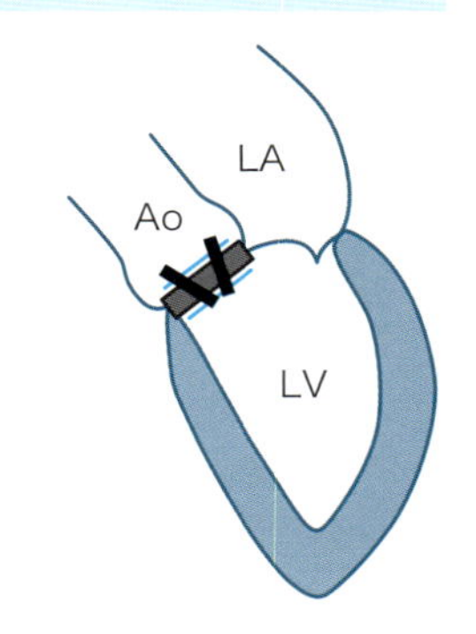

大動脈弁上狭窄
supravalvular aortic stenosis

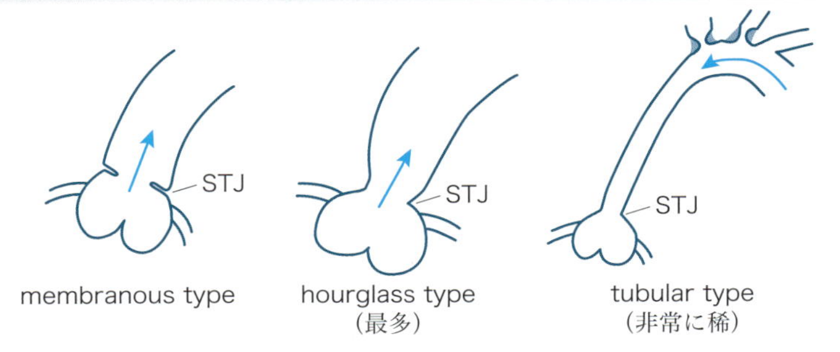

- 大動脈弓の血流は動脈管から供給されることもある．その場合，大動脈弓径はしばしば上行大動脈径よりも太い．
- 特に Williams 症候群が疑われる場合，無名動脈，総頸動脈，冠動脈（特に左側）の狭窄，CoA，腎動脈，肺動脈の狭窄にも注意．

> - 径の計測：大動脈弁輪，Valsalva 洞，sinotubular junction (STJ)，上行大動脈など．
> - 流速の測定：弁上狭窄では複数個所に狭窄を有することあり．連続波ドップラとパルスドップラで狭窄部を同定する（☞ p35）．

- 大動脈弁上狭窄が自然に改善することは稀で，年月が経過するにつれ増強することも少なくないため，経年的な follow up が必要である．
- 冠動脈開口部（起始部）狭窄（特に左側）に注意：開口部の内膜肥厚で狭窄後拡張を伴うこともある．→短軸像でチェック．

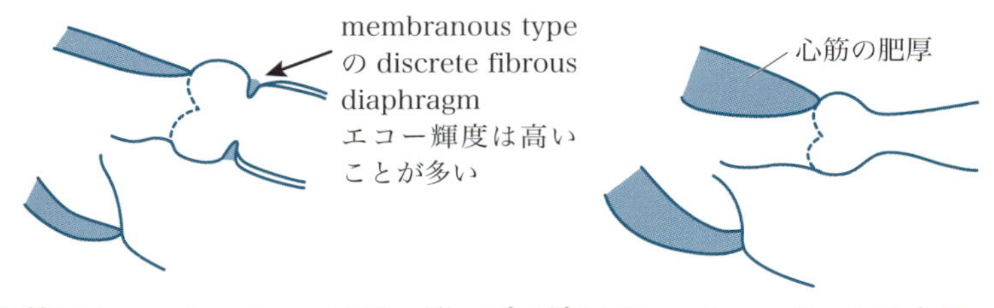

- 特に hourglass type では，ドップラ法での peak gradient はカテーテルの peak to peak gradient に比して，かなり大きい値となる（過大評価する；☞ p34, 41）．

小児期にみられる大動脈弁逆流の病因

1. 固有先天性心疾患としての大動脈弁逆流[3)]

- 大動脈弁尖の構造異常：二尖弁，四尖弁など．
- 大動脈左室トンネル（aortico-LV tunnel：ALVT）．心内瘤，心外瘤の有無・合併（B）により4型に分類．
- 大動脈弁欠損（unguarded aortic valve）．

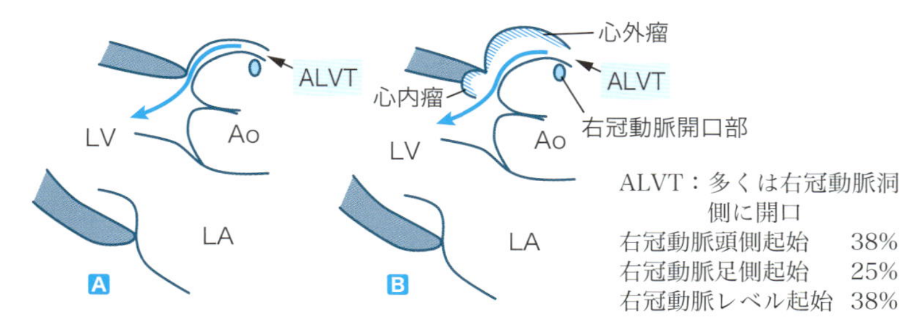

2. 他の先天性心疾患に合併する大動脈弁逆流[3)]

- 心室中隔欠損：肺動脈弁下欠損，傍膜様部欠損流出路伸展．
- ファロー四徴総動脈幹症など：漏斗部中隔の前方偏位，大動脈弁の拡大を伴う疾患．
- 大動脈弁下狭窄．
- 総動脈幹：弁口の右方偏位と総動脈幹弁自体の異常（特に四弁構造）．

3. 大動脈根部の拡張による大動脈弁逆流[3)]

- 膠原組織異常．
- Marfan 症候群，Loeys-Dietz 症候群，Ehlers-Danlos 症候群など．
- Congenital polyvalvular disease．

4. 大動脈根部，大動脈弁の感染による大動脈弁逆流[3)]

- リウマチ熱．
- 感染性心内膜炎．
- Valsalva 洞破裂．

大動脈弁逆流の評価

●大動脈弁逆流の評価については成人領域を中心に総論（☞ p57）で記載した．P134〜136では文献3)の内容を中心に付記した．

1. ドップラ法：心血管造影検査による重症度との関連[3)]

① deceleration rate（DR）

DR ＝（$V_1 - V_2$）/ t

DR ≦ 2 m/s^2 → mild AR

DR ＞ 3 m/s^2 → AR 3+〜4+

② pressure half time（PHT）[3)]

PHT ＞ 400 msec → mild AR

PHT ＜ 400 msec

→（AR）3+〜4+

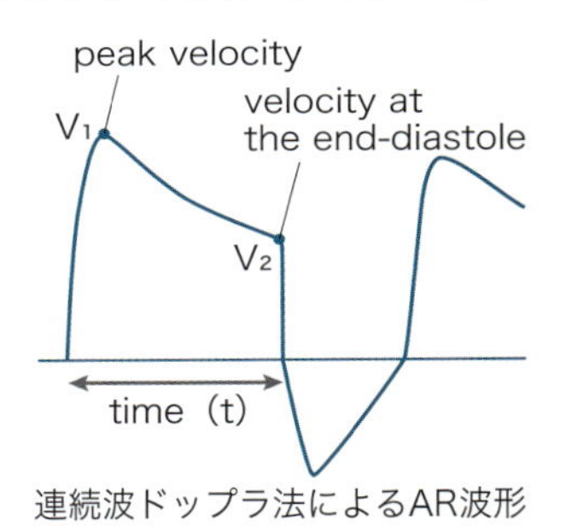

連続波ドップラ法によるAR波形

㊟成人領域も含めてPHT＞500 軽症，500〜200 中等症，＜200 重症とされることも多い（☞ p57-58）．

●DR ＞ 3.5 m/s^2，PHT ＜ 250 msec で重症[2)]．

2. カラードップラ法[3)]

大動脈弁逆流（AR）幅/LVOT幅（%）

AR(1+) → 19%

(2+) → 30%

(3+) → 56%

(4+) → 80%

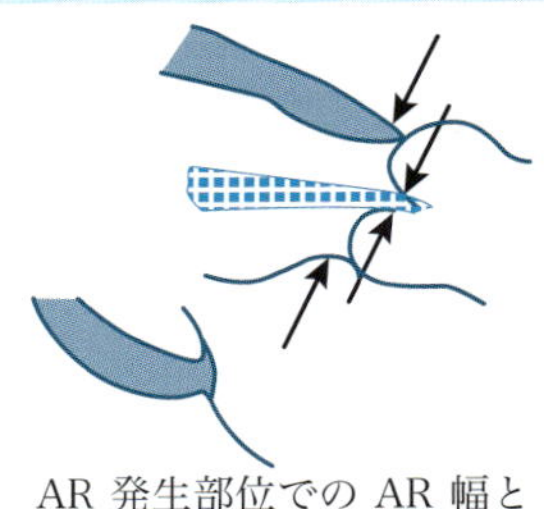
AR 発生部位での AR 幅とLVOT 幅を胸骨左縁長軸断面 or 短軸断面で求める．

●ARの逆流口は必ずしも円形でなく，短軸断面で求めたAR面積/LVOT面積ほど正確でない．一方，面積で判定する場合もARは逆流口より数mm離れた部位で急速に拡大するため，正確な評価は難しい．→いくつかの診断法による結果を総合的に評価．

大動脈弁逆流の心エコー：左室収縮末期径

1. 代償された時期（心機能正常）

左室拍出量＝正常左室拍出量＋大動脈弁逆流（AR）量
→左室拡張末期径（LVEDD）は増大しても
　左室収縮末期径（LVESD）は正常範囲にある

2. 心機能が低下

左室駆出量＜正常心拍出量＋大動脈弁逆流量
→左室心拍出量は低下し，左室収縮末期径は増大

- したがって左室収縮末期径は左室が容量負荷に対応できているか否かの重要な指標！
- 成人で LVESD ≧ 55 mm で手術（心筋傷害が非可逆性になる前に）.
- 小児例：LVEDD が増大していても，LVESD が正常範囲なら経過観察[3] できる場合も少なくない.

AR → 代償性左室肥大
　 → 拡張末期血圧低下
} 左室冠動脈灌流低下

- 大動脈弁狭窄（AS）/AR 合併例では AS 単独例に比して左室肥大の程度が軽くとも有症状，ECG 異常をきたしやすい.
- 原則的に正常（生理的）な大動脈弁逆流は認められない（あったとしても極めて稀）[3].

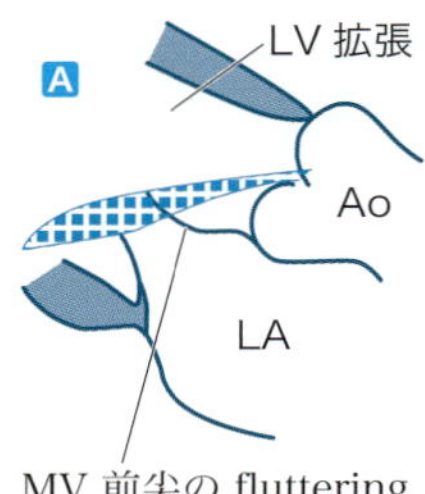

MV 前尖の fluttering が M-mode でみられる

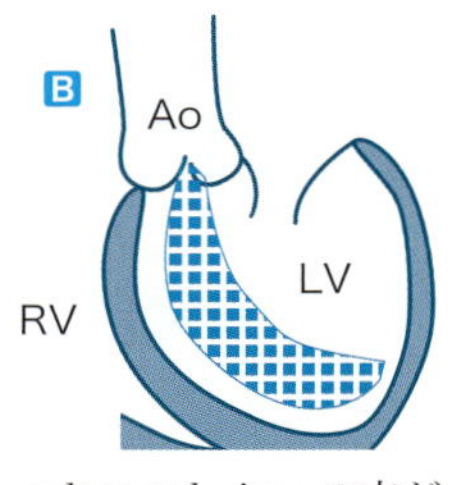

subcostal view の方が AR の全貌を捉えやすい

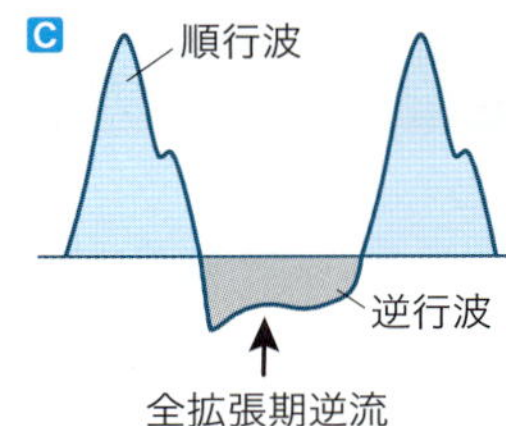

- AR による全拡張期逆流波の出現率や，100×TVI（逆行波）/TVI（順行波）（%）値は，大動脈弁より遠ざかるほど小さくなる．すなわち AR による全拡張期逆流波の出現率は，上行大動脈＞大動脈峡部＞腹部大動脈（横隔膜レベル）の順に高くなる．

㊟通常，上行大動脈（胸骨上窩からの観察）や腹部大動脈（剣状突起下から）では順行性の血流が上向き，逆行性の血流が下向きになり，大動脈峡部では逆になる．

上行大動脈
100×[TVI（逆行波）/TVI（順行波）]（%）

軽症	（1 +）	8.9 ± 2.9
中等症	（2 +）	23.6 ± 4.2
	（3 +）	35.7 ± 5.0
	（4 +）	50.2 ± 6.5

〈文献 3, 40）より引用〉

腹部大動脈：全拡張期逆行波（+）→ 3+, 4 + 〈文献 3, 41）より引用〉

100 ×[TVI（逆行波)/TVI（順行波)] ＞ 35（%）なら重症 AR と判断[2)]

大動脈縮窄
coarctation of the aorta（CoA）

1. 発生率 356/100 万生産児．先天性心疾患の 5%に相当．
2. 合併心奇形：1 歳以上の症例では，大動脈二尖弁（27 ～ 70%）を除けば，約 90%例は他の心奇形を合併しない（simple CoA）．残り 10%の約半数に心室中隔欠損（VSD）を認める．一方，1 歳未満例では，35 ～ 55%例が simple CoA．合併心奇形としては VSD が最多．
3. CoA の患者では，動脈管の平滑筋が動脈管の近位部，遠位部の大動脈壁に拡がり，しばしば大動脈を取り囲んでいる．年長児になるとこの筋は線維組織におきかわる．
4. 多くの症例で大動脈弓低形成：管状の低形成（無名動脈～左鎖骨下動脈まで＋大動脈峡部）を伴う．CoA が右大動脈弓に伴うことは稀（約 2%）．
5. Pseude CoA：大動脈が屈曲．折れ曲がった形になったもので，大動脈第３弓を認めることが多い．圧較差は通常生じない．
6. 大動脈弁：二尖弁のことが多いが単独の二尖弁と異なり，symmetrical bicuspid valve であったとか，右冠尖，左冠尖間の融合が多かったとの報告がある（単独の二尖弁では右冠尖/無冠尖間が多い）．
7. 僧帽弁：約 5 %で乳頭筋異常など僧帽弁の奇形を伴う．Shone 症候群の合併にも注意．
8. 冠動脈：筋性中膜は厚く内膜は肥大している．しかし，CoA では同程度の左室肥大を示す AS 例ほど，心筋の血流（冠灌流）に悪影響を及ぼしてはいないと考えられている．
9. Relative CoA：左右短絡の動脈管開存があった場合，大動脈峡部を通過する血流が増加し血流の加速が見られる．流速だけに頼ってはいけない．PDA 血流の向き，3 sign などの形態評価が重要．

10. 大動脈縮窄の合併奇形

心室中隔欠損　38.7%	
心房中隔欠損　20.1%	
房室中隔欠損　4.4%	
All simple LR shunting	60.2%
大動脈狭窄　18.9%	
僧帽弁狭窄　4.9%	
肺動脈狭窄　1.0%	
All simple valve lesion	24.8%
左心低形成症候群　10.8%	
完全大血管転位　7.7%	
両大血管右室起始　6.7%	
単心室　3.6%	
三尖弁閉鎖　2.4%	
ファロー四徴　0.4%	
All complex heart disease	31.6%
Turner 症候群　2.3%	
21 トリソミー　1.8%	
13,18 トリソミー　1.1%	
All chromosomal defect	5.2%

11. 異型大動脈縮窄症（A）：上下肢の血圧差があり，通常の大動脈縮窄部に狭窄がない場合に疑う．横隔膜レベルでの血流パターンがsluggish ならその近位部に狭窄がある．

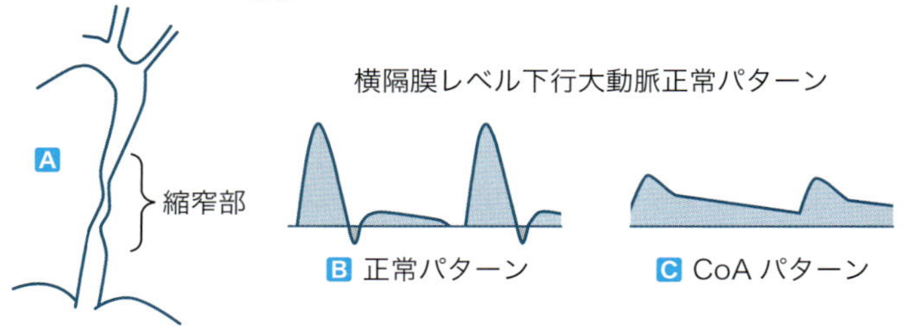

大動脈縮窄の解剖

simple CoA，CoA complex（VSD 合併例など）

simple CoA

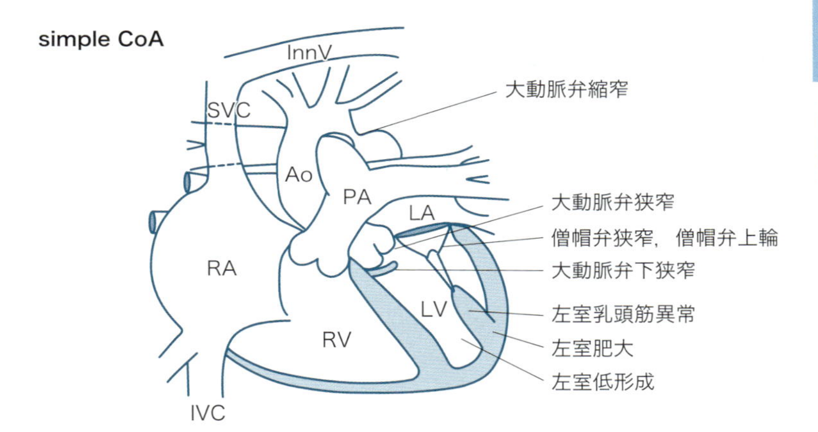

CoA complex（VSD）

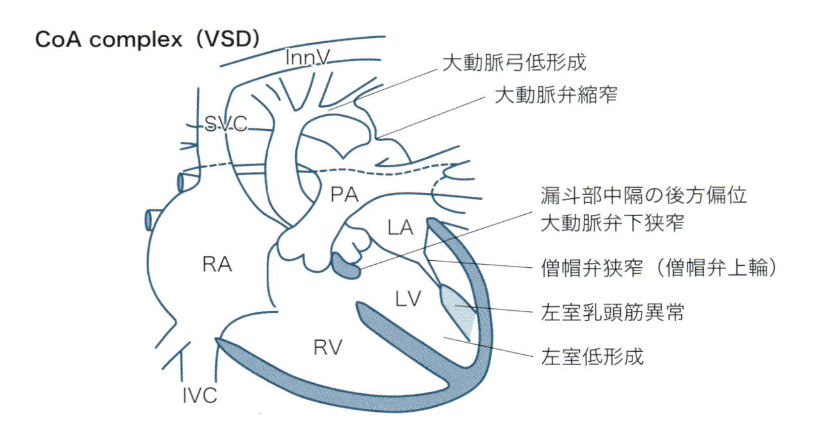

大動脈縮窄の基本心エコー

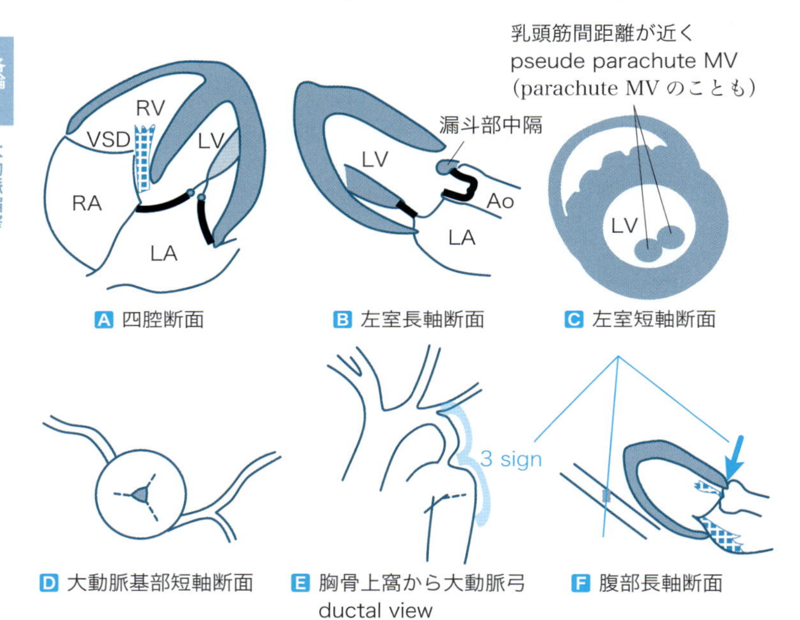

A 四腔断面　B 左室長軸断面　C 左室短軸断面

D 大動脈基部短軸断面　E 胸骨上窩から大動脈弓 ductal view　F 腹部長軸断面

- 四腔断面（A）：心室中隔欠損（VSD）の大きさ・位置，VSD 短絡血流の流速，左右心室のバランス（左室の低形成に注意），僧帽弁狭窄（乳頭筋・腱索の異常），simple CoA では左室壁は厚い（左室肥大）.
- 左室長軸断面（B）：漏斗部中隔の後方偏位，大動脈弁狭窄（二尖弁，異形成など），流速評価，僧帽弁狭窄（乳頭筋・腱索の異常），simple CoA では左室肥大像あり.
- 左室短軸断面（C）：左室肥大，LVEDD/ESD（左室低形成），parachute MV などの僧帽弁乳頭筋異常.
- 大動脈基部短軸断面（D）：大動脈弁尖の数（大動脈二尖弁など），異形成など.
- 胸骨上窩からの断面（E；後述）：大動脈弓，大動脈峡部，大動脈縮窄，動脈管観察，3 sign など確認（☞次頁）.
- 腹部長軸断面（F）：大動脈縮窄のため血流は sluggish（☞p138 C）.

Low flow theory と 3 sign (inverted E sign)

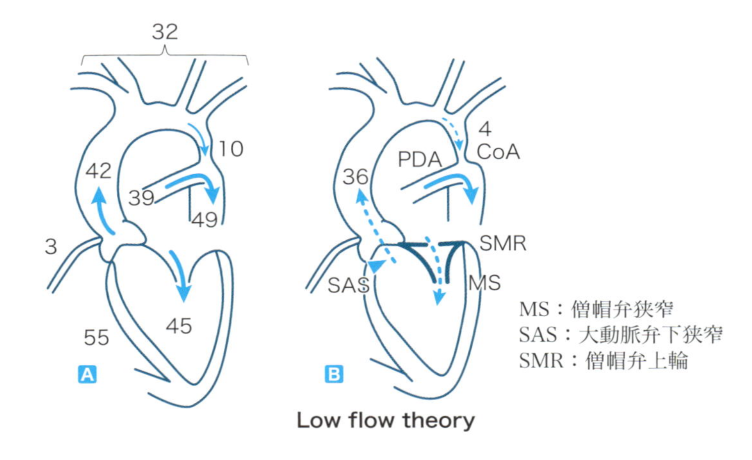

Low flow theory

- 図中の数字は両心室からの拍出量を100％とした場合の，各部位における血流量を示す．正常でも大動脈峡部を流れる血流は10％と少ない（A）．しかし，左室流入路，流出路に狭窄病変があれば（B），上行大動脈の血流量はさらに減少し，大動脈峡部に大動脈縮窄が形成される．
- 大動脈縮窄の診断に際しては，動脈管を処理した後の下行大動脈を，大動脈弓のどの部分まで持ち上げなければならないか判定する必要があり，C図のa～g（血管径），1～4（距離）を測定する．
- なお，新生児期には大動脈縮窄かどうか区別がつきにくい場合も少なくない．その際，点d（最狭部）を挟む領域が3の形になっていれば，大動脈縮窄の疑いが強くなる．これを3 signとかinverted E signと呼ぶ．
- f径：脳分離体外循環に際しての送血管の太さに関係．

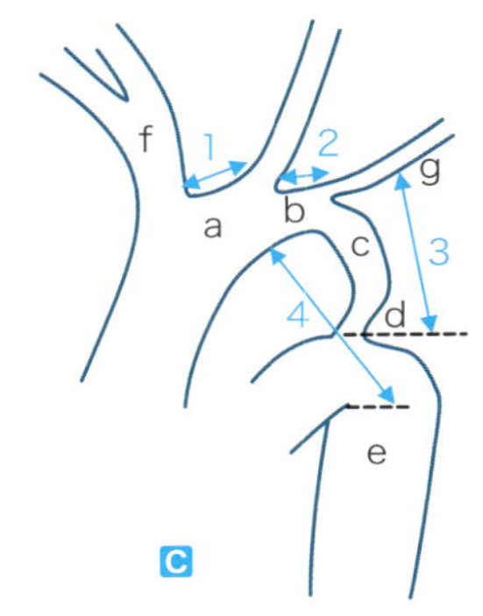

大動脈縮窄に対するカテーテル治療
バルーン大動脈形成術

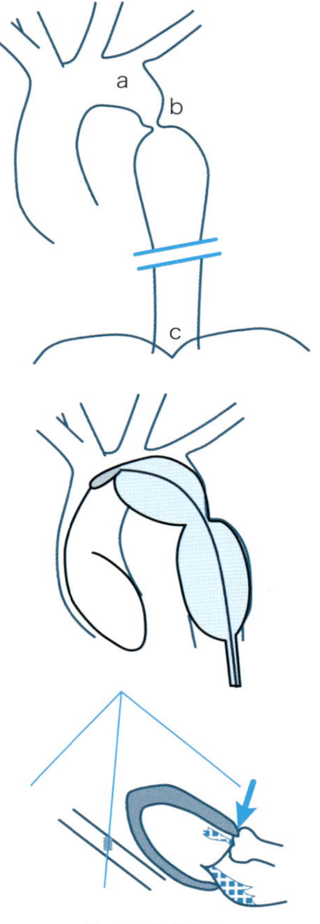

腹部長軸断面

- 原則的に VSD 非合併例（simple CoA）が対象になる．最狭部（b）のみならず，周辺の大動脈径（a）も計測する．
- 使用するバルーンサイズの目安にするためにも，横隔膜レベルの下行大動脈の径（c）も計測しておく．使用するバルーンサイズは

> バルーンサイズ≒a≦c

となる．
- 合併症として b 周辺の大動脈解離から大動脈瘤の形成が挙げられる．
- 新生児の大動脈は元来細いため，バルーンサイズ 1 mm の違いはしばしば 20％の違いとなる．したがって，厳密な測定が重要であることはいうまでもない．より安全・正確を期すためにも，1 サイズ小さめのバルーンで形成し，そのバルーンで再度計測しなおして最終的なバルーンサイズを決定することが多い．術後には縮窄部の径，流速のみならず，腹部下行大動脈の血流パターンが，どのように改善しているか確認しておく（☞ p138 BC）．
- 年齢が高くなれば，ステント留置も考慮される．
- 6 ヵ月未満の乳児例では，カテーテル治療後の再狭窄が稀でない．

大動脈縮窄に対する手術

姑息術と心内修復術

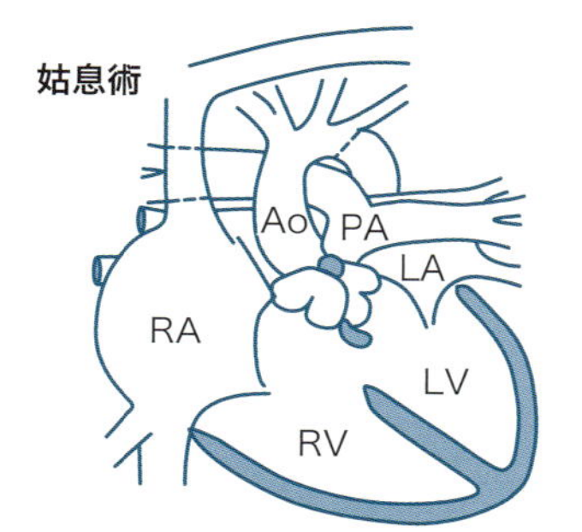

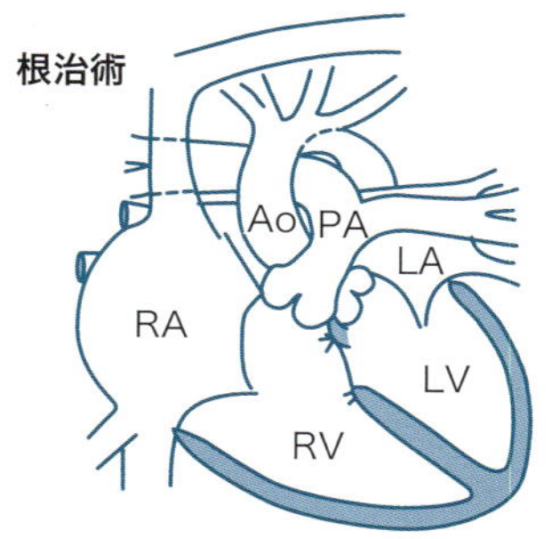

1. 姑息術：大動脈縮窄部の形成術と動脈管の切除＋肺動脈絞扼術（PAB）

- 新生児，乳児期早期例で複雑なVSD（inlet, multiple muscular type），AVSDを合併する場合，感染後，脳内出血後など，体外循環を回しにくい場合に選択される．

■ MEMO

術後心エコー：肺動脈絞扼部の流速，肺動脈絞扼部バンドのずれによる肺動脈分岐部狭窄，左室流出路狭窄に注意する（☞ p90）．その他，左室拡張末期径の大きさ，左室駆出率の変化（大動脈縮窄解除が不十分な場合，両心室からの流出路狭窄が重なり心機能低下）にも留意する．

2. 大動脈の形成術と動脈管の切除＋VSDパッチ閉鎖術

- 大動脈弓離断では大動脈縮窄複合（CoA complex）に比して，心内修復術がより多く選択される．しかし，左室の大きさが二心室修復とFontan手術候補の境界域なら，両側肺動脈のPAB（両側肺動脈絞扼術）を選択し，その後の経過をみることも少なくない．この場合，動脈管を維持するため，プロスタグランディンE_1を継続するか，動脈管にステントを留置する．

■ MEMO

術後心エコー：左室流出路狭窄，左室拡張末期径，左室駆出率の変化，大動脈弓修復部形態・血流速度，僧帽弁狭窄の顕性化に注意する．

大動脈弓離断
interrupted aortic arch（IAA）

1. 発生率 19 ～ 66/100 万生産児.
2. 分類と頻度

Type A

Type B

Type C

Type A　11 ～ 44%
Type B　47 ～ 85%
Type C　極めて稀

3. Type B では del22q11.2 症候群，DiGeorge 症候群の合併に注意.
4. Type A で鎖骨下動脈起始異常 aberrant right subclavian artery がない場合，上半身の血流は左室から，下半身の血流は右室から動脈管を経由して下行大動脈へ短絡した血流となる.
5. 70 ～ 95%例は VSD を合併し，しばしば漏斗部中隔の後方偏位を伴っている（☞ p87）.
6. Type A では low flow theory（☞ p141）が，Type B では神経堤（neural crest）の異常が発生に関与.

大動脈弓離断の解剖とエコー

- Type C はきわめて稀であり，Type A, B に関して以下に説明する．

1. Type A

- 大動脈第３枝（左鎖骨下動脈）分岐後に離断．
- 心内構造異常に関しては，大動脈縮窄＋心室中隔欠損に準じる．大動脈弁(下)狭窄，左室低形成などに注意．

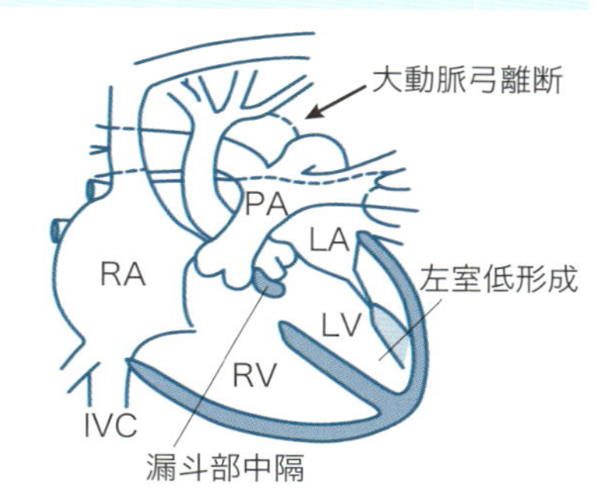

2. Type B

- 大動脈弓第２/３枝間で離断．Del22q11.2 症候群の合併に注意．
- Type A に比して大動脈弁下狭窄，左室低形成などにより注意する必要がある．
- 胸腺低形成・欠損のためエコーウインドウを取りにくい！
- 逆に胸骨上窩からのエコーウインドウを取りにくければ，TypeB，del22q11.2 症候群の合併を考える．

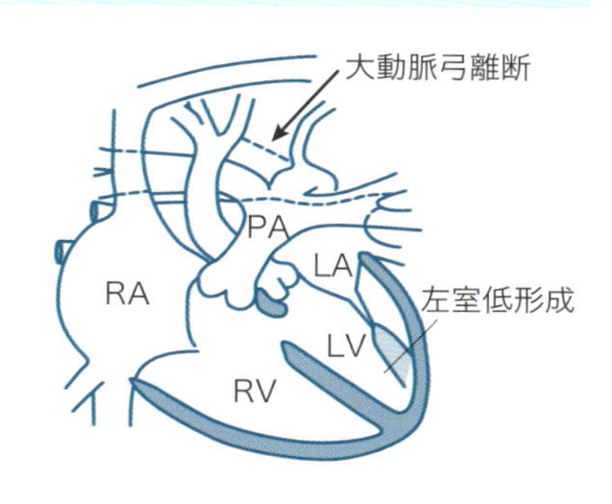

左心低形成症候群
hypoplastic left heart syndrom（HLHS）

1. 発生率 200 ～ 260/100 万生産児．先天性心疾患の 2.5 ～ 3.0%に相当．
2. 5%例で VSD 大欠損を伴う．
3. 30%例でその他の合併奇形あり．肺静脈還流異常が最多．
4. 染色体異常で最も多いのは Turner 症候群．
5. 50 ～ 80%例で CoA が合併している．
6. 心房中隔は 25% 例で restrictive な心房間交通を有するのみ，5.7% で intact である．前者の場合には BAS や交通孔へのステント留置が，後者の場合には（RF）wire による心房中隔穿通の後に BAS やステント留置が必要になる．
7. 三尖弁は大きく，有意な弁逆流を伴っていることも少なくない．

左心低形成症候群の基本心エコー

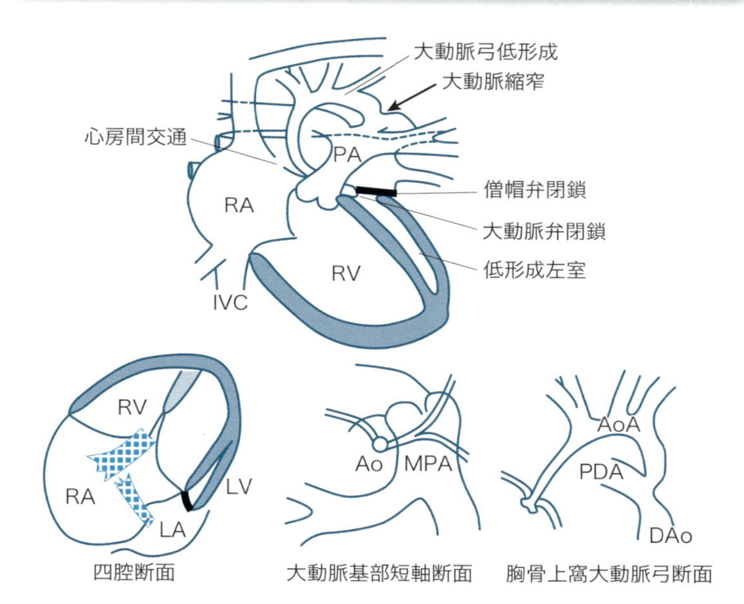

四腔断面　　大動脈基部短軸断面　　胸骨上窩大動脈弓断面

- 四腔断面：非常に低形成の左室は，しばしばslit状．大動脈弁，僧帽弁は閉鎖・高度狭窄で，三尖弁逆流（TR）の程度，心房間交通の大きさは非常に重要である．心室中隔欠損を伴い両大血管右室起始のこともある．僧帽弁狭窄の場合，有意なTRを伴い将来心機能低下をきたしやすい．

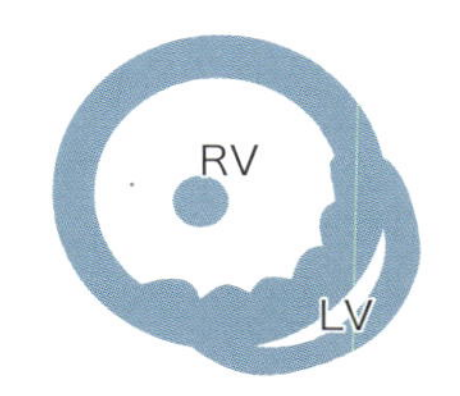

心室短軸断面

- 大動脈基部短軸断面：太い肺動脈の右背側に小さなValsalva洞が認められる．
- 大動脈弓～上行大動脈断面：血流の方向を反映して，大動脈弓から上行大動脈に向かうにつれて大動脈径は細くなる．
- 左室短軸断面：slit状の左室が右室の左背側に認められる．

■ MEMO

Critical AS：二心室修復が可能か？

二心室修復を目指す場合のリスクファクター[42)]

・心尖部が左室により形成されない
・心内膜線維弾性症（EFE）の存在
・小さい大動脈弁（Z score）
・上行大動脈，大動脈弓に前方駆出流が認められない
・早産児
・低出生体重児
・染色体異常の存在
・左室拡張末期容量が正常の ＜ 60%
・僧帽弁輪径 ＜ 9 mm
・左室流入路長 ＜ 25 mm
・大動脈弁輪径 ＜ 5 mm
・左室 cross sectional area ＜ 2.0 cm^2
・indexed LV enddiastolic volume ＜ 20 mL/m^2

Rhodes らの報告：二心室修復の予後不良因子[43)]

・LV long axis/heart long axis ratio ＜ 0.8
・indexed Ao root diameter 3.5 cm/m^2
・Indexed MV area ＜ 4.75 cm^2/m^2
・LV mass index ＜ 35 g/m^2

さらに多因子を組み合わせて，Rhodes のスコアを作成

・Rhodes のスコア：

14(BSA)＋0.943(iRoot)＋4.78(LAR)＋0.157(iMVA)－12.03

BSA：body surface area
iRoot：indexed aortic root dimension
LAR：ratio of the long axis dimension
iMVA：indexed mitral valve area

Rhodes のスコア ＜ 0.35 なら二心室修復を行った場合の予後不良

・Critical AS 症例に対して，二心室修復・単心室修復のいずれを選択すべきか，明確に判別するスコアは存在しない．
・二心室修復を試みて難しく，単心室修復に方向転換した場合の予後は不良である．
・二心室修復を試みて遺残病変を残した場合，きれいな単心室修復よりも予後は悪いことには十分留意しておく必要がある．

左心低形成症候群に対する手術

Norwood 手術と術後心エコー

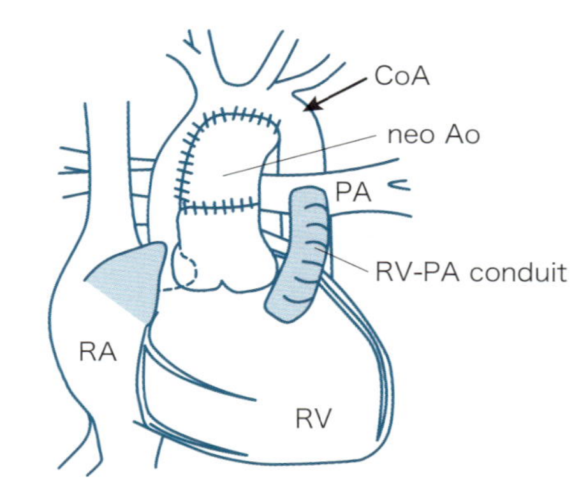

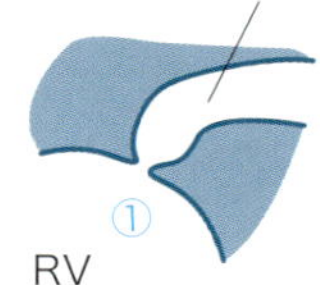

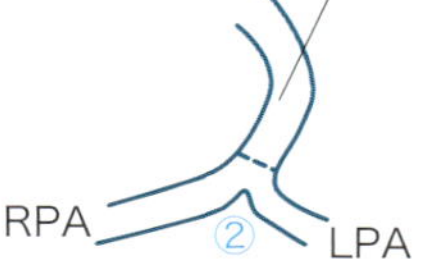

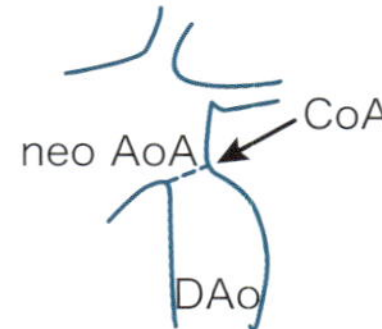

A 右室肺動脈間導管（RV-PA conduit）の長軸断面

B RV-PA conduit と左右 PA 分岐部の水平断面

C 胸骨上窩からの ductal view

- 四腔断面，心室長軸断面：三尖弁逆流，neo-aortic regurgitation (neo AR)，右心機能評価が重要．
- 右室長軸断面（**A**）～肺動脈分岐部水平断面（**B**）：Conduit と右室，左右肺動脈の吻合部狭窄に注意（①，②）．これらの部位に見られる狭窄の進行が，Glenn 手術前の突然死に結びつく可能性がある（**B**）．
- 中心肺動脈は太い neo Ao の背側で圧迫され，閉塞に結びつく可能性がある（**B**）．
- Ductal view（**C**）：Norwood 後の大動脈縮窄は心室に与える影響から，圧較差が小さくとも形態的に縮窄があればバルーン大動脈形成術の適応となりうる．

Fontan 手術施行例の心室動態評価

1. Fractional area change（心尖部四腔断面，傍胸骨短軸断面）

- 心室の壁運動評価に有用．正常値≧40％[2]．
  ㊟通常右室機能をみる際には＜35％で低値．

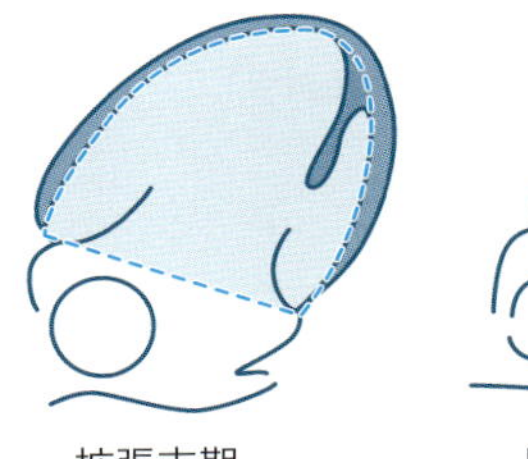

拡張末期　　収縮末期

$$FAC = \frac{(\text{diastolic area} - \text{systolic area})}{\text{diastolic area}}$$

2. 拡張能

- 肺静脈～心房間の逆流（波）時間：Fontan 患者でも有用な拡張能の指標．

(PV atrial reversal flow－atrial forward flow) duration
　　> 28 msec：心室拡張期圧の上昇を示唆する[2]

- また三尖弁流入血の deceleration time の短縮→ Fontan 手術後 chest tube 抜去までの時間延長と protein-losing enteropathy を伴う患者の死亡率と関連する．
- これらの値による拡張能評価を定期的に行うべき[2]．

■ MEMO

Fontan 循環における心機能不全のエコー所見と臨床所見[2)]

① IVC の進行性拡張→経過（変化）を追うことが重要
② IVC 内に自然にみられる echo contrast
③心室の dimension 拡大
④進行性の心房拡大
⑤腹水・胸水の出現
⑥心房性頻拍の出現

㊟①については，胸骨下の IVC 長軸断面で呼気の直径，血栓のチェックを行う．

ファロー四徴
tetralogy of Fallot (ToF)

1. 発生率 274 ～ 356 ～ 577/100 万生産児.
2. 肺動脈狭窄：弁狭窄，弁下狭窄，弁上狭窄，分枝狭窄.
3. 心室中隔欠損：多くは傍膜様部欠損の流出路進展で欠損孔は大きい.
4. 大動脈騎乗：通常 50% 騎乗を認めるが，より少ないことも多いこともある．また観察する方向により騎乗の程度は異なることがある．一般にプローブの位置が高いと大動脈騎乗の程度を過大評価，位置が低いと過小評価する．胸骨左縁からの長軸断面が観察に最適[3].
5. 大動脈と僧帽弁の間には線維性結合が存在する.
6. ファロー四徴（ToF）グループの 75 ～ 80% が ToF，11 ～ 24% が ToF 極型（肺動脈閉鎖），2 ～ 10% が肺動脈弁欠損（absent pulmonary valve）といわれる.
7. 合併心奇形は比較的稀であるが，心房中隔欠損，房室中隔欠損，動脈管開存などが挙げられる．両側上大静脈も 9% 例で認められる．特に房室中隔欠損は外科手術に際して問題となるところで，多くの症例が Down 症に合併する．また Down 症の約 5% に ToF が合併する.
8. 染色体異常では，del22q11.2 症候群が重要で ToF 例の 11 ～ 35％に認められる．この合併は低 Ca 血症，免疫異常，精神発達障害などに関連するという点のみならず，大動脈弓，脳血管，頸部血管系の異常とも密接に関連するという点で重要である.

ファロー四徴の基本心エコー

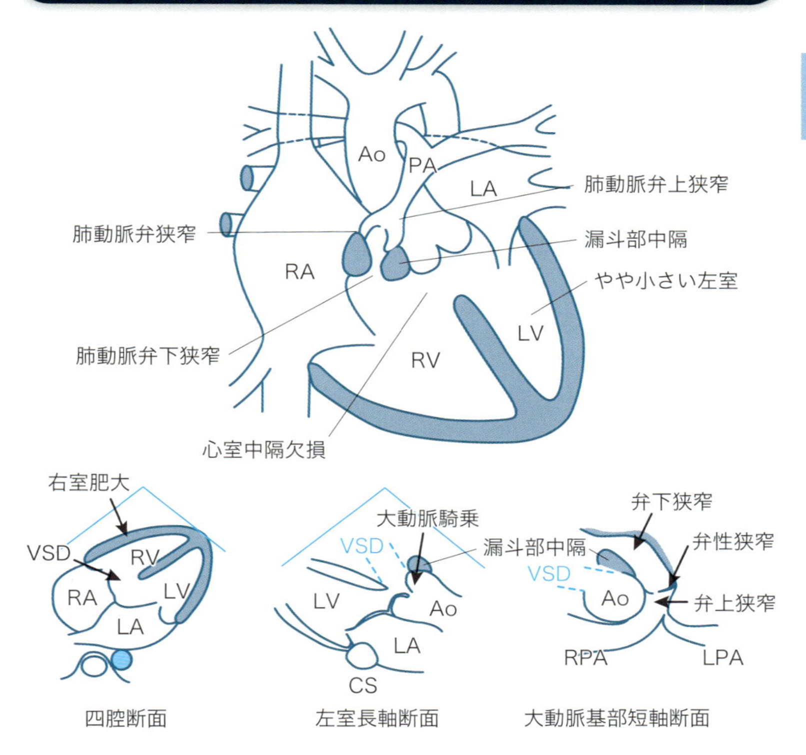

1. 四腔断面

- 心室中隔欠損（VSD）のサイズ．筋性部 VSD の有無，心房間交通．胸部下行大動脈の脊椎に対する位置（☞ p274），房室弁逆流．VSD は大きく両心室は等圧で，右室肥大は常に存在．

2. 左室長軸断面

- 長軸断面で大動脈騎乗を認め，大動脈弁下に VSD を観察可能なら膜様部流出路伸展型．左上大静脈遺残があれば，拡大した冠状静脈洞（CS）を認める．

3. 大動脈基部短軸断面

- 漏斗部中隔の厚さ，長さ．肺動脈弁下狭窄．肺動脈弁輪径．弁上狭窄，肺動脈分岐部狭窄の有無．そして冠動脈の解剖をチェックする．心室中隔欠損の位置に関しては，時に漏斗部中隔が欠損しているタイプあり．ファロー四徴の約50％で肺動脈弁は二尖弁である．肺動脈弁が閉鎖しているものも5％程度に認められる．右肺動脈は大動脈の横断像の背側でみると第一分岐部まで観察できる．

ファロー四徴の合併奇形 1

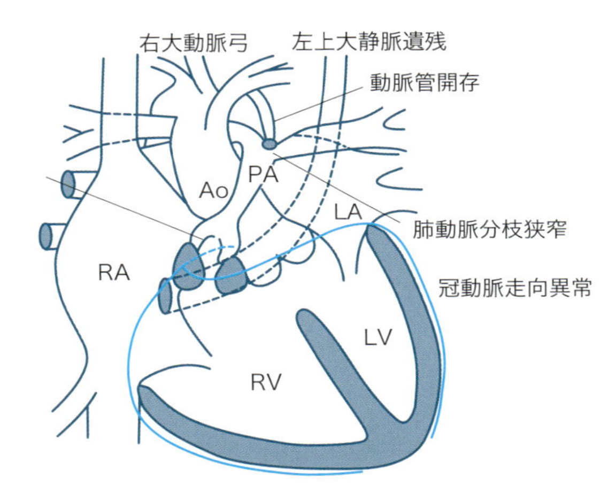

- 右大動脈：約25%例でみられる．
  胸腺低形成（無形成）：del22q11.2 症候群の合併を考える．
  右大動脈弓例の約10%で左鎖骨下動脈起始異常を合併．なかには左鎖骨下動脈が動脈管とのみつながっているものもある．多くの症例で大動脈は大きいが，組織学的にも線維化，弾性線維の断裂，中膜嚢胞性壊死などがみられる．
- 動脈管開存：右大動脈弓でも通常PDAは左側．肺動脈分枝狭窄，左右肺動脈が分離していないか連続性を確認．
- 無名静脈走行異常：大動脈弓下走向．
- 冠動脈異常：右室流出路を横切るタイプに注意（☞ p159）．2～14%で左冠動脈前下行枝が流出路を横切って走行する．
- VSD：多くは膜様部流出路伸展．東洋人では30%で肺動脈弁下型とも．
- その他：左室が非常に小さい場合，PAPVC，ASDの合併，心内修復術後肺水腫に注意する．

ファロー四徴の合併奇形 2

右大動脈弓の心エコー診断

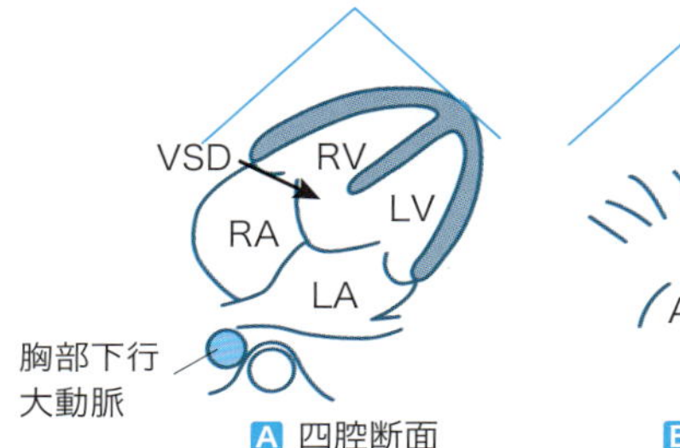

A 四腔断面

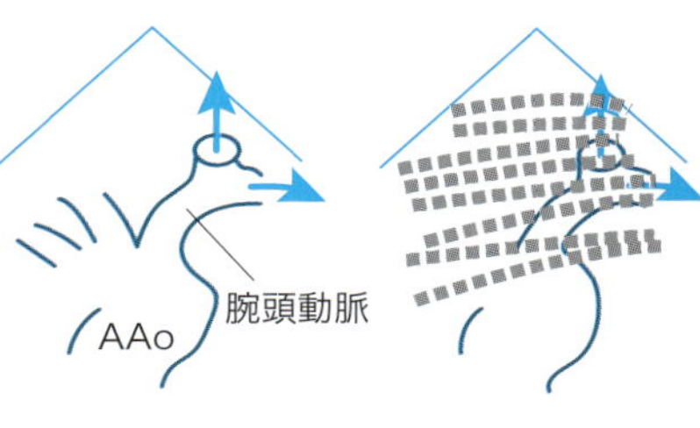

B 胸骨上窩からの前額断面

1. 四腔断面

- 胸部下行大動脈が脊椎の左右，どちら側を下行しているかを確認（A）．右側を下行していれば，右下行左大動脈弓の場合を除いて，右大動脈弓と診断してよい．
  - ㊟大動脈は大動脈裂孔で横隔膜を横切る．大動脈裂孔は脊椎の左側にあるため，腹部下行大動脈は大動脈弓の左右にかかわらず脊椎の左側を下行する．
- したがって，腹部下行大動脈の走行を見て大動脈弓の左右を推測することはできない．

2. 胸骨上窩からの前額断面

- 大動脈からの第一枝：腕頭動脈が左側に向かうことを確認できれば右大動脈と診断できる（B左）．ただし，左鎖骨下動脈起始異常の場合には，腕頭動脈でなく左総頸動脈となる．
- なお，ファロー四徴はしばしばdel22q11.2症候群に合併する．この場合，胸腺は欠損，または低形成のことが多い．逆に胸骨上窩からの観察でエコーウインドウが得がたい場合（B右），胸腺の低形成，すなわちdel22q11.2症候群の合併を疑う必要がある．

ファロー四徴の合併奇形 3

動脈管の心エコー診断

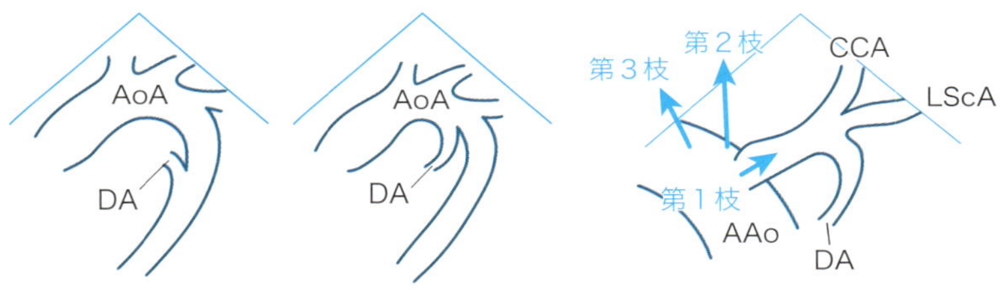

A 胸骨上窩からの大動脈弓断面　**B** 胸骨上窩からの前額断面

1. 胸骨上窩からの大動脈弓断面

- 動脈管（DA）が後下方（足側）から前上方に向けて起始する場合は通常のファロー四徴と推測される（**A**）.
- 一方，動脈管が大動脈弓下から起始して下方に向かう場合，肺動脈閉鎖，もしくは高度の肺動脈狭窄合併を考える.

2. 胸骨上窩からの前額断面

- 右大動脈弓を有する症例の多くでは，動脈管は左鎖骨下動脈分岐部から起始することが多い（**B**）.

ファロー四徴の合併奇形 4

左上大静脈遺残（両側大静脈）の心エコー診断

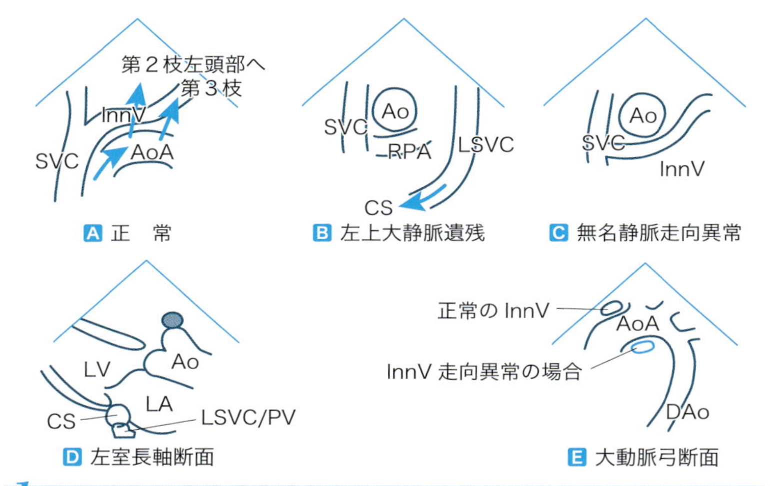

A 正　常　B 左上大静脈遺残　C 無名静脈走向異常

D 左室長軸断面　E 大動脈弓断面

1. 胸骨上窩からの前額断面

- 正常では無名静脈が大動脈弓の前頭側に観察される（A）．正常で観察される無名静脈が見えず，左胸部/縦隔の左側を下行する血管が観察できれば左上大静脈遺残を考える（B）．
- カラードップラをかけ，左上大静脈を見失わないように，断面を前額断面から矢状断面に変えていくと，足側で冠状静脈洞に合流する様子が観察できる（D）．
- 稀に無名静脈が大動脈弓の前頭側を走行せず，大動脈弓下を走行する場合がある（無名静脈走行異常；C）．

2. 左室長軸断面

- 左室の房室間溝に拡大した冠状静脈洞を観察する場合，左上大静脈遺残か冠状静脈洞への肺静脈還流異常が考えられる（D）．胸骨上窩からの前額断面でBの所見を認めれば，左上大静脈遺残と診断できる．

3. 胸骨上窩からの大動脈弓断面

- 正常では無名静脈が大動脈弓の前頭側に観察され，無名静脈が大動脈弓下を走行する場合にも診断は容易である（E）．

ファロー四徴の合併奇形 5

冠動脈異常の心エコー診断

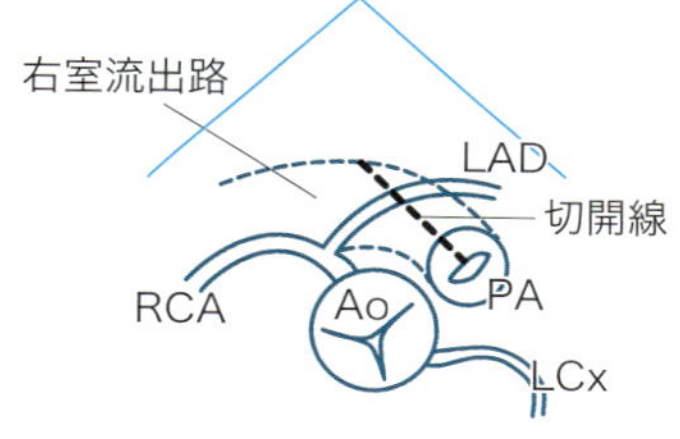

A 左冠動脈走向異常
（大動脈基部短軸断面）

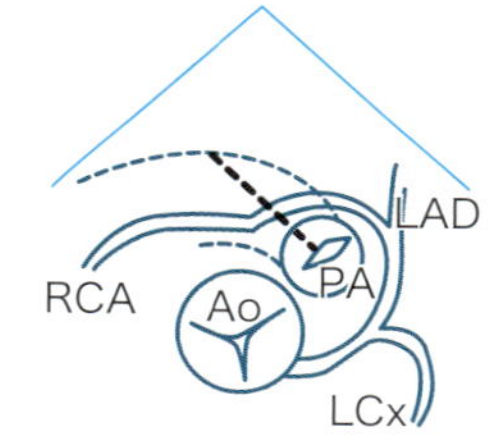

B 右冠動脈走向異常
（大動脈基部短軸断面）

1. 大動脈基部短軸断面

- ファロー四徴で特に重要なのは，右冠動脈から分枝した左冠動脈が右室流出路を通過する場合と，左冠動脈から起始した右冠動脈が右室流出路を通過する場合である．肺動脈弁輪拡大術（transannular patch repair）を加えると，それぞれ左右冠動脈の切断に至り重大な結果をまねく．
- 大動脈基部短軸断面（A）：右冠動脈から分枝し右室流出路を横切って左方に向かう左前下降枝が描出されている．
- 大動脈基部短軸断面（B）：左冠動脈から分枝し右室流出路を横切って右方に向かう右冠動脈が描出されている．
- ファロー四徴の 12 ～ 31％で冠動脈の異常を合併する．

ファロー四徴の冠動脈パターン
大動脈短軸断面

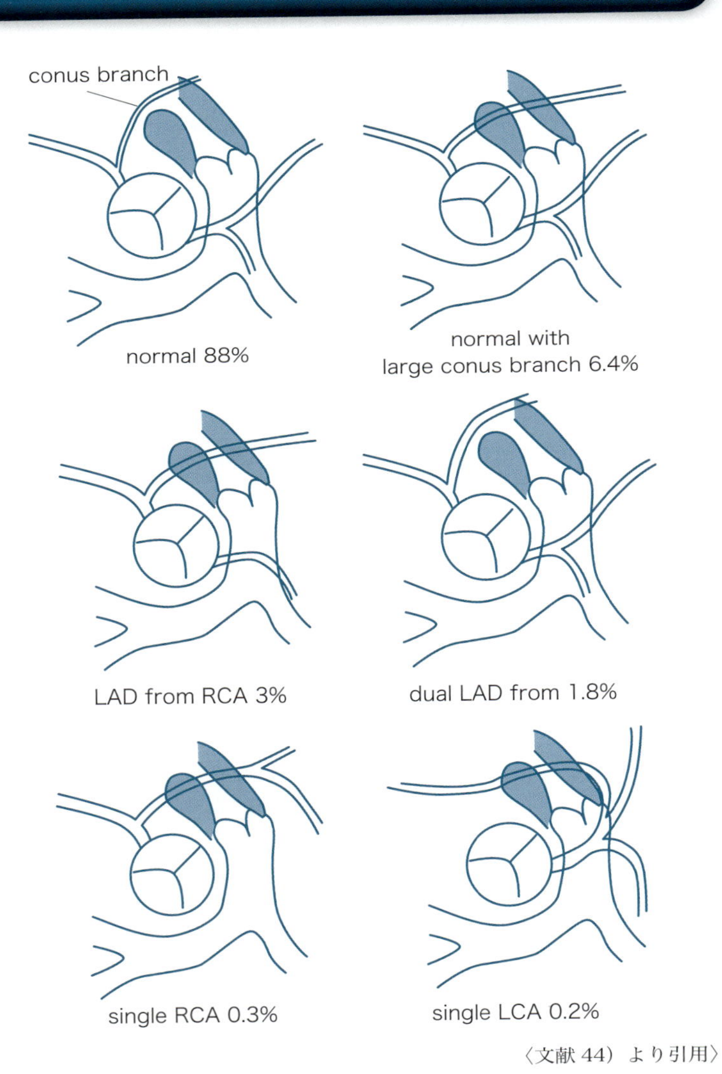

〈文献 44）より引用〉

ファロー四徴の問題点：左室低形成

- ファロー四徴（ToF）では肺血流量が少なく，通常左室は小さい．しかし，有意な心房間交通，部分肺静脈還流異常（PAPVC）などが合併すれば，通常のToFよりさらに左室還流量は減少し，左室容量は小さくなる．術後，しばらくECMOによるassistが必要になる場合もあり注意する．

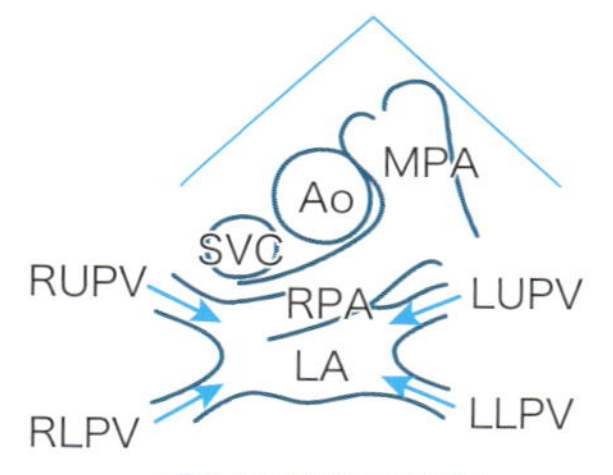

A 肺静脈の確認（左房位水平断面）

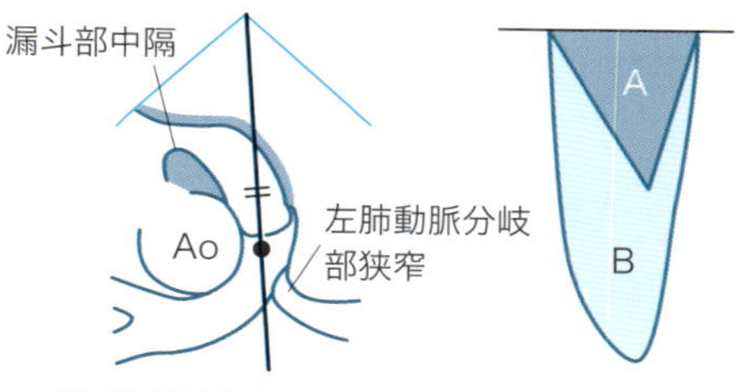

B 肺動脈狭窄の評価（大動脈基部短軸断面と連続波ドップラ）

- 左房水平断面（A）：肺静脈（PV）が4本，左房（LA）に還流しているか確認する．PVの同定にはカラードップラを用いる．右上肺静脈はエコービームに垂直に流れるためカラードップラの青色がのりにくい．Velocity rangeを下げて観察する．左上肺野からのPV（LUPV）は右肺動脈（RPA）のやや下方で背側をRPAにほぼ平行に走行し，右上肺野からのPV（RUPV）は上大静脈背側を左後方に向かって走行する．RUPVの観察には，新生児，乳児期早期なら剣状突起からの矢状断面が有用（☞p11）．
- 大動脈短軸断面（B）：連続波ドップラで観察すると，しばしば二重の血流波形が観察される．波形Aは右室流出路の，Bは主肺動脈内での圧波形（dagger shape pattern）を表している．筋性狭窄である前者（波形A）のピークは後半にある（dynamic stenosis）．漏斗部中隔が厚く長く，そして前方に偏位するほど右室流出路狭窄は強い．

ファロー四徴に対する手術 1

姑息術 modified Blalock Taussig（mBT）シャント術

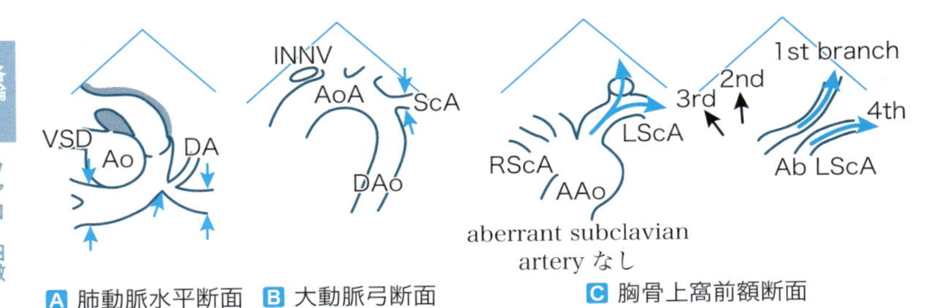

A 肺動脈水平断面　B 大動脈弓断面　C 胸骨上窩前額断面

1. 大動脈基部短軸断面（肺動脈水平断面）

- 動脈管が連結する側の肺動脈分岐部には狭窄を有することが少なくない（pulmonary coarctation；A）．稀には一方の肺動脈（多くは左側）が離断する（isolation of the left pulmonary artery）．

2. 大動脈弓断面

- 大動脈弓と同側に mBT シャントを付ける場合，鎖骨下動脈があまりに細いと，シャントの人工血管の太さが制約される．鎖骨下動脈径の計測が必要（B）．
- 大動脈弓と逆側に mBT シャントを付ける場合には，腕頭動脈に付けることも可能である．その場合，より太い枝から短い距離でシャントがつながることになり，シャント血流過多に注意する．シャント導管にクリップをかけること，One size down の人工血管を使用することもある．

3. 胸骨上窩からの前額断面

- 鎖骨下動脈起始異常（aberrant subclavian artery）の場合，大動脈からの第一分枝は頭側だけに伸び，左右には枝分かれしない（総頸動脈）．異常起始の鎖骨下動脈は通常より背側を走行するため，外科的アプローチが通常より難しい（C）．

ファロー四徴に対する手術 2
心内修復術 transannular patch repair

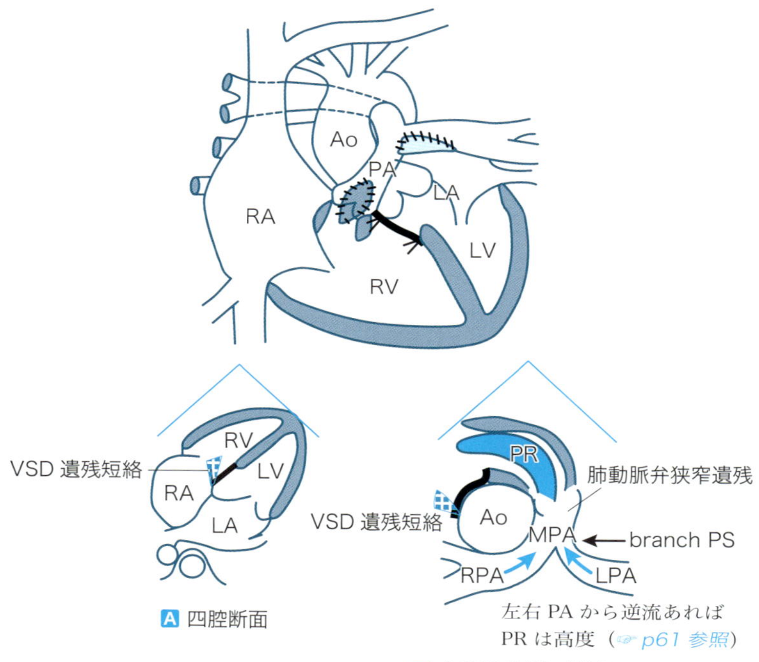

A 四腔断面

B 大動脈基部短軸断面

1. 四腔断面

- ファロー四徴で術後心室中隔欠損（VSD）遺残短絡があると，VSD は左右短絡となる（**A**）．小さな左室に過量の血液が還流してくるので，肺水腫の原因となる．パッチからのリークのみならず，筋性部 VSD を見落としていないか注意する．

2. 大動脈基部短軸断面

- 術後残存する肺動脈狭窄の程度は次第に改善してくる可能性があり，経時的に観察する（**B**）．肺動脈分岐部狭窄（pulmonary coarctation）も重要で，特に動脈管が連結する左側に注意する．

- 肺動脈弁逆流（PR）の評価：特に transannular patch repair (TAPR) 後に注意．逆流が肺動脈弁から観察：軽症，主肺動脈の広い領域から観察：中等度以上，左右肺動脈から観察：高度と判定する．TAPR を行わず，肺動脈弁を温存できれば，合併する PR の程度は通常軽い．
- PR により右室拡大が起こると，経過とともに三尖弁逆流増強につながり，右室が拡大していく．

3. ToF における Re-Rastelli 手術基準[45)]

- MRI 検査で

> RVEDV ≧ 160 mL/m² or ESV ≧ 80 mL/m² or
> RVEDV ≧ 2 × LVEDV
> EDV：拡張末期容積，ESV 収縮末期容積，LV：左室，RV：右室

の場合，Re-Rastelli 手術の適応となる．

4. パルスドップラ

- 術後 24 時間の時点でパルスドップラを観察すると，約半数例で右室拡張機能障害の所見が観察される．すなわち，P 波に一致して拡張期前方流（C 矢印）を認めるもので，この所見を有する症例では心拍出量は少なく，ICU からの退室に時間を要することが多い[3)]．

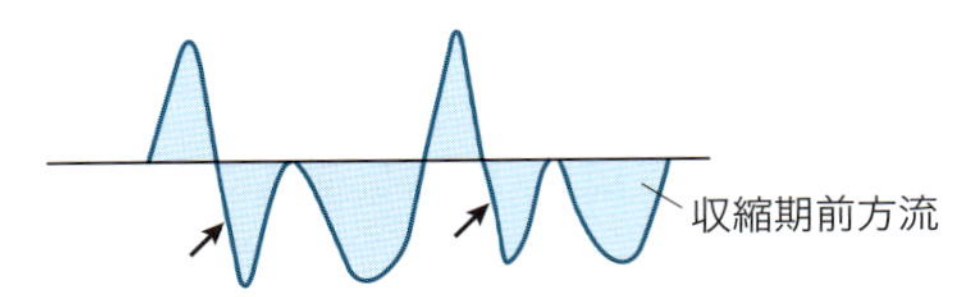

C 肺動脈弁レベルでのパルスドップラ所見

肺動脈閉鎖・心室中隔欠損（ファロー四徴極型）

pulmonary atresia with ventricular septal defect（PA/VSD）

1. 25～50%例で拡大した右大動脈弓を有する．
2. 14～30%例で左右肺動脈はnonconfluent（左右肺動脈が繋がっていない）．Confluentでも肺動脈は低形成のことが多く，右肺動脈基部に4～10%，左肺動脈基部に17～20%例で狭窄を有する．
3. Del22q11.2症候群，VATER連合，CHARGE症候群，Down症など多くの症候群に合併する．特にdel22q11.2症候群は，肺動脈閉鎖・心室中隔欠損（PA/VSD）の15～55%に認められ，特に主要体肺側副動脈（MAPCA）を合併する場合，肺動脈がnonconfluentの場合に合併しやすい（41%）．
4. 動脈管は左側だけでなく，右側のことも左右両側のこともある．

肺動脈閉鎖・心室中隔欠損の解剖

- 心内構造はファロー四徴に類似し，太い大動脈が心室中隔に騎乗する（大動脈騎乗）．
- 心室からは大動脈のみが起始して，肺動脈弁，主肺動脈の起始部は欠損する．主肺動脈の遺残をしばしば認める（seagull 様）．動脈管は右大動脈弓の場合，左鎖骨下動脈分岐部から，左大動脈の場合には大動脈弓下から起始することが多い（AB）．
- 動脈管を認めない場合，主要体肺側副動脈（major aortopulmonary collateral artery：MAPCA）により肺循環が保たれている可能性が高い（C）．この場合，プロスタグランディン E_1（PGE_1）の投与は不要である．しかし，大動脈分枝の起始部から MAPCA 様の血管が起始する場合，動脈管が介在し，PGE_1 中止後に血流が途絶える場合があるため，心エコーで経過を観察する．
- 将来的には複数の MAPCA を 1 本にまとめて（unifocalization），Rastelli 手術を行うが，その際本来の左右肺動脈に相当する中心肺動脈の存在が重要で（C），乳児期に可及的にこれを発育させておく．なお MAPCA 間，MAPCA と中心肺動脈間に存在する arborization anomaly（区域間結合，肺実質内結合）については，エコーによる診断は不可能であり，心血管造影検査，CT などをチェックする．

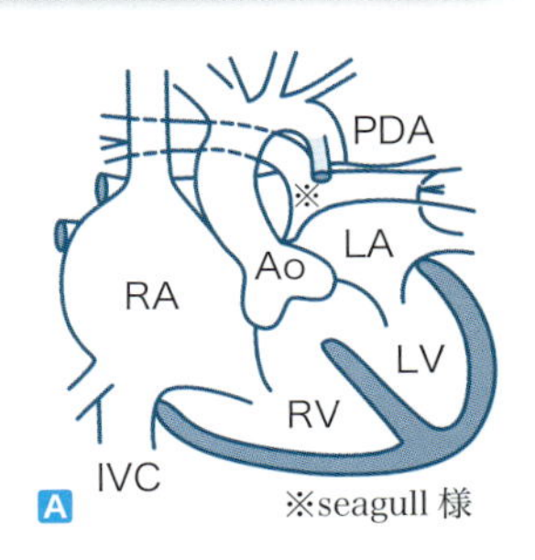

A

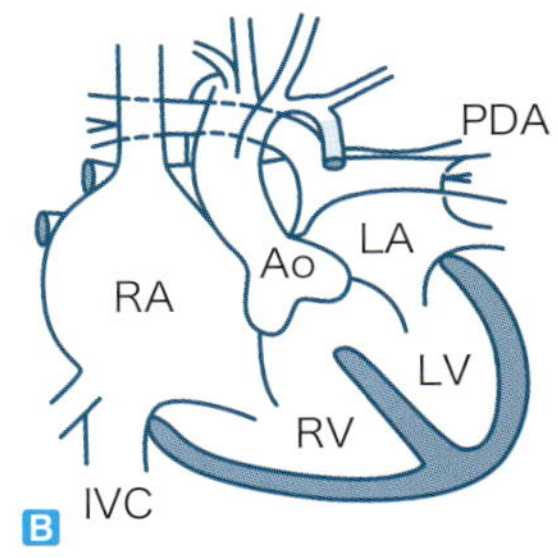

B

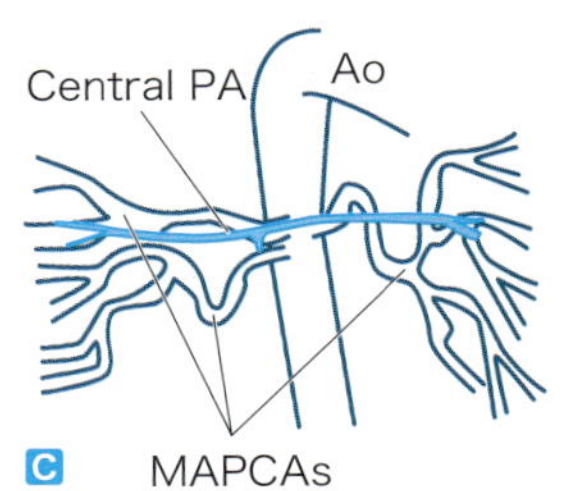

C

肺動脈閉鎖・心室中隔欠損の基本心エコー

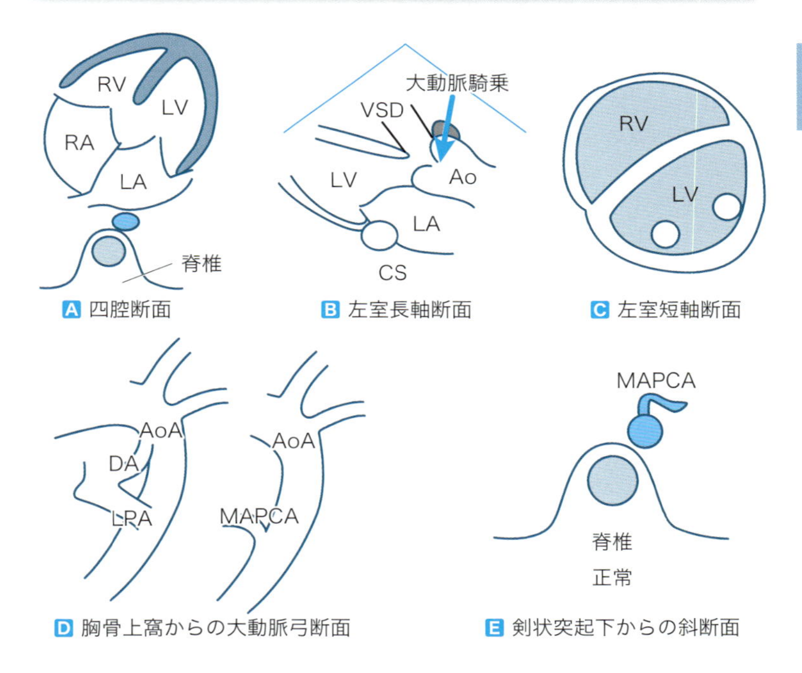

A 四腔断面　B 左室長軸断面　C 左室短軸断面

D 胸骨上窩からの大動脈弓断面　E 剣状突起下からの斜断面

- 肺動脈弁から主肺動脈にかけて，欠損か低形成になっているほかはファロー四徴（ToF）に類似している．
- 四腔断面：大きな心室中隔欠損（傍膜様部，流出路伸展），左上大静脈遺残，冠状静脈洞の拡張，三尖弁逆流，僧帽弁逆流などを観察する（A）．
- 左室長軸断面：心室中隔に騎乗した大きな大動脈，大動脈騎乗の程度，VSD（secondary bulboventricular foramen）の径，大動脈弁逆流，僧帽弁逆流，左室拡張末期径（LVEDD），左室駆出率（EF）など（B）．
- 左室短軸断面：LVEDD，EF 計測，一側心室の低形成はないか（C）．
- 大動脈基部短軸断面：冠動脈の走行，動脈管がない場合，主要体肺側副動脈（MAPCA）の有無をチェック．
- MAPCA のチェック：肺血流が動脈管により保持されている場合，

動脈管は通常大動脈弓下に存在する．
逆に動脈弓下に動脈管を認めた場合，肺動脈閉鎖か高度の肺動脈狭窄があると考えられる．肺動脈閉鎖・心室中隔欠損で動脈管を認めない場合，MAPCA の存在を考える．Ductal view で通常動脈管を認める位置より，さらに足側を観察すると MAPCA が確認される．それを見失わないように体軸水平断面にプローブを回して，MAPCA の灌流側をチェックする（DE）．

- 中心肺動脈のチェック：CT 検査，血管造影検査によるチェックが必要ではあるが，中心肺動脈の有無は重要であり，心エコーでもチェックする．例えば乳児期早期では 2 mm 前後と非常に細いことが少なくないが，中心肺動脈は MAPCA より前方に位置して蛇行せず，正中を跨いで左右肺野に灌流する．Seagull 様に観察されることが多い（ABC）．

■ MEMO

術後心エコー：Rastelli 手術

①心室中隔欠損（VSD）遺残短絡のチェック．VSD 遺残短絡フローにより，右室圧を推定．
②肺動脈狭窄残存：簡易ベルヌーイの法則による狭窄の評価は適切でない．三尖弁逆流は多くの術後例で合併しており，肺動脈狭窄の推定に有用である．特に年長例の Rastelli 手術後において末梢肺動脈は観察困難であるが，TR 流速から求めた推定右室圧－conduit 内圧較差が通常予測される肺動脈圧（20 mmHg）よりかなり大きい場合，末梢肺動脈狭窄や肺動脈性肺高血圧の存在が予測される．
③肺動脈弁逆流（PR），三尖弁逆流（TR）：Rastelli 術後時間が経過すると弁の動きも悪くなり PR が増強する．PR の進行とともに右室拡大は増強，これが TR を悪化させるため悪循環が形成される．

ファロー四徴兼肺動脈弁欠損

absent pulmonary valve syndrome

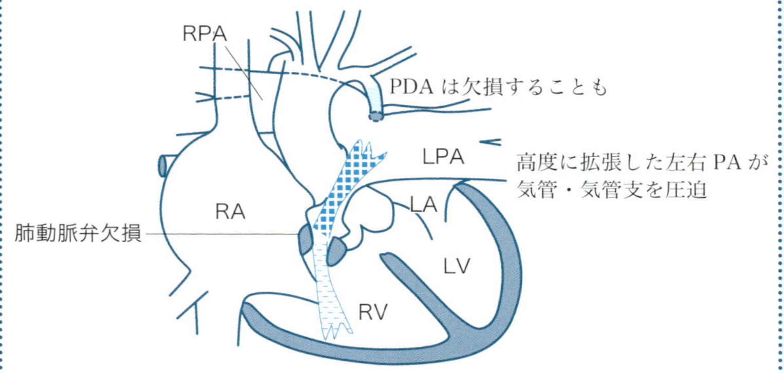

1. ファロー四徴（ToF）の約 2 ～ 10％に肺動脈弁欠損を認める．
2. 大きい心室中隔欠損（VSD）（傍膜様部，流出路伸展）があり，大動脈は心室中隔に騎乗．
3. 肺動脈狭窄（弁は欠損 or 非常に低形成）．
4. ToF 様にもかかわらず高度の肺動脈弁逆流が認められる．
5. 左右肺動脈は非常に太く左右気管支を圧迫．これが呼吸不全を惹起する．気管軟化症の合併も少なくない．
6. Del22q11.2 症候群の合併が多い．
7. 動脈管欠損が稀でない：25％～ほとんどの症例で欠損との報告まであり．
8. 右室・肺動脈圧較差は 40 ～ 60 mmHg で Qp/Qs 1.5 ～ 2.0 とやや high flow 気味のことが多い．
9. ほとんどの症例で 3 ヵ月までに呼吸器症状が進行する．胎児水腫合併例もある．

ファロー四徴兼肺動脈弁欠損の基本心エコー

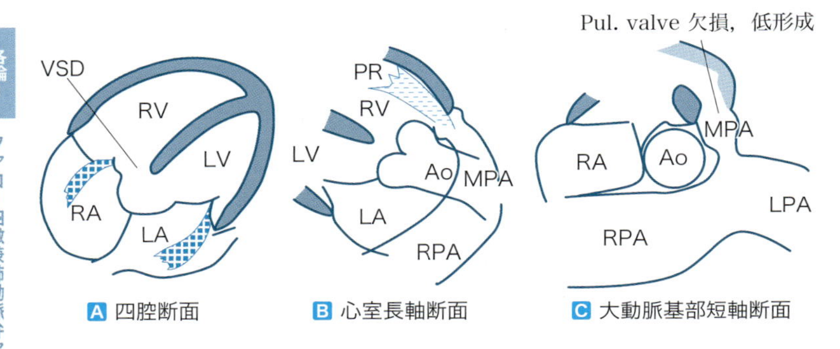

A 四腔断面　B 心室長軸断面　C 大動脈基部短軸断面

1. 四腔断面

- 心室中隔欠損（傍膜様部，流出路伸展），僧帽弁逆流，三尖弁逆流などをチェックする．多量の肺動脈弁逆流(PR)により右室は拡大する．

2. 心室長軸断面

- 太い大動脈が心室中隔に騎乗．肺動脈狭窄・逆流の評価．肺動脈弁はやや細い．

3. 大動脈基部短軸断面

- ファロー四徴で多量のPRを認める場合，ファロー四徴兼肺動脈弁欠損の存在を考える．巨大な右肺動脈が右房のすぐ左側に観察され，まるで左房のように見える．肺動脈弁位に肺動脈弁の遺残が見られることがあるが，明らかな肺動脈弁は観察されない．肺動脈狭窄は肺動脈弁輪の狭窄による．右室は多量のPRにより拡大する．

ファロー四徴兼肺動脈弁欠損に対する手術

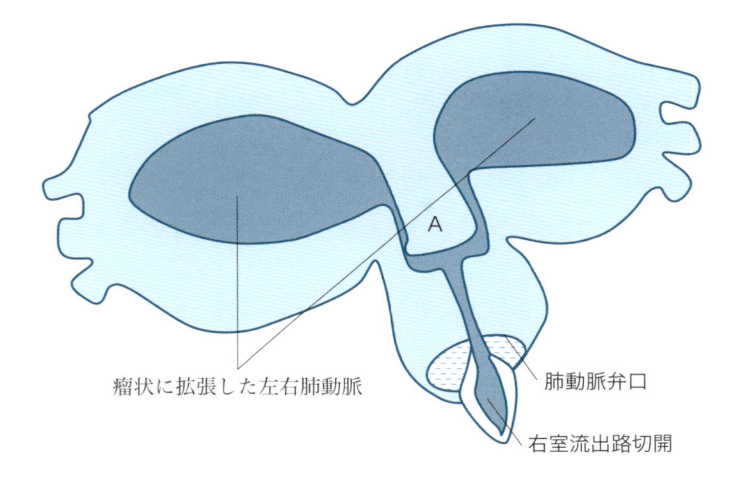

- 太く瘤様に拡張した左右肺動脈をT字状右室流出路まで切開，切除して（主肺動脈右室流出路は切開），左右肺動脈を縫縮．A端が右室流出路にかぶさる形にする．肺動脈弁輪には1弁付パッチを当てる．
- 術後心エコー：肺動脈弁狭窄，弁上狭窄，肺動脈弁逆流の改善状況，縫縮した左右肺動脈径，左室拡張末期径，左室駆出率などをチェックする．

完全大血管転位
transposition of the great arteries (TGA)

1. 新生児期にチアノーゼが顕性化する代表的な心疾患の一つ．発生率 300/100 万生産児．先天性心疾患の 3.7 ～ 4% に相当．
2. 型別頻度：Ⅰ型 74%，Ⅱ型 21%，Ⅲ型 5%（☞次頁）．
3. 心房・心室関連は正常で，左室から肺動脈，右室から大動脈が起始．
4. 大血管の位置関係は大動脈が肺動脈の右前方（side by side に近いことも）．
5. 5 ～ 7% で肺動脈弁は二尖弁であるが，Ⅰ型で肺動脈狭窄は少ない．
6. 肺動脈弁逆流は根治術後に大動脈弁逆流となることに注意する．
7. 大動脈縮窄の合併：6 ～ 10%．特に大動脈が side by side で，肺動脈が心室中隔に騎乗する症例では注意を要する．
8. Jatene 手術では冠動脈の移植が必要となり，冠動脈の解剖が手術の難易度を決定する重要な因子となっている．
9. 心房間交通：体循環に酸素が供給されるためには，十分な心房間交通が重要．動脈管（PDA），心室中隔欠損（VSD）では主に大動脈側から肺動脈側に血流は短絡するため，同部で体循環に供給される酸素量は多くない．しかし，その短絡量は心房間交通を介して左房側から右房側へ短絡するため，心房間交通を介して酸素が体循環に供給されることになる．したがって，PDA，VSD が開いていても，卵円孔/心房中隔欠損などの心房間交通が小さく酸素飽和度の維持・上昇が難しければ，バルーン心房中隔裂開術（balloon atrioseptostomy：BAS）が必要になる．

完全大血管転位の分類

1. Ⅰ型

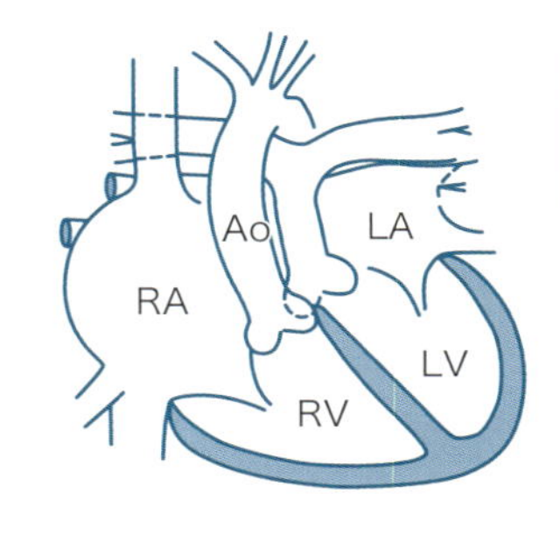

- 有意な心室中隔欠損（VSD）を伴わない．小さなVSDを有しているものはⅠ型に属する．心房間交通が必須で，これが小さい場合，緊急BASが必要になる．心房間交通がある程度あれば，動脈管を（Lipo）PGE_1で開きstreched foramen ovaleの血流を増やすことで，酸素飽和度を上昇させることが可能となる．通常日齢14までに大血管スイッチ手術（arterial switch operation）を行う．

2. Ⅱ型

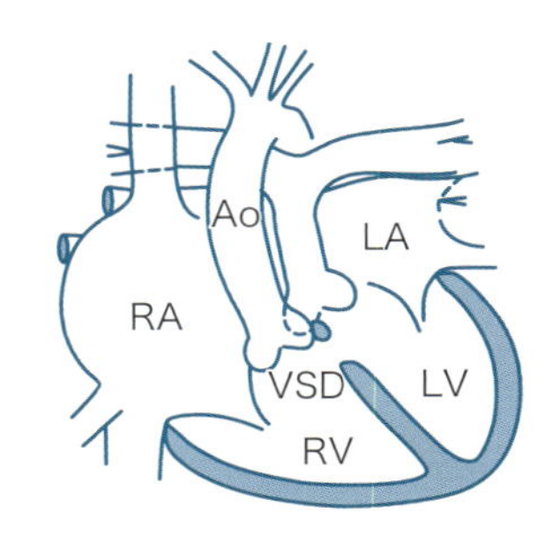

- 大きなVSDを伴い，左室圧は保持される．大動脈径に比して肺動脈径は太く，その違いを計測しておく．Ⅰ型，Ⅱ型は大血管スイッチ手術の適応である．

3. Ⅲ型

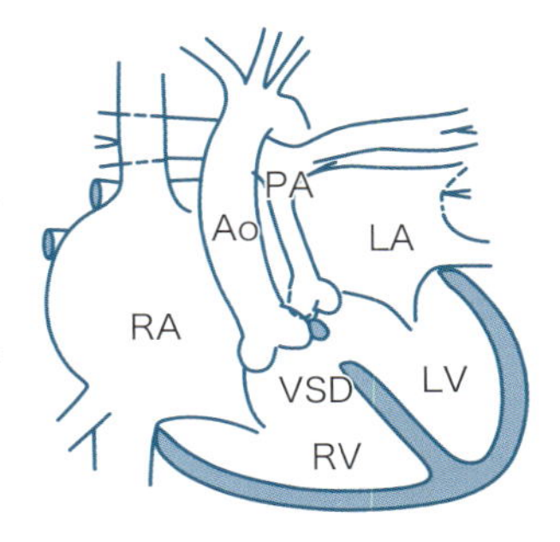

- 有意なVSDと有意な肺動脈狭窄（PS）を伴う．新生児期早期には動脈管の影響もあり肺動脈狭窄の評価は難しい．月齢とともにPSが顕性化，進行する．mBTシャント手術からRastelli手術の適応となる．

完全大血管転位の心エコー 1

基本心エコー

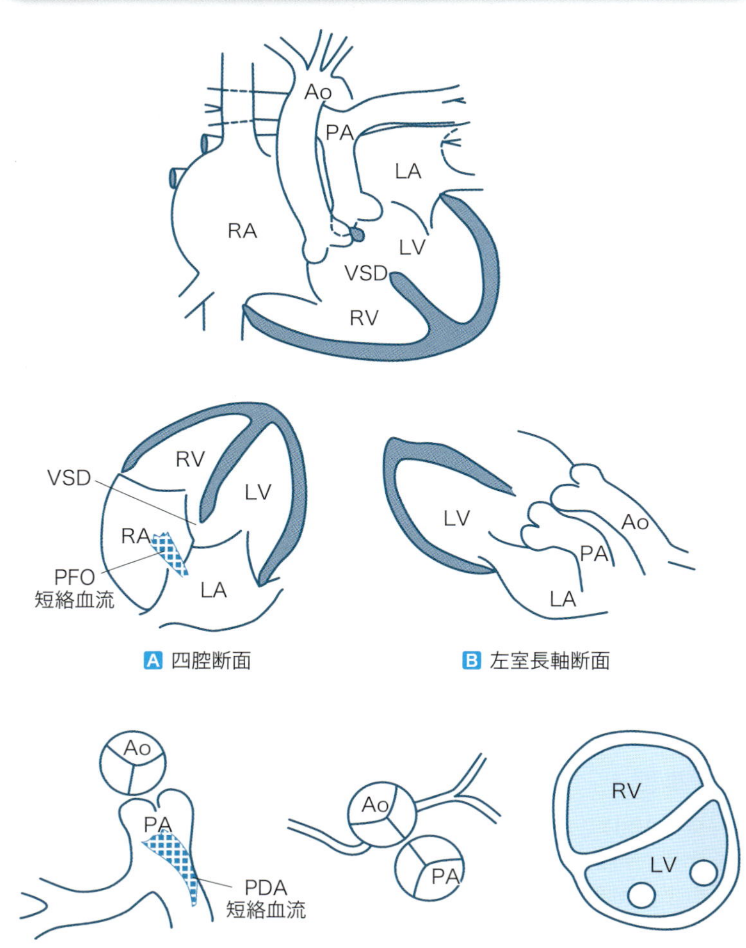

A 四腔断面　B 左室長軸断面

C 大動脈基部短軸断面　D 大動脈基部短軸断面冠動脈　E 心室短軸断面

1. 四腔断面（A）

- 心室中隔欠損（VSD），心房中隔欠損の大きさが重要．小さなVSDがあってもTGA II型とはいわず，I型に分類されることに留意する．
- 大きいVSD（膜様部）がある場合，muscular VSDを見逃すことがあり注意する．この場合，右室側から左室に向かって短絡するため気づきにくい．エコーのvelocity rangeを下げ，低速の短絡血流を見逃さないように努める．
- 心房間交通孔の大きさは重要で，これが小さい場合，バルーン心房中隔裂開術（BAS）が必要で，しばしば緊急BASが行われる（☞p179，323）．

2. 左室長軸断面（B）

- 心室中隔欠損の大きさ・部位，肺動脈弁の形態，狭窄の有無，左室後壁厚などをチェックする．2本の大血管は並走し，後方の大血管が先に背側に向かい肺動脈であることを示している．大血管のスイッチ手術を行う場合，主肺動脈と上行大動脈を入れ替えるため，両者の径を計測し，大きく異なる場合はその旨，外科医に知らせておく．またスイッチ後に肺動脈弁は大動脈弁になるため，特にPS，PRの評価は重要である．

3. 大動脈基部短軸断面（CD）

- 大血管の位置関係（前後関係，side by side），肺動脈弁尖枚数を明らかにする．単冠動脈，壁内走行型冠動脈（intramural coronary artery）など，冠動脈形態は完全大血管転位の予後を決定する重要な因子であり，特に起始部近傍の解剖を明らかにする（☞p178）．

4. 心室短軸断面（E）

- TGA I型では右室圧＞左室圧，TGA II型では右室圧≒左室圧となる．Muscular VSDを見逃さない．エコーのvelocity rangeを下げて心尖部まで観察する．左室後壁厚は≧2.5 mmあることが薦められている．

完全大血管転位の心エコー 2

合併症

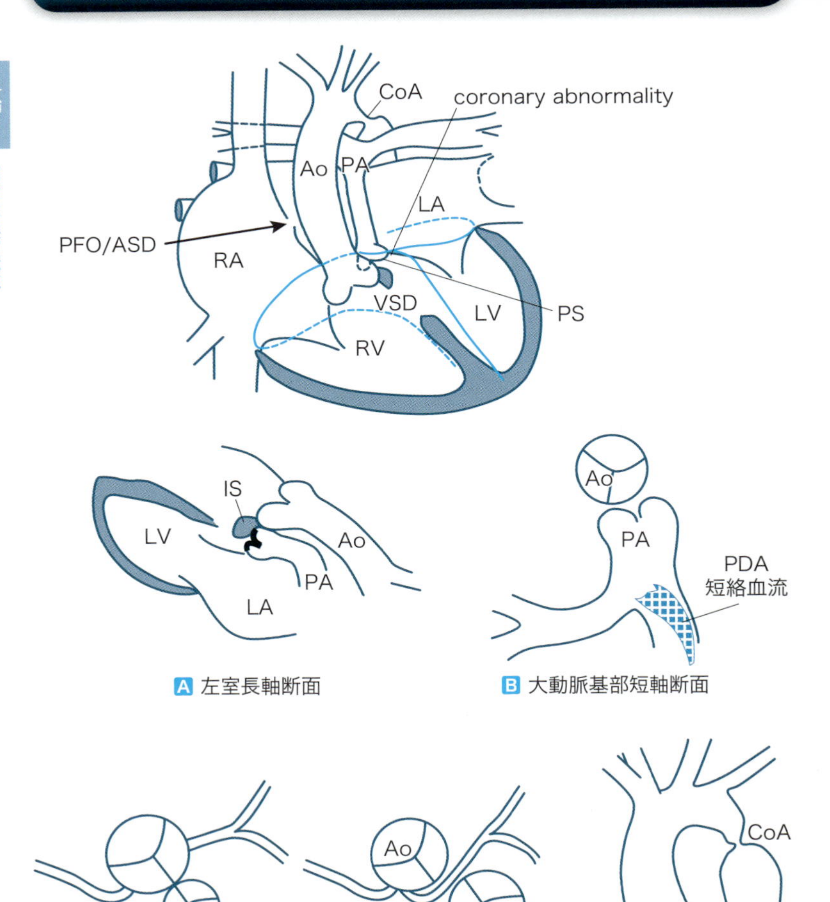

A 左室長軸断面

B 大動脈基部短軸断面

C 大動脈基部短軸断面

D 胸骨上窩からの大動脈弓断面

1. 四腔断面

- 合併症ではないが，特にI型完全大血管転位（TGA）の心房間交通は重要である．これが小さい場合，緊急BASが必要になる（☞p179）．

2. 左室長軸断面

- III型TGAはRastelli手術の適応となる．VSD下縁から大動脈前縁までパッチで閉鎖した場合，左室流出路狭窄が合併しないか評価する（A）．この場合，大動脈弁と肺動脈弁間に存在するinfundibular septum（IS）の切除は可能である．

3. 大動脈基部短軸断面

- 前述したが大血管スイッチ手術を行う場合，肺動脈弁は大動脈弁の役割を果たすようになり，肺動脈狭窄・逆流（PS・PR）は大動脈狭窄・逆流（AS・AR）に変化する（B）．したがって術前のPS・PRの評価は重要である．

4. 大動脈基部短軸断面

- TGAの冠動脈走行はさまざまである（C）．大血管スイッチ術を施行する場合，予後を左右する最も重要な因子といっても過言でない．特に手術手技が難しくなる単冠動脈，intramural coronary arteryなどに留意する．はっきりしない場合，心血管造影検査で大動脈造影を行うが，この際Laid-back法で造影するとわかりやすい．TGAの冠動脈走行を論じる際には，Shaher分類（☞次頁）が有用である．

  ㊟Laid-back法：やや左前斜位の尾側（caudal 45°）からの断面で大動脈造影を行い，冠動脈の起始様式を確認する方法．心エコー検査に近い断面（大動脈起始部短軸断面）で，冠動脈が描出される．

- 大動脈縮窄の合併は約5%であるが，特に肺動脈が心室中隔に騎乗する場合に合併しやすい（→ low flow theory）．

完全大血管転位の心エコー 3

冠動脈の走行（Shaher 分類）

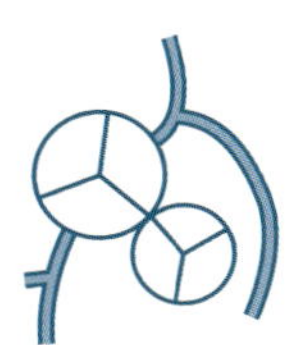
Type I

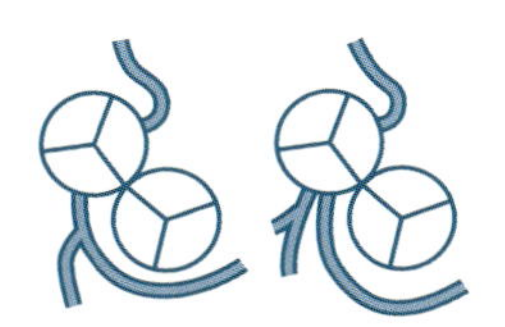
Type II

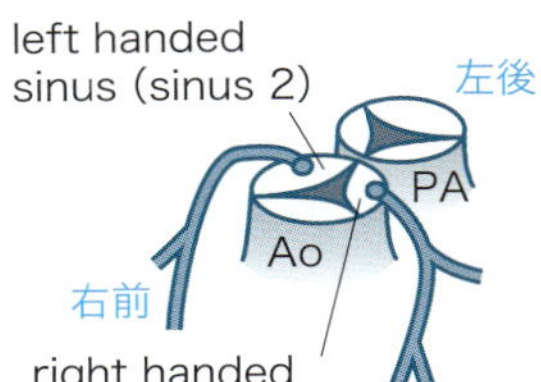

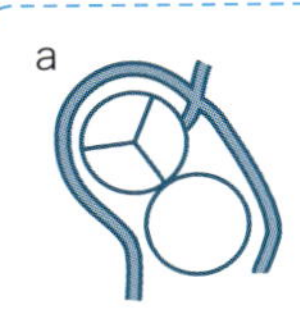

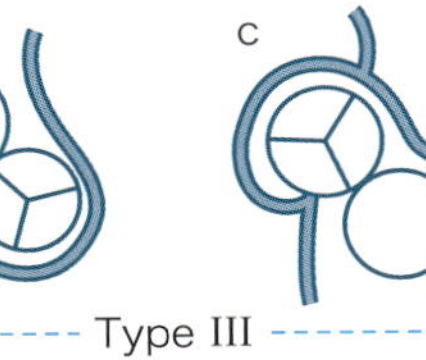
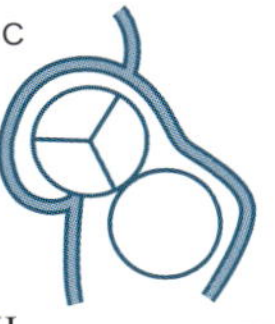
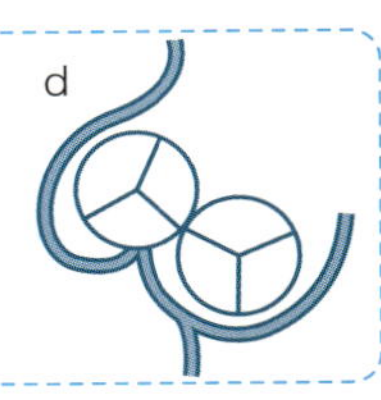

Type III

Type IV

Type VI

Type VIII

Type IX

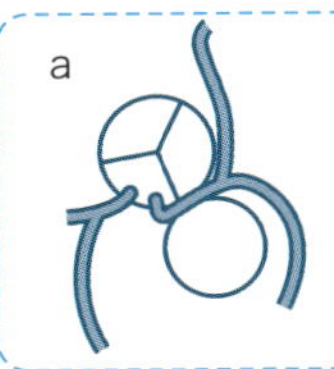
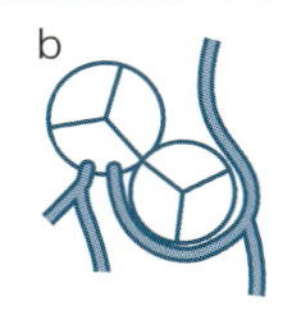
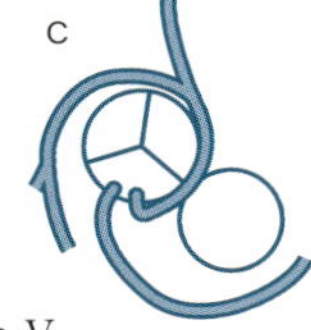
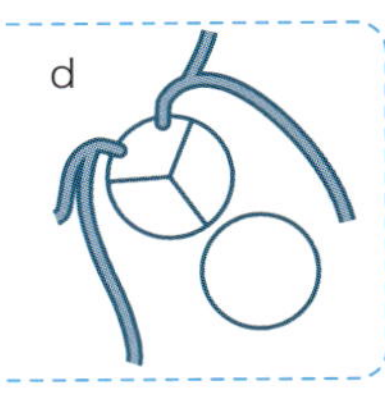

Type V

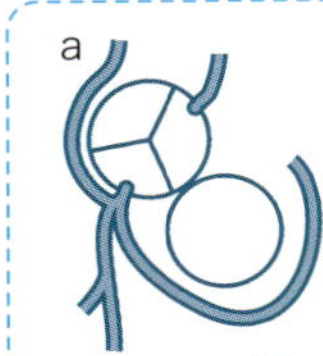
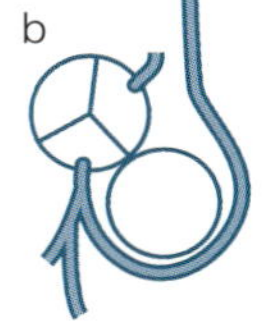
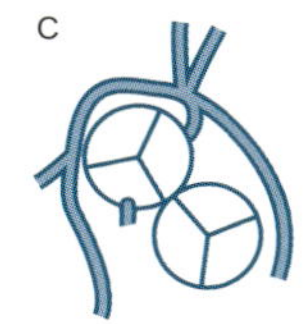

Type VII（single＋small one）

大血管を尾側から見上げた断面で，エコー断面に等しい

完全大血管転位に対するカテーテル治療
バルーン心房中隔裂開術（BAS）

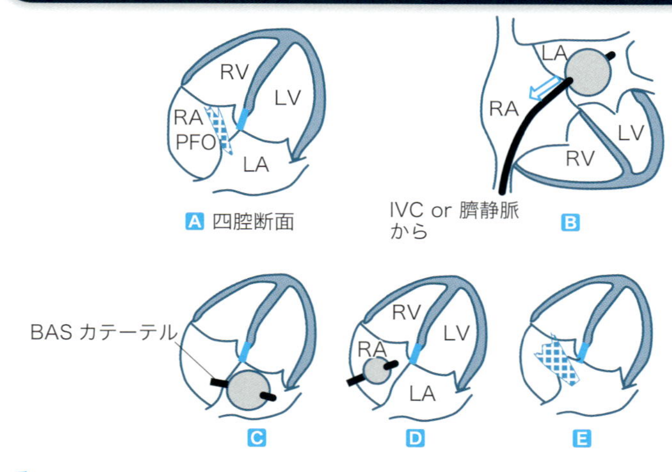

1. 模式図

- 小さな卵円孔を確認（A）．BAS要と判断．大腿静脈もしくは臍静脈から静脈管を介して，BAS用のバルーンカテーテルを卵円孔経由で左房へ進める．バルーンを希釈造影剤1 mLで軽く膨らませ，心エコーで左房内にあることを確認する（B）．その後バルーンを2 mLに拡大させ，バルーンが心房中隔に接する位置からわずかに離して（C），これを一気に右房側へと引き抜き心房中隔を裂開する．バルーンが通過したと確信したら（手応えを感じる）バルーンを縮小させる（D）．
- 臍静脈からのBASが可能か，静脈管の開存をBAS前に確認しておく．
- BAS後には心房間交通の改善，酸素飽和度の上昇（平均8% 上昇）を確認する（E）．

2. BAS時の注意事項

- 心房中隔を裂開する直前，バルーンが左室に流れないように注意する．また左心耳の中でバルーンをふくらませた状態で引き抜かないように注意する．前者では僧帽弁の高度の傷害，後者では左房壁の裂傷を惹起し，生命の維持が困難になる．

完全大血管転位に対する手術

大血管スイッチ手術と術後心エコー

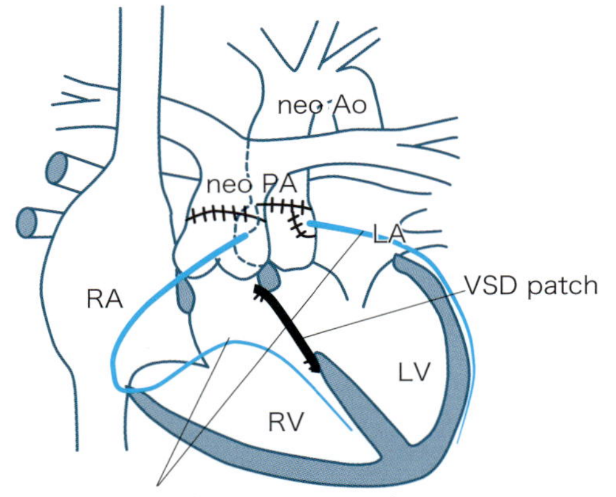

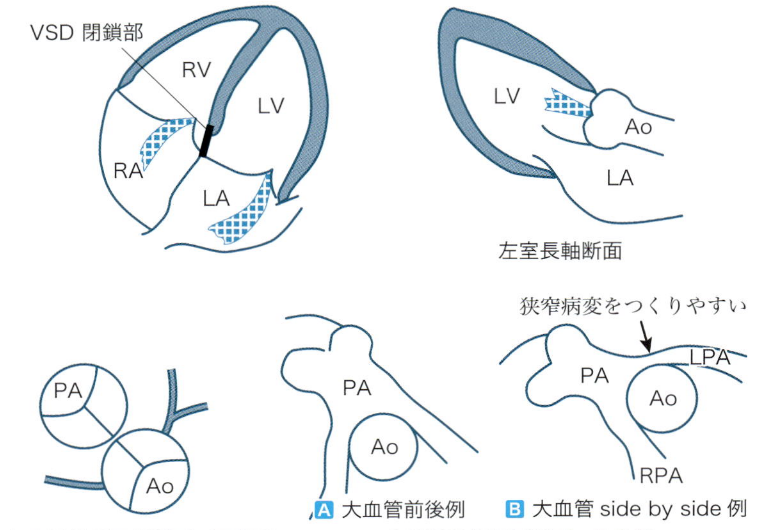

大動脈基部短軸断面：冠動脈

大動脈基部短軸断面：肺動脈

- Le Compte 手術は，大血管転換手術の中で両側肺動脈を大動脈の前に持ってくる方法である．

1. 四腔断面

- 心室中隔欠損閉鎖術を行った場合の遺残短絡，僧帽弁逆流，三尖弁逆流，そして冠動脈移植術後の心機能評価も重要である．

2. 長軸断面像

- 肺動脈弁逆流転じて大動脈弁逆流（AR）となる．術後に進行する場合もあり neo AR の重症度判定が必要．また neo 大動脈（Ao）縫合部の狭窄などについてもチェックする．

3. 大動脈基部短軸断面，冠動脈像

- わかりにくい場合もあるが，移植後冠動脈の描出，できればカラードップラによる観察を行う．

4. 大動脈基部短軸断面，肺動脈像

- 大血管スイッチ術後，多くの症例で Le Compte 法を採用しているため，左右肺動脈はともに大動脈の前方に位置する．両大血管が side by side に並ぶとき，左肺動脈は neo Ao の前方を走行するため特に圧迫されやすい．なお，左右肺動脈は主肺動脈からほぼ直角に背側に分枝する形になるため，通常より高い位置から背側をのぞき込むようにすると左右肺動脈分岐部が観察されやすい．簡易ベルヌーイの法則で求めた圧較差は，多くの場合過大評価となる．三尖弁逆流からの推定右室圧，平均圧較差を参考にする．
- 冠動脈が壁内走行するものや単冠動脈例で冠動脈の移植は難易度が高い．術後心機能を注意してチェックする（スペックルトラッキングなどが有用）．

両大血管右室起始
double outlet right ventricle（DORV）

1. 発生率 127/100 万生産児.
2. 心室中隔欠損（VSD）の位置：
大動脈弁下 40 ～ 70%，肺動脈弁下 23 ～ 37%，両半月弁下 3 ～ 5%，遠位 4 ～ 26%，多孔性 2 ～ 7%.
3. 肺動脈狭窄は大動脈弁下型，両半月弁下型でよくみられるが，肺動脈弁下型，遠位型では稀.
4. 大動脈弁下狭窄は少ないが，どのタイプでも認められる．特に遠位型，肺動脈弁下型（Taussig-Bing anomaly）で多い．狭窄病変は線維組織，筋性組織，僧帽弁異常などによる．Taussig-Bing 奇形では大動脈縮窄，大動脈弓離断を合併しやすい.
5. 共通房室弁：5 ～ 25%で合併するが，この場合 VSD は遠位型のことが多く，肺動脈狭窄の合併率も高い.
6. 房室弁：僧帽弁両室挿入（straddling of mitral valve），僧帽弁裂隙（cleft of mitral valve）に注意する.
7. 心室：左室の 30%，右室の 10%が低形成.
8. 染色体異常：10 ～ 40%で合併．13, 18 trisomy が多い.
9. 心房内臓錯位（heterotaxy）や修正大血管転位に合併することもある.

大血管の所属：50%ルール

VIF：心室漏斗部皺壁，IS：漏斗部中隔

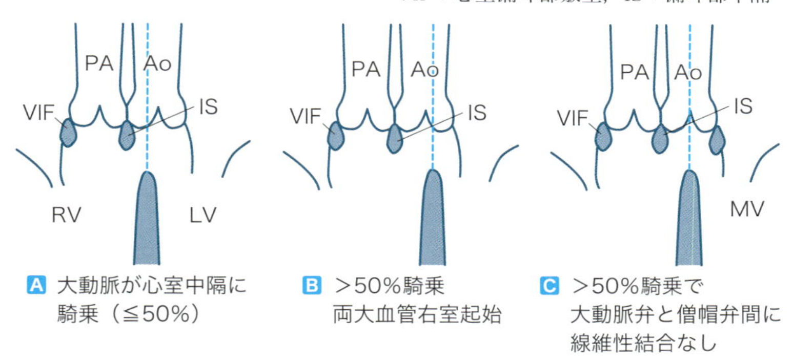

A 大動脈が心室中隔に騎乗（≦50%）

B ＞50%騎乗 両大血管右室起始

C ＞50%騎乗で 大動脈弁と僧帽弁間に 線維性結合なし

1. 50%ルール

- 一側の大血管が心室中隔に騎乗している場合，その大血管は50%以上騎乗している側から起始していると考える．外科治療を行うことを主眼とした考え方で，病理的な意味合いではない（AB）．

2. 線維性結合の有無

- 大動脈弁/肺動脈弁と僧帽弁間に線維性結合がない場合（両者の間に筋組織の挿入がある場合；C），その大血管が右室から起始していることを病理学的に意味する．

＊　＊　＊

- 以上を総合的に考えて両大血管右室起始の診断を行うとよい．ただし，心室中隔への騎乗の程度は観察する方向によって一定していない．したがって，外科医にわかりやすいように，大動脈弁/肺動脈弁と僧帽弁間に線維性結合はなく，騎乗の程度はAの方向から見れば50%以上右室から，Bの方向から見れば騎乗の程度は50%よりやや軽く見えるなどと記載したほうがよい．

両大血管右室起始の分類（Lev の分類）

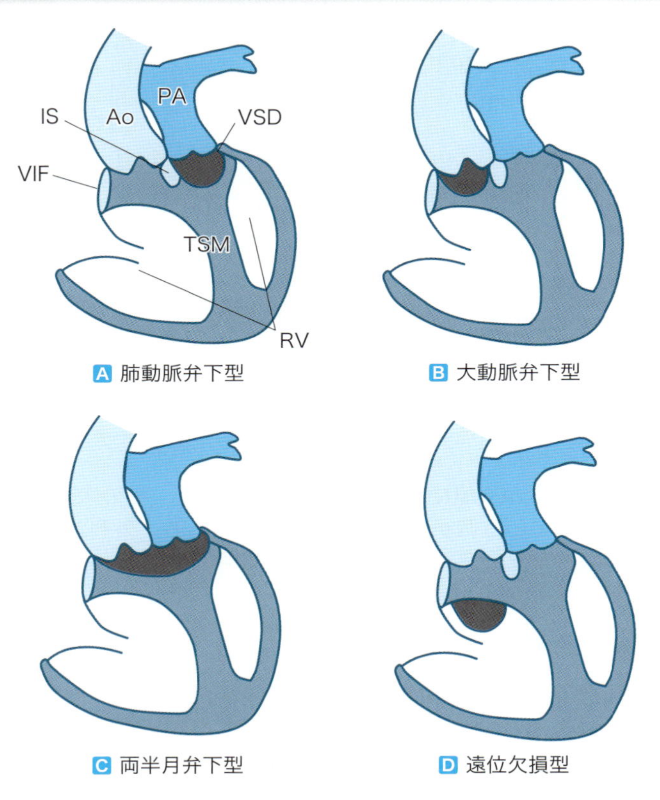

A 肺動脈弁下型　B 大動脈弁下型
C 両半月弁下型　D 遠位欠損型

IS：interventricular septum，TSM：trabecular septomarginalis.
VIF：ventriculo-infundibular fold

大血管と心室中隔欠損（VSD）の位置関係に重点をおいた分類．大血管（大動脈，肺動脈）の一方が完全，またはほぼ完全に右室から起始し，他方も 50％以上右室から起始する状態を意味する．血行動態は大血管と心室中隔の位置関係により決定される．

大血管の位置関係

1. 大動脈と肺動脈の位置関係

- 大動脈弁が肺動脈弁の右後方にある場合が最多で，side by side がそれに続くが，さまざまな位置関係が成立する[46]．

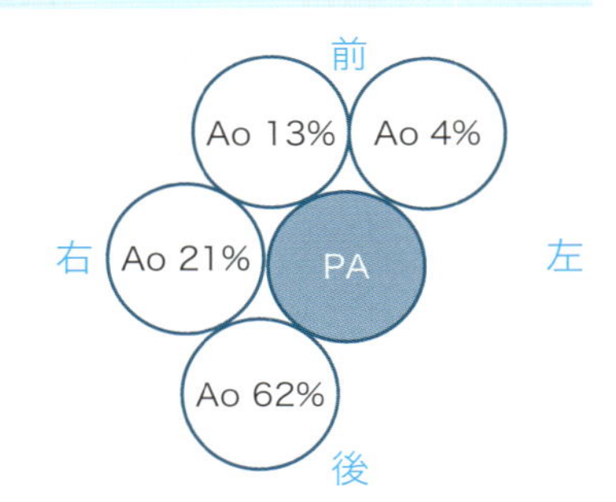

2. Secondary interventricular foramen と primary interventricular foramen

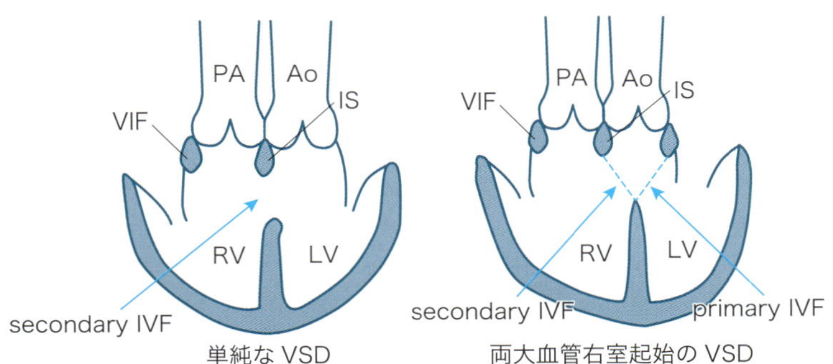

単純な VSD　　両大血管右室起始の VSD

IVF：interventricular foramen

- 単純な心室中隔欠損（VSD）と両大血管右室起始の VSD のでき方は根本的に異なっている．単純 VSD では発生の過程で大血管が正常に移動した後に生じた欠損孔．一方，DORV の場合には大血管の正常移動が起こらなかったために発生した異常である．

大動脈弁下型両大血管右室起始

- 最も頻度の高いグループで，手術症例の50％を占めるともいわれる．
- 心室中隔欠損（VSD）は通常傍膜様部に位置し，大動脈弁下に存在するが，大動脈弁とVSDとの距離は介在するsubaortic conusの有無，大きさにより異なる．剖検例では77％例でsubaortic conusあり．
- 血行動態はPSを合併すればファロー四徴に，合併しなければlarge VSDに類する．

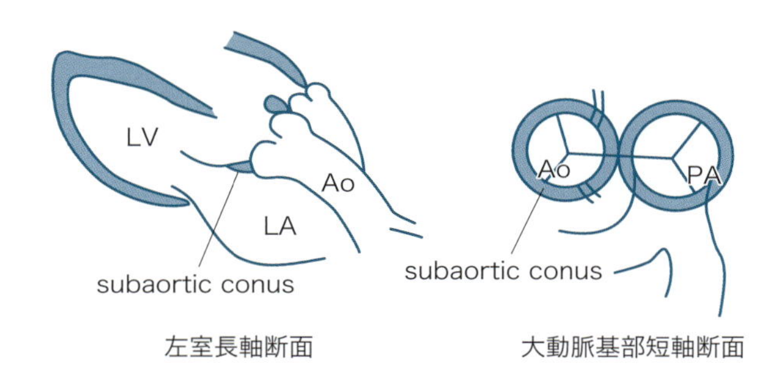

- Subaortic conusの有無をチェック．
- 大動脈弁輪径，肺動脈弁輪径，両者の比．
- 大血管の位置関係：正常位置関係，side by side，大動脈前・肺動脈後など．大動脈が前方偏位してside by sideのことも多い．
- 冠動脈異常のチェック（ファロー四徴と同様に，肺動脈弁下狭窄のため右室流出路狭窄解除術が必要な場合，特に注意する）．
- 左室拡張末期径：肺血流量増加・減少，いずれの場合にも，左室容量負荷の程度，肺血流量増加・減少の程度を推測するために必要．特に左室が小さい場合，VSDの遺残短絡を残すと肺水腫などを合併する可能性があり注意を要する．

- ToF は，さまざまな程度の大動脈騎乗を伴っている．

> ＞50% override：DORV

- Subaortic conus があれば DORV とする意見もある．
- 肺動脈狭窄を伴い，大動脈が≧50％右室から起始している場合，ToF with DORV とも DORV with PS ともいえる．名称を気にするより，病態を理解しやすいように解剖学的特徴を記載すべきである．

■ MEMO

Intramural VSD

Ao が RV から起始し bc 間を patch 閉鎖した場合，肉柱内交通 ab が術後に VSD として残存する．元来 VSD として認識していた cd とはかなり離れた位置，本来 VSD がなかった位置に LV-RV 短絡が残存するので気づきにくい．閉鎖パッチに隣接する RV 前壁に遺残短絡を見つければ，intramural VSD を考えることが重要で，bc 間にパッチを置くことにより肉柱間隙（intramural VSD）が拡大することに注意する[2]．

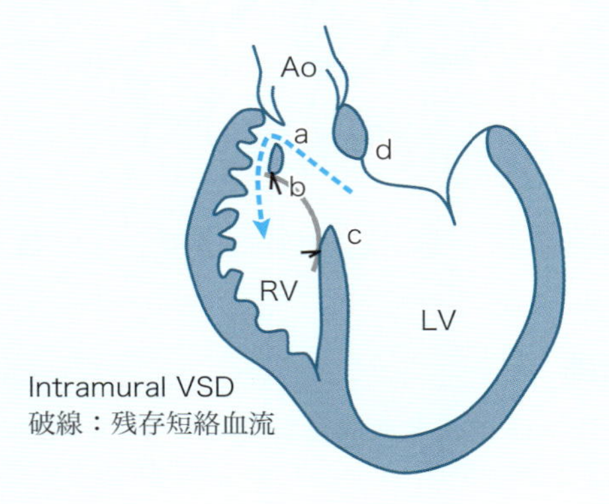

Intramural VSD
破線：残存短絡血流

肺動脈弁下型両大血管右室起始（肺動脈狭窄なし）

Taussig-Bing anomaly

- 比較的稀で DORV の 8%，外科手術対象の 30% を占めるといわれる．PS を有する者は Taussig-Bing anomaly と呼ばない．VSD は通常大欠損となる．
- Taussig-Bing anomaly：典型的には side by side の位置関係にある大血管関係，肺動脈弁下に VSD を有し肺動脈は心室中隔に騎乗，肺動脈弁下に conus を有するものを示すが，大動脈が肺動脈の前方にあることもあり，これを false Taussig-Bing anomaly と呼ぶこともある．

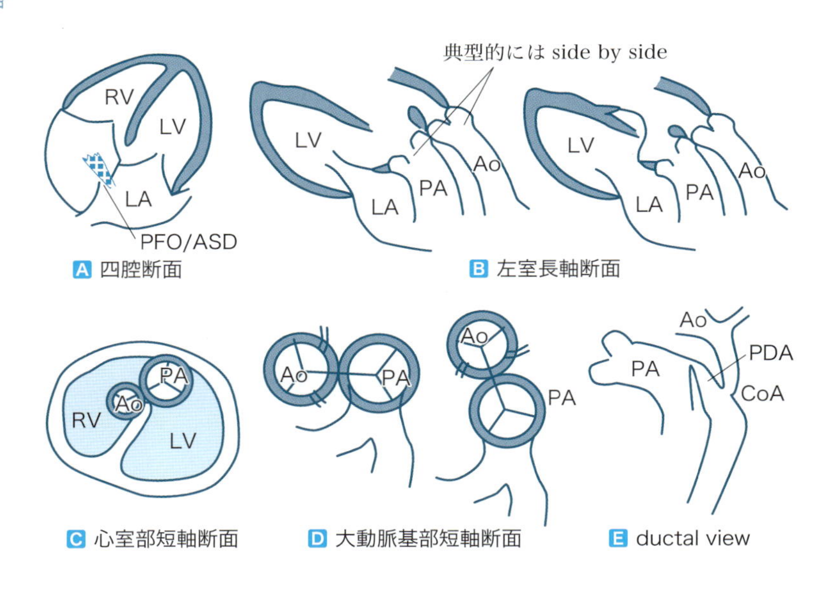

A 四腔断面　B 左室長軸断面

C 心室部短軸断面　D 大動脈基部短軸断面　E ductal view

1. 四腔断面

- 心室の大血管関係が完全大血管転位様のため，心房間交通が小さい（A）と，SpO_2 が低い→心房中隔裂開術（BAS）が必要（☞ p179）．

2. 左室長軸断面

- 心室中隔に肺動脈が騎乗，PS の有無，上行大動脈径と主肺動脈径を比較（arterial switch 手術対象のため）．Straddling MV，cleft of MV の有無，左室拡張末期径，左室駆出率をチェック（B）．

3. 心室短軸断面

- 心室のバランス，心室中隔に肺動脈が騎乗．Straddling MV，cleft of MV のチェック（C）．

4. 大動脈基部短軸断面

- 冠動脈の異常チェック．典型的には side by side，前後関係なら false Taussig-Bing anomaly（D）．

5. Ductal view

- 大動脈縮窄の合併率は TGA に比してはるかに高率である（E）．
- Taussig-Bing anomaly では，右室から駆出される血液は騎乗する肺動脈に取られやすく，大動脈・大動脈峡部に流れる血液量は減少する．このことが大動脈縮窄の発生原因になる（low flow theory：☞ p141）．

VSD の位置と合併症

	肺動脈弁下型	大動脈弁下型	大動脈弁下型＋肺動脈狭窄	遠位型
CoA/IAA	8	3	—	—
MV disease	4	5	—	1
AS	2	—	—	—

〈文献 47）より引用〉

純型肺動脈閉鎖・重症肺動脈弁狭窄

pulmonary atresia with intact ventricular septum（PA with IVS）＝
pure pulmonary atresia, critical pulmonary stenosis

1. 発生率 80/100 万生産児．先天性心疾患の 1.1 ～ 1.4%に相当．
2. 胎生期に肺動脈弁狭窄であったものが肺動脈弁閉鎖に進行することあり．
3. Ebstein 奇形の合併：約 10%．
4. 心外奇形の合併は稀．
5. 75%例で肺動脈弁閉鎖，25%で流出路閉鎖．
6. 約 30%例では動脈管が左肺動脈に連結する部位で狭窄あり．
7. 右室成分：3 partite（流入部，肉柱部，流出部）あり 60%
   2 partite（流入部，流出部）あり 33%
   1 partite（流入部）のみ 8%
8. 三尖弁輪：右室低形成の 50%例で≦−2.2 SD
   10%例で≦−5 SD
   通常三尖弁は肥厚しており，短縮した腱索を有する．
   Ebstein 奇形では三尖弁輪は大きいが，ときに狭窄を有する．
9. 三尖弁輪径 Z スコアによる分類[48)]
   A 群：三尖弁＞−2.5 SD．右室 3 成分あり，大きい類洞交通（sinusoidal communication）なし．二心室修復をめざし，バルーン肺動脈弁形成術を施行．
   B 群：三尖弁−2.5 ～−4.5 SD．肉柱部はないこともある．類洞交通は minor なものが多いが，ときに major のこともある．（バルーン）肺動脈弁形成術＋mBT シャント手術（or PDA ステント留置）＋ BAS を行い，右室，肺動脈弁・弁下狭窄の発育状況により方針決定．
   C 群：三尖弁＜−5 SD．筋性肺動脈閉鎖，主要な類洞交通，冠動脈閉鎖，狭窄を有する．単心室修復をめざし，mBT シャント手術（or PDA ステント留置）．

純型肺動脈閉鎖の基本心エコー

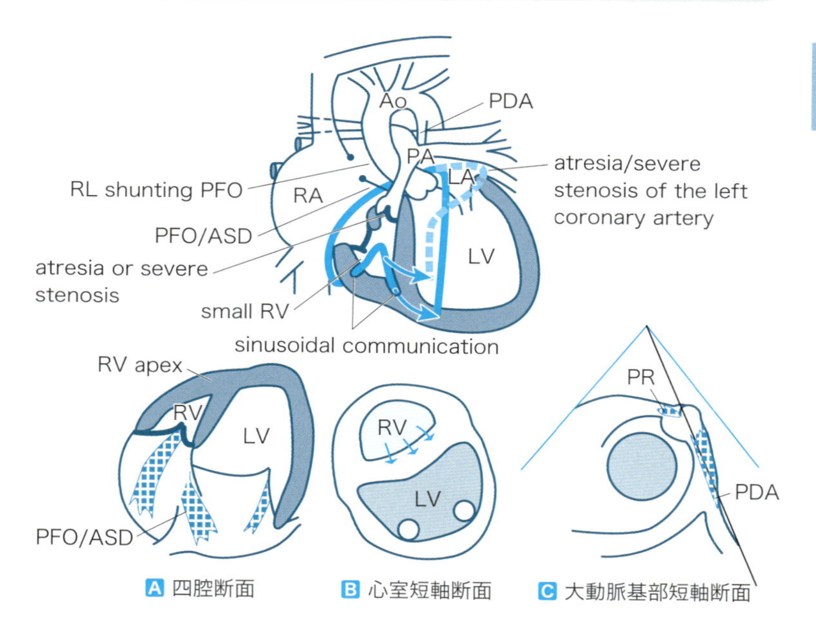

A 四腔断面　B 心室短軸断面　C 大動脈基部短軸断面

1. 四腔断面

- 右室低形成の程度，心尖部は両心室で形成？（心尖部が完全に左室なら右室を１心室として使用できない可能性が高い；A），三尖弁輪径，三尖弁逆流の程度・流速，心房間交通の程度・流速（心房中隔欠損，卵円孔開存：小さければBAS），僧帽弁輪径，僧帽弁逆流の程度・流速（右室圧/左室圧比の推測，血圧との比較も）.

2. 心室短軸断面

- 右室圧＞左室圧のため左室は三日月状（B）.

3. 大動脈基部短軸断面，肺動脈長軸断面

- 動脈管は十分か？（C）
- カテーテル治療（バルーン肺動脈弁形成術）の難易度は，重症肺動脈弁狭窄と肺動脈閉鎖で異なる．両者の鑑別は重要で，肺動脈弁逆流の観察，連続波ドップラによる肺動脈内最高流速の測定は必須である（PDA短絡血流の反転流では説明のつかない高流速血流がとらえられれば重症肺動脈弁狭窄）．

■ MEMO

有意な類洞交通発見のヒント

右室流入血量＝肺動脈への流出血液量＋三尖弁逆流量＋類洞交通量と概算すれば，肺動脈閉鎖で三尖弁流入量に比して逆流量が少ない場合，類洞交通の発達が示唆される．

純型肺動脈閉鎖の合併心奇形

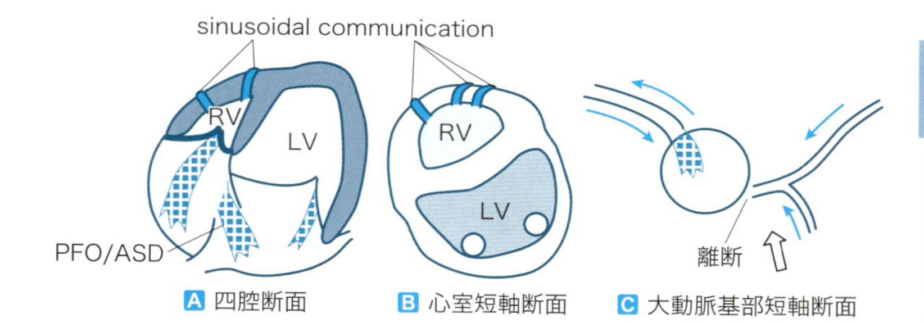

A 四腔断面　B 心室短軸断面　C 大動脈基部短軸断面

1. 四腔断面像

- 三尖弁輪径，三尖弁逆流の程度・流速，心房間交通の程度・流速（右左短絡を示す心房中隔欠損，卵円孔開存：小さければBAS），僧帽弁逆流，カラードップラで類洞交通（sinusoidal communication）の有無を確認（A）．
- 三尖弁閉鎖（TA）との鑑別：純型肺動脈閉鎖ではTAと異なり，① TRを認める，② VSDなし，③心房中隔・心室中隔の不整合（malalign）なし．

2. 心室短軸断面

- 右室圧＞左室圧のため左室は三日月状（B）．類洞交通の有無を確認．

3. 大動脈基部短軸断面，肺動脈長軸断面

- 冠動脈：特に右冠動脈が太く，大動脈内に逆流していないか？　あれば高度の類洞交通あり．左冠動脈は離断していないか？　左冠動脈内血流の方向をカラードップラで確認する（C）．
- 左冠動脈離断の場合，右室の減圧術は禁忌，心筋梗塞に陥る．

純型肺動脈閉鎖に対する手術 1
姑息術

1. 肺動脈弁に対するバルーン形成術

- 肺動脈弁に pinhole でも開いているとバルーン肺動脈弁形成術（balloon valvuloplasty）は容易．連続波ドップラで流速をチェック．肺動脈弁輪径の計測は重要で，この 120 〜 130％大のバルーンカテーテルを使用する．

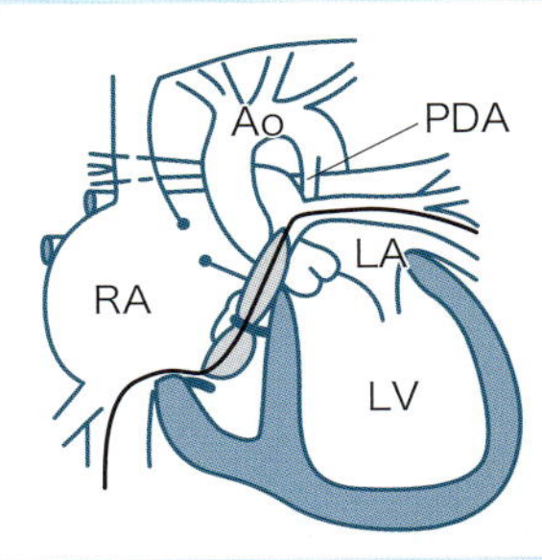

2. バルーン心房中隔裂開術：BAS

- BAS を臍から施行する場合には，静脈管が開いていることを確認（BAS 中，BAS 後の注意事項は☞ p179）．

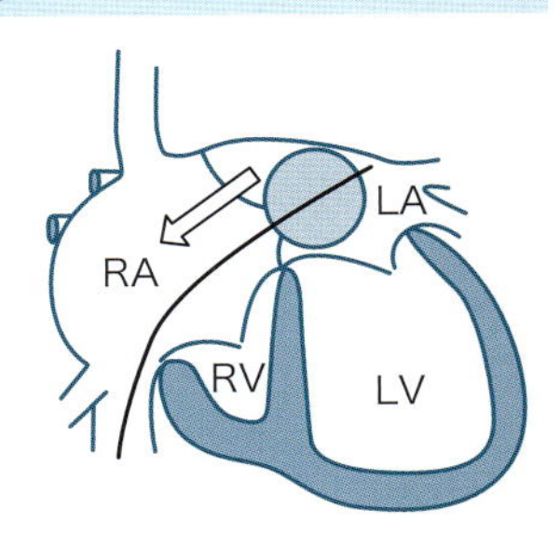

3. Modified Blalock-Taussig（mBT）シャント術

- 術後酸素飽和度の低下がある場合，mBT シャントの開存状況が問題になる．右 mBT なら腕頭動脈（or 右鎖骨下動脈），左 mBT なら左鎖骨下動脈を描出．シャントが開いているなら同部の血流は多く，他の 2 本と異なるカラードップラシグナルで観察される．そこから mBT の血流をカラーで探していくとよい．シャント導管が湾曲していると，シャント全体を一断面で見ることは難しい．

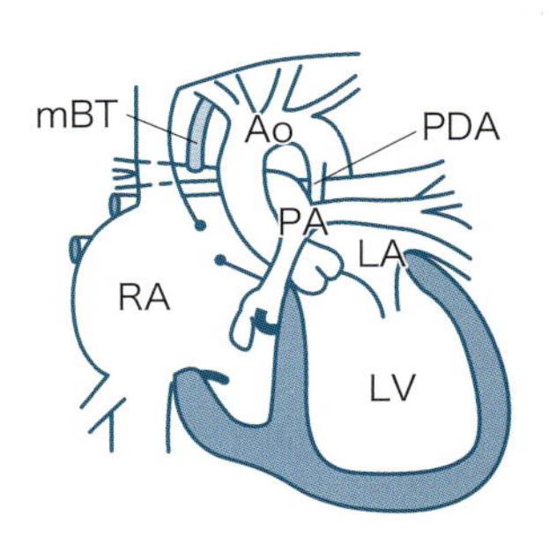

純型肺動脈閉鎖に対する手術 2

心内修復術

1. 右室，三尖弁の発育良好 → 二心室修復へ

- バルーン肺動脈弁形成術のみで改善する症例あり．
- BAS＋バルーン肺動脈弁形成術→ mBT シャント術 → RV overhaul ＋ mBT 切離 ＋ ASD 縮小術/閉鎖術．

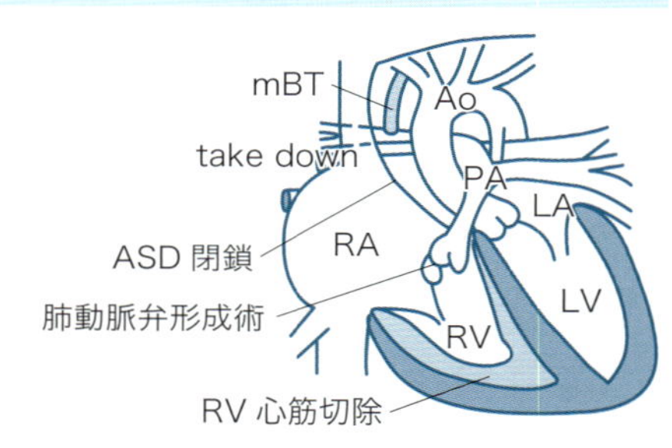

2. 右室，三尖弁が両心室からの血流を肺動脈へ駆出するには不十分で二心室修復は困難

- One and a half repair の適応を考慮．
- 上半身血流は Glenn シャントから肺循環へ．下半身血流は右室から肺動脈へ．

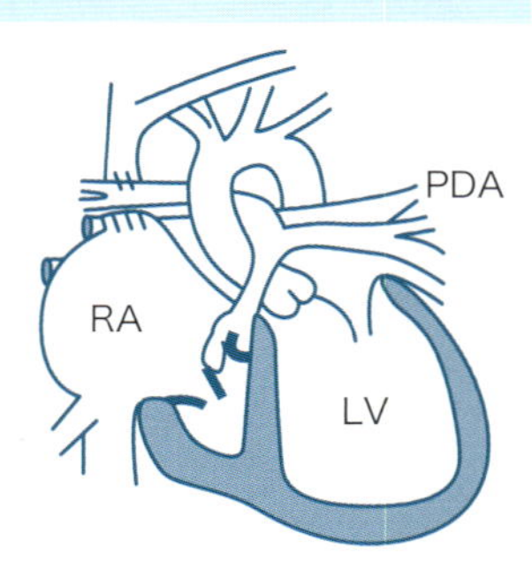

3. 二心室修復困難，one and a half repair 適応なし

- 新生児期に mBT シャント手術．
- 月齢 6 ヵ月前後で Glenn 手術．
- ２歳前後で Fontan 手術．

■ MEMO

術後心エコー

三尖弁逆流の程度，三尖弁逆流流速から右室圧推定．残存肺動脈狭窄の評価．肺動脈弁逆流の程度などを評価する．右室が小さい場合，右室容量の変化も重要で，心房間交通を残している場合，その流速，短絡の方向がどのように変化していくかも重要である．RV overhaul で右室心筋をかなり削り取った場合，右室圧低下に伴って冠動脈・右室瘻が出現することもある（次第に減少消失することもある）．

■ MEMO

術後心エコー検査における評価項目

・肺動脈弁：サイズ，残存狭窄，逆流
・三尖弁：サイズ，逆流の程度，三尖弁逆流速度から右室圧推定，三尖弁逆流の程度
・右室：容量，流出路狭窄（肺動脈弁形成術後，右室圧低下とともに右室流出路狭窄の増強，右室容量の縮小化が認められることがある），収縮能，拡張能
・左室：右室の減圧，冠血流の変化が，左心機能に悪影響を及ぼしていないか
・心房間交通：短絡の方向，流速
・冠動脈・類洞交通：右室圧低下に伴って，右冠動脈血流のパターン変化（右室から右冠動脈への逆流消失，類洞交通の減少，さらには右冠動脈狭窄，冠動脈から右室への盗血など）

純型肺動脈閉鎖・重症肺動脈弁狭窄における両心室修復の条件

- 代表的なものを挙げる[49)].

> ①右室が流入部，肉柱部，流出部の3成分（tripartite）より形成されている.
> ②三尖弁のZスコア＞−2.4 SD
> ③肺動脈閉鎖が膜様閉鎖である.
> ④右室依存性の冠動脈循環がない.

- 三尖弁輪径Zスコアによる分類：☞p190（8項，9項）.
- 山岸らは，

> 1）右室3成分が存在し，類洞交通を有しない場合
> 2）右室3成分を有するが，類洞交通を有する場合
> 3）右室流出路欠損，高度の三尖弁狭窄，大きな類洞交通，冠動脈狭窄病変などを有する場合

に区分して，治療方針を決定している.

1）必要に応じてmBT shunt, RV overhaul, RVOT狭窄解除などを行った上で，右室拡張末期容量＞70%，三尖弁輪径＞70%，正常三尖弁形態ならば二心室修復を計画．また右室拡張末期容量＞30～70%，三尖弁輪径＞30～70%ならば1.5心室修復術の適応も考慮する.

2）大きな類洞交通を有する場合はmBT shuntを行った上で，単心室としての修復術を計画する．類洞交通があっても軽ければ，弁切開を行った後，必要に応じてmBT shunt, RV overhaul, RVOT狭窄解除などを行い，右室拡張末期容量，三尖弁輪径，三尖弁形態に関して，1）同様の基準で手術計画を立てていく.

3）mBT shunt術を行った上で，単心室としての修復術を計画する.

（山岸正明：純型肺動脈閉鎖の外科治療．日小児循環器会誌 27：19-25，2011）

三尖弁閉鎖
tricuspid atresia（TA）

1. 発生率 96/100 万生産児.
2. 分類
   Ⅰ型　心室大血管関係 正常（70 ～ 80%）
   Ⅰa 肺動脈閉鎖
   Ⅰb 肺動脈狭窄
   Ⅰc 肺動脈狭窄・閉鎖なし
   Ⅱ型：完全大血管転位の心室大血管関係（12 ～ 25%）
   Ⅱa,b,c は上記Ⅰ型の a, b, c に同じ
   Ⅲ型：その他の malposition（3 ～ 6%），ほとんど修正大血管転位
   Ⅲa 肺動脈狭窄
   Ⅲb 大動脈弁下狭窄
3. 85 ～ 90％例で三尖弁組織は認められ，右房・右室は fibromuscular ridge で分離される.
4. 心房間交通は生存に必須であるが 15%で小さい．肺動脈閉鎖例では生存に動脈管開存も必須.
5. 心房中隔，心室中隔の整列異常あり（malalign）.
6. 初期には肺血流量も少なくなく，チアノーゼも目立たないにもかかわらず，VSD が縮小化．漏斗部狭窄が進行して肺血流量が減少し，チアノーゼが増強することがある.
7. VSD が自然閉鎖する例や漏斗部狭窄が進行して，いわゆる後天性肺動脈閉鎖となる症例もある.
   ECG：右房負荷，左室肥大，左軸偏位を示すことが多く，純型肺動脈閉鎖との鑑別に有用.

三尖弁閉鎖の分類

I 型：正常大血管関係

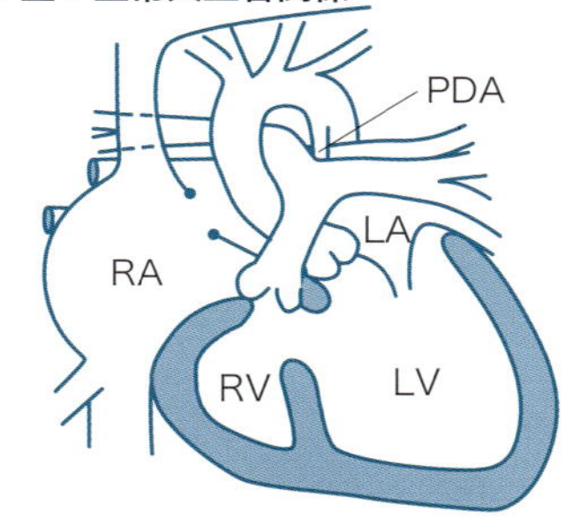

Ic 型：肺動脈狭窄なし
＋VSD（large）…9%

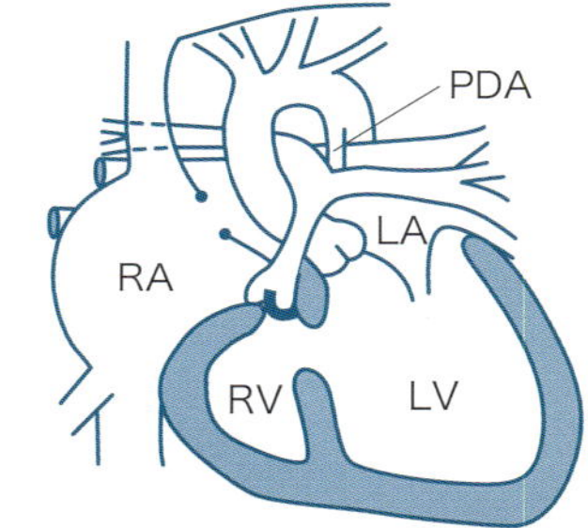

Ia 型：肺動脈閉鎖，VSD なし …9%
Ib 型：肺動脈狭窄＋小さな VSD
…51%[2)]

II 型：大血管関係は完全大血管転位

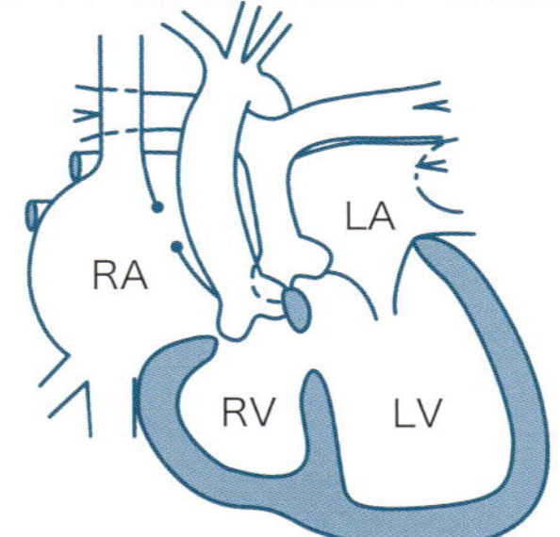

IIc 型：肺動脈狭窄なし …18%

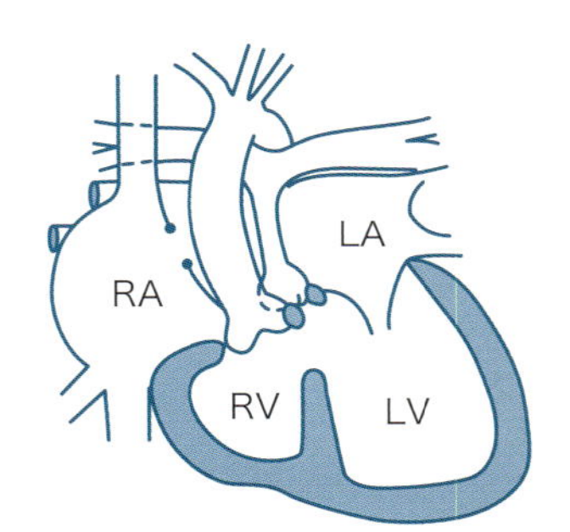

IIa 型：肺動脈閉鎖 …2%
IIb 型：肺動脈狭窄 …8%

III 型：大血管関係は修正大血管転位 …3%
IIIa 型：肺動脈（弁下）狭窄　IIIb 型：大動脈弁下狭窄

- 大血管の位置関係，狭窄病変の程度により分類（Keith-Edwards 分類）．
- 通常，三尖弁は筋性に閉鎖．心房中隔と心室中隔の整列は，ずれている．

三尖弁閉鎖の基本心エコー

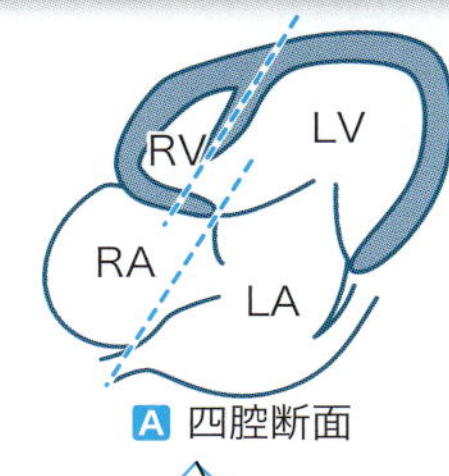

A 四腔断面

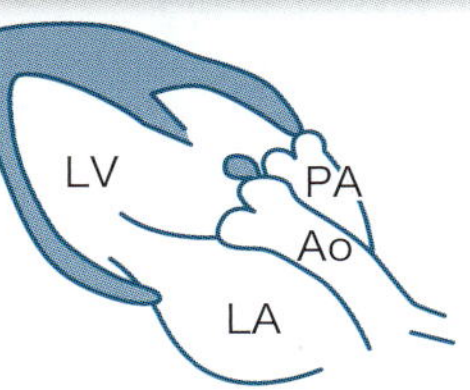

B 左室長軸断面

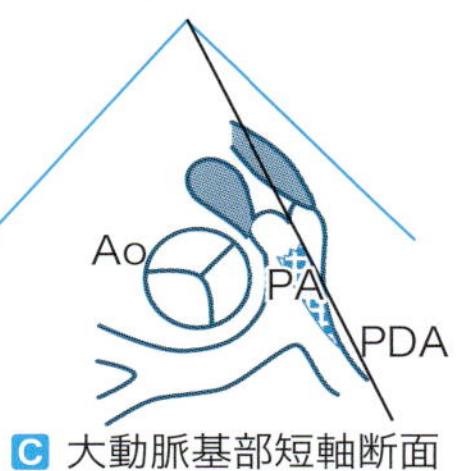

C 大動脈基部短軸断面

D 心室部短軸断面

1. 四腔断面像

- 左室は拡大，右室は小さい．心室中隔欠損，心房中隔欠損/卵円孔を有し，心房間交通は右左短絡である．心室中隔と心房中隔の整列は一致せず，ずれている（A）．当然ではあるが，三尖弁逆流を認めない．心房間交通が小さければ（restrictive）BAS が必要．

2. 左室長軸断面

- 大血管の位置関係，肺動脈弁狭窄の有無をチェック（B）．

3. 大動脈基部短軸断面

- 動脈管の有無，肺動脈弁狭窄（閉鎖）右室流出路の状態を評価．肺動脈閉鎖の場合には，動脈管開存の状態も重要（C）．

4. 心室短軸断面

- 筋性部中隔欠損の前後方向の広がりを評価．プローブの向きを変えて，右室流出路の形態も観察する（D）．

三尖弁閉鎖の合併症

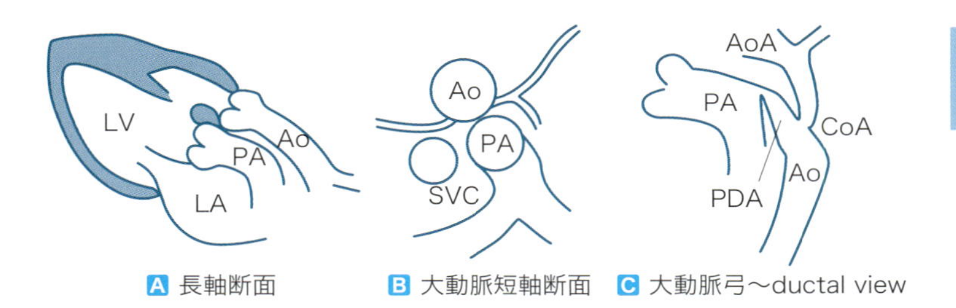

A 長軸断面　B 大動脈短軸断面　C 大動脈弓～ductal view

- 完全大血管転位：大動脈右前，肺動脈左後ろ．VSD が小さい場合，low flow theory による大動脈縮窄/離断の合併に注意して観察．大動脈と肺動脈は平行に走行する（ABC）．

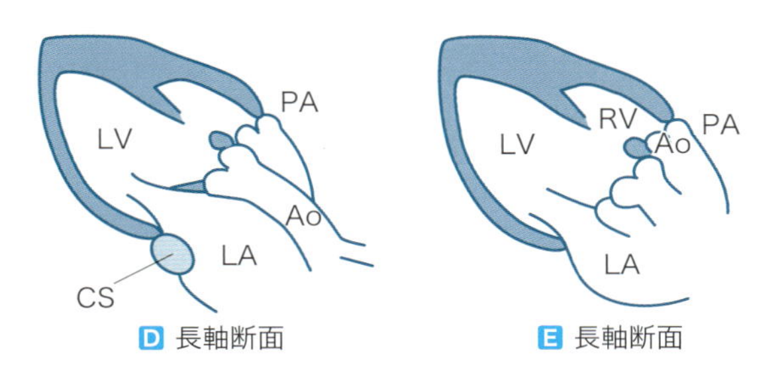

D 長軸断面　E 長軸断面

- 両側上大静脈：I 型で高率に合併．左上大静脈が冠状静脈洞（CS）に還流する（D）．
- 長軸断面で心房中隔が観察される場合，心耳並列を考える（E）．大動脈弁下 conus を有し，小さな右室から両大血管が起始する場合もある．

三尖弁閉鎖に対する手術

- 将来は Fontan 型手術の適応.

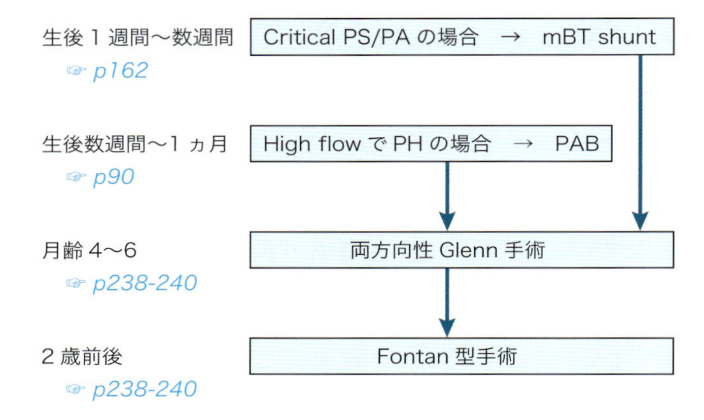

PAB：肺動脈絞扼術，PH：Fontan 手術には肺動脈圧が高い場合

Ebstein 奇形

Ebstein's anomaly

1. 発生率 40 ～ 161/100 万生産児．先天性心疾患の 0.5 ～ 1.5％に相当．
2. 三尖弁中隔尖と後尖の付着部位が心室側に偏位（程度はさまざま）する．前尖の変化はわずかであるが，弁尖は大きく，過剰のことが多い．
3. 通常，三尖弁の偏位は中隔尖と後尖の間で最大になる．
4. 右房化右室：三尖弁輪と心室側に偏位した三尖弁付着部で囲まれた領域を示す．
5. 右房化右室の領域では右室壁は薄く線維化している領域もある．より末端の機能的右室においても壁厚は薄く，心筋線維も薄いことが多い．
6. 収縮能，拡張能の低下，心筋の線維化など，左室側の異常も約 40％で認められる．
7. 三尖弁中隔尖，後尖の変化：plastering，tethering（次頁 B C）．
   Plastering：心室側に偏位した弁尖は心室壁に張りついたように見えるため，plastering（漆喰を塗ること）と呼ぶ．
   tethering：特に大きな前尖は小さな腱索につながれて（tethering）可動域が減少する．
8. 修正大血管転位で合併率が高い．
9. WPW 症候群：30 ～ 50％で WPW 症候群の原因となる副伝導路が存在する．

Ebstein 奇形の解剖学的分類
(Carpentier の分類)

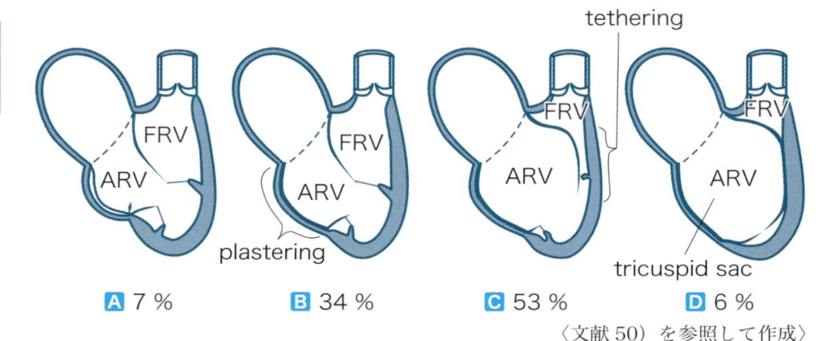

〈文献 50) を参照して作成〉

- A 右房化右室 (atrialized right ventricle：ARV) は小さいが筋組織に富み収縮能を有する. 三尖弁前尖の可動性, 機能的右室 (FRV) の容量も保持されている.
- B ARV の筋組織は疎で, ARV の収縮能は損なわれ拡大している. 三尖弁前尖の可動性は保持.
- C ARV の収縮能は損なわれて ARV は拡大. 大きな三尖弁前尖は小さな腱索につながれて (tethering) 可動域が減少している. FRV は小さい.
- D 小さな右室流出路以外の右室は右房化し前尖の可動性は消失. ARV と流出路の交通は三尖弁の前中隔交連部に限られ, 巨大な三尖弁嚢 (tricuspid sac) が形成されている.

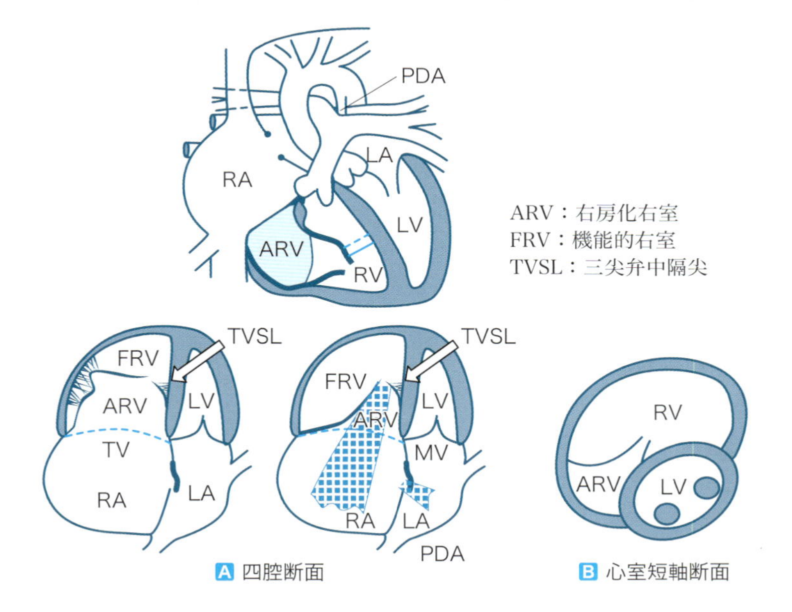

A 四腔断面　　**B** 心室短軸断面

1. 四腔断面

- 本来の三尖弁輪と可動性のある三尖弁の間に挟まれた領域を右房化右室，それより遠位部（右室流出路側）を機能的右室と呼ぶ．右室拡大，収縮期における displacement index〔三尖弁中隔尖の挿入部と僧帽弁前尖挿入部とのずれ（mm）/BSA（m^2）〕，三尖弁中隔尖の plastering〔＞ 8 mm/BSA（m^2）：新生児・乳児期には当てはめにくい〕の程度，前尖の可動性，その他，心房間交通の大きさ（方向），三尖弁逆流の重症度などを評価する．三尖弁逆流は通常より心尖部側から発生し，Ebstein 奇形発見の契機となる（**A**）．

2. 心室短軸断面

- この断面で三尖弁中隔尖の付着部が見えることは，中隔尖の plastering があることを示す．左室は大きな右室に圧排されて楕円形に観察されることが多い（B）．左心機能が予後に大きく影響する．

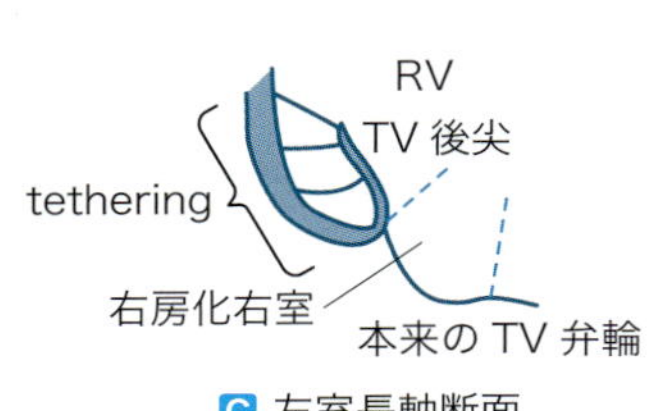

C 左室長軸断面

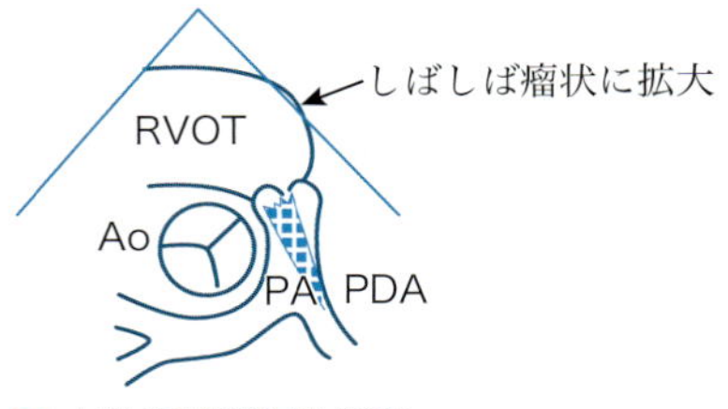

D 大動脈基部短軸断面

3. 右室長軸断面

- 左室長軸断面から右室をのぞき込む方向に探触子をシフトさせると右室が長軸方向に観察される（C）．本来の三尖弁輪（点線）より心尖部寄りに三尖弁後尖が付着．細かい腱索によりつながれて可動域が制限されている様子が観察される（tethering）．

4. 大動脈基部短軸断面〜肺動脈長軸断面

- 右室流出路はしばしば瘤状に拡大（D）．肺動脈弁狭窄の有無，流速チェック，動脈管開存の評価も重要である．

5. 心エコー観察時のポイント

- 三尖弁前尖は小さな腱索により右室壁に固定（tethering）．可動性が悪い場合も少なくない．
- 三尖弁の修復が可能か否かについては，前尖の評価が重要である．大きな前尖が可動性を有し，単弁性の三尖弁として機能できるかどうか確認する．

Ebstein 奇形の心エコーと手術適応

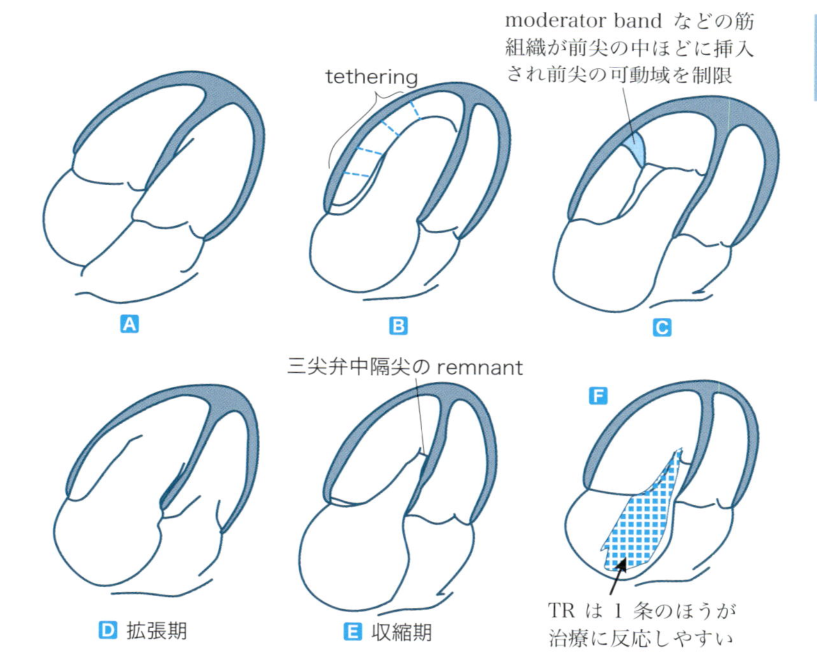

- 三尖弁中隔尖の plastering はわずかで（A），手術対象とならず経過観察のみとなる場合もある．
- BCのように，tethering や moderator band などの筋組織が前尖の中ほどに挿入され，前尖の 1/2 以上が固定されている（可動性が失われている）場合，monocusp leaflet repair は難しい．
- 三尖弁前尖の動きは良好で収縮期には心室中隔近くまで到達している場合，Danielson の monocusp leaflet repair の適応となる（DE）．最も重要なのは三尖弁前尖の可動性であり，だいたい前尖の 1/2 以上の可動性があること，心筋への major tethering がないこと，三尖弁先端の可動性が保たれていることが重要である．
- 三尖弁逆流ジェットが複数みられないほうが治療に反応しやすい．中隔尖が中隔から持ち上がってくる所見も良い（F）．

- B C monocusp repairが不適 → cone reconstructionの可能性を探る.
- D E F monocusp repairに適している.
- Cone reconstructionにより，三尖弁挿入部が人為的に本来の三尖弁輪近くに移動．結果，右房化右室の領域が縮小する（Gおよび下図）.

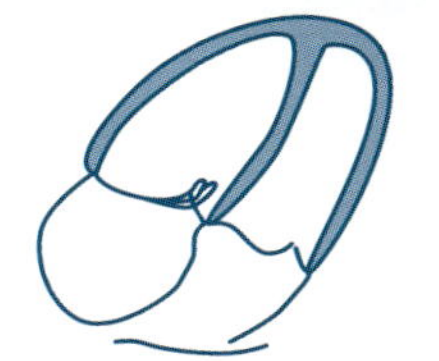

G cone reconstruction

Ebsteinの解剖とcone reconstruction[5)]

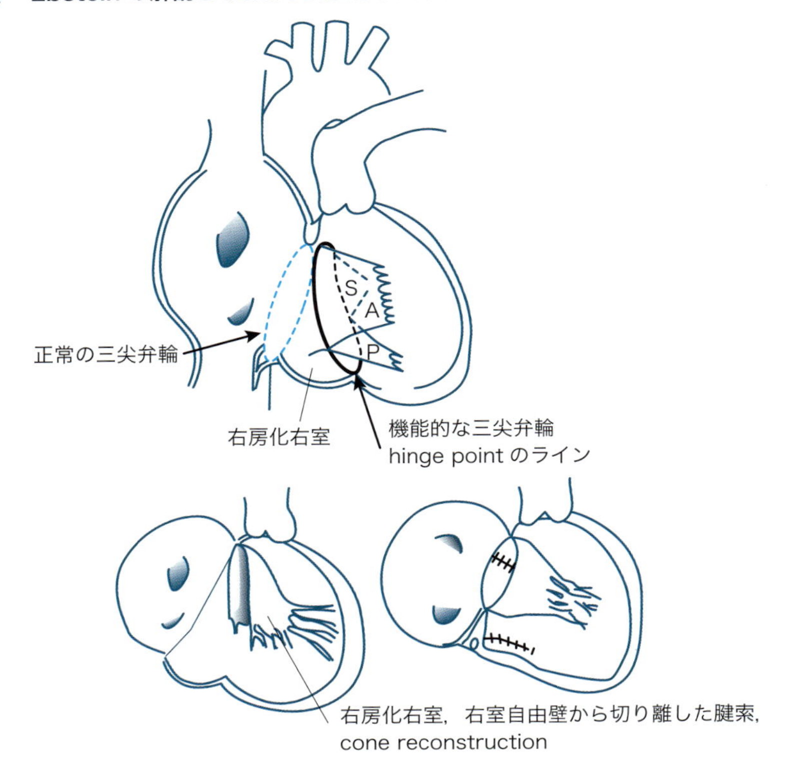

心エコーによる新生児重症 Ebstein 奇形の予後評価

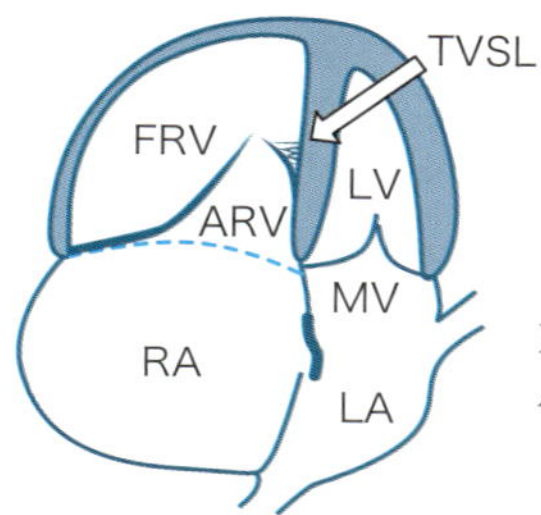

FRV：functional RV
ARV：atrialized RV

- Celermajer index：

$$\text{拡張末期の面積}\quad \frac{\text{RA} + \text{ARV}}{\text{RV} + \text{LV} + \text{LA}}\ \text{比}$$

Celermajer index によるグレード分類

Grade	ratio	No of Pts	death
Ⅰ	＜ 0.5	4	0（0%）
Ⅱ	0.5 ～ 0.99	10	1（10%）
Ⅲ	1.0 ～ 1.49	9	4（44%）
Ⅳ	≧ 1.5	5	5（100%）

〈文献 51）を参照して作成〉

- その他，下記の①～④は同時に合併しやすく予後不良．

①Anterior leaflet の tethering
②RV dysplasia
③右室拡大による左室圧迫
④RA＋ARV の面積＞機能的 RV＋LA＋LV 領域より大きい

- 重症例では Starnes 手術を考慮する（☞ p213）．

予後スコア（SAS スコア[52]）

Variable	Weighting		
	0	1	2
Cardiothoracic ratio	＜0.65	0.65～0.75	＞0.75
Celermajer index	＜1.0	1.0～1.5	＞1.5
Pulmonary valve flow	normal	reduced	absent
Duct flow	antegrade	both	retrograde
Right-left ventricular ratio	＜1.5	1.5～2.0	＞2.0

- SAS スコア≧5 で生存例なし．
  SAS スコア≦3 で 91％の生存率．

TRIPP スコア[53]：TRicuspid Malformation Prognosis Prediction score

	スコア 0	スコア 1	スコア 2
三尖弁逆流 Vmax	＞2.8	2.5～2.8	＜2.5
左室 TEI index	＜0.6	0.6～0.8	＞0.8
肺動脈血流	正常	低下	なし
動脈管血流の向き	順行性	両方向性	逆行性

- 総点 8 点．スコア≧5 以上で三尖弁形成不全，Ebstein 奇形の周産期死亡率上昇．

機能的肺動脈弁閉鎖

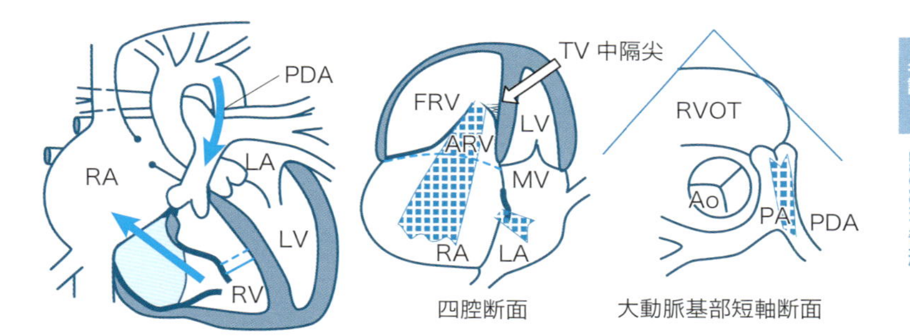

四腔断面　大動脈基部短軸断面

- 三尖弁逆流（TR）が高度で，大きな動脈管開存（PDA）がある場合，右室は収縮期圧を上昇させられず，肺動脈圧に打ち勝てないため機能的肺動脈弁閉鎖の状態になる．
- 機能的肺動脈弁閉鎖の場合，肺動脈圧＞右室圧である．TR，PDA短絡血流，血圧から肺動脈圧，右室圧を推定する．当然 TR 流速は速くない．
- 肺動脈弁逆流が確認されれば，器質的肺動脈弁閉鎖は否定される．
- 機能的肺動脈弁閉鎖の場合，右室収縮能の改善と PDA の閉鎖過程に伴って，肺動脈弁の開放がみられるようになってくる．しかし，その初期に，わずかな肺動脈弁通過血流をカラードップラで確認することは難しい．肺動脈弁位の血流速度を連続波ドップラで測定し，動脈管短絡血流の反転流では説明できない速い順行性シグナルが得られれば，器質的肺動脈弁閉鎖は否定的．
- Circulatory シャント：高度の TR に有意な肺動脈弁逆流を伴う場合，大動脈→動脈管→肺動脈→右室→右房→右左心房間交通→左房→左室→大動脈というサイクルが形成され，循環不全に陥る．肺動脈弁をカテーテル治療で開く場合，circulatory シャント形成の可能性がある．PGE_1 の一時中止・減量で酸素飽和度が低下するのか，もしくは動脈管をカテーテル治療で閉鎖できるのかが重要なポイントになる．

Ebstein 奇形に対する手術

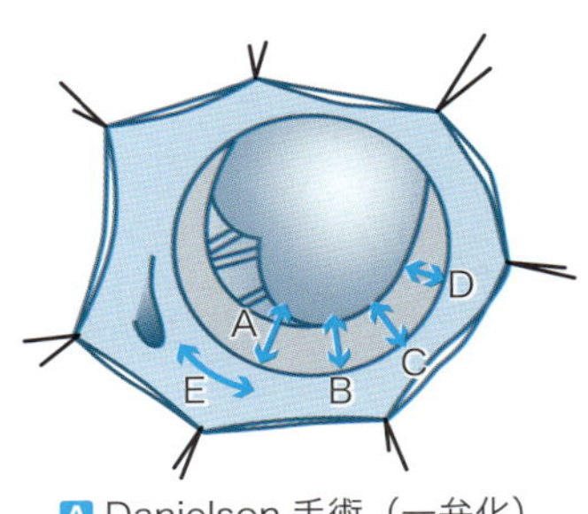

A Danielson 手術（一弁化）
上下に縫い縮める

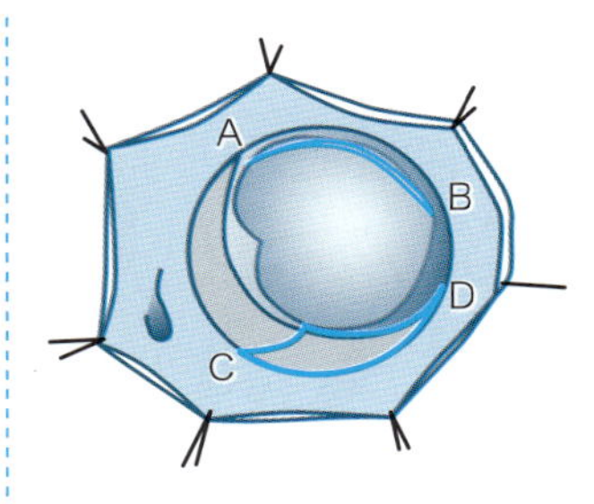

B Carpentier 手術（二弁化）

- A Danielson 手術：A ～ D で縦に縫い縮めた後で，E において弁下を絞る，新しい弁輪に annuloplasty ring を縫い付けることもある．
- B Carpentier 手術（二弁化）：横に縫い縮める．AB 間で三尖弁輪を切り離し，その下方にある癒着した腱索に割を入れて間隙を形成．CD 間を横に縫合（CD が重なるように）して自由に切り離した三尖弁輪を縫い付ける．
- Cone reconstruction（☞ p208）．
- Starnes 手術（☞次頁）．

新生児期重症 Ebstein 奇形に対する手術

Starnes 手術

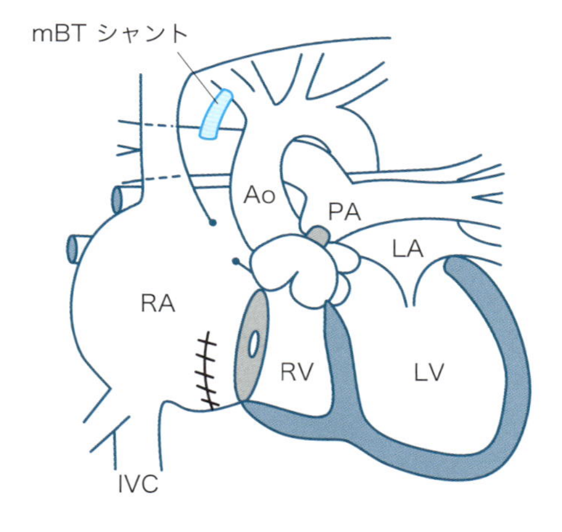

Starnes 手術の手順[5)]：

①主肺動脈の結紮
②三尖弁口を 4 mm のパンチでくり抜いたパッチで閉鎖する（冠状静脈洞は右房側に位置するように閉鎖）
③十分な心房間交通を作成
④右房縫縮により肺の圧迫解除
⑤Modified BT シャント（mBT シャント）作成
⑥Glenn 手術：4 〜 6 ヵ月
⑦Fontan 手術：2 歳前後

総肺静脈還流異常

total anomalous pulmonary venous connection（TAPVC）

1. 発生率 91/100 万生産児.
2. 総肺静脈還流異常（TAPVC）単独例は 10 ～ 15%例で，心房内臓錯位症候群（heterotaxy），特に無脾症候群に高率に合併する．その他，単心室，両大血管右室起始（DORV）でも TAPVC の合併は高率.
3. 無脾症候群の 33 ～ 87%に TAPVC 合併．逆に TAPVC の 25 ～ 44%に無脾症候群，28%に DORV を合併する.
4. タイプ別発生率：Ⅰ型（上心臓型）45 ～ 50%，Ⅱ型（心臓型）20 ～ 25%，Ⅲ型（下心臓型）20 ～ 25%，Ⅳ型（混合型）5 ～ 10%．Ⅳ型では，上心臓型と心臓型の組み合わせが多い.
5. 重要な術前の合併症として肺静脈の閉塞がある．発生率は，
   上大静脈へ還流（Ⅰb 型）：65%
   左無名静脈（Ⅰa 型）：40%
   冠状静脈洞（Ⅱa 型）：17 ～ 20%
   混合型（Ⅳ型）：36 ～ 40%
   下心臓型（Ⅲ型）：100%
6. 左室は心室中隔の偏位により小さく見えるが，本当に低形成なことは稀.
7. 肺リンパ管拡張症（pulmonary lymphangiectasia）は肺静脈閉塞例でしばしば認められる.
8. 肺静脈圧上昇，肺血管抵抗上昇により肺高血圧が合併するが，これは術後 PH crisis の原因になるため注意が必要.
9. 呼称として，connection を drainage に変えれば TAPVD，return に変えれば TAPVR と略する.

総肺静脈還流異常の分類と基本心エコー 1

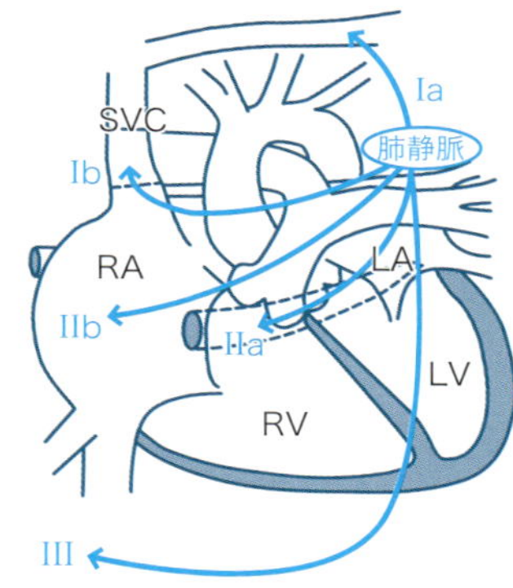

portal vein
ductus venosus

★矢印は異常肺静脈（Ⅱb 以外垂直静脈）の還流部位を示す

- 上心臓型：45 ～ 50%
  - A：上心臓型（無名静脈）… Ⅰa
  - B：上心臓型（上大静脈）… Ⅰb
- 心臓型：20 ～ 25%
  - C：心臓型（冠状静脈洞）… Ⅱa
  - D：心臓型（右心房）… Ⅱb（共通肺静脈を形成しない）
- 下心臓型：20 ～ 25%
  - E：下心臓型（門脈，静脈管，下大静脈，肝静脈）… Ⅲ
- 混合型：5 ～ 10%
  - F：混合型（上記 A ～ E の mixed type）… Ⅳ

総肺静脈還流異常の分類と基本心エコー 2
各型に共通の所見

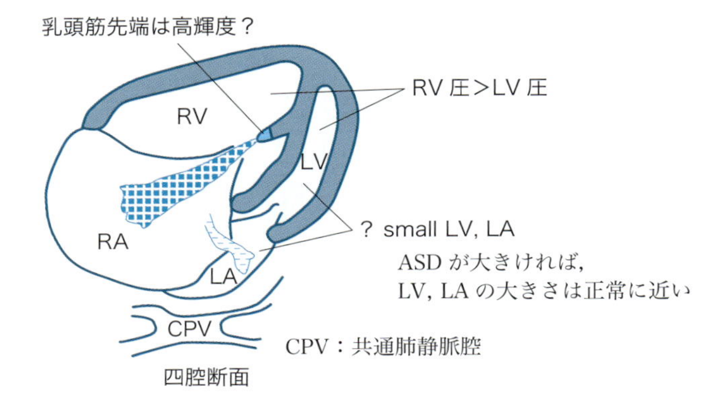

四腔断面

1. 四腔断面

- 一般的に左房・左室は小さくみえる．ただし，心房間交通が大きいと左心系の発育は悪くない．
- 心房間交通は必ず右左方向．
- 左房内に流入する肺静脈血流はなく，左房の背側下方に共通肺静脈腔を認める（II b 以外）．

2. 短軸断面

- 右室は拡張し，心房間交通が小さい場合左室は小さい．左室は大きい右室の重量また肺高血圧により圧迫され半月形，もしくは三日月形を呈する．しかしほとんどの場合，術後に左房還流量が増加すれば循環血液量を保持できる左室容量を有している．

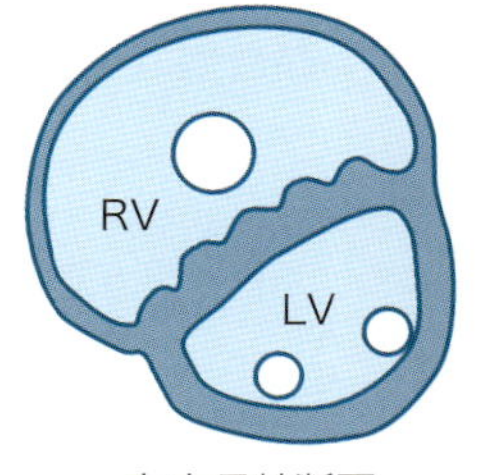

左室長軸断面

総肺静脈還流異常の分類と基本心エコー 3

上心臓型（I 型）

1. Ia 型

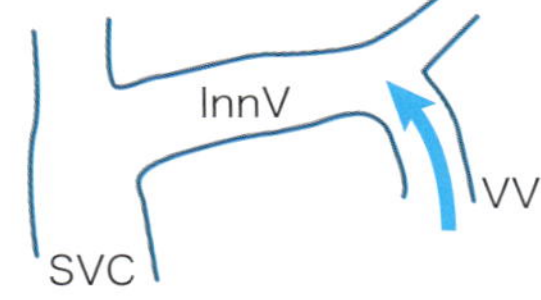

A 胸骨上窩からの前額断面

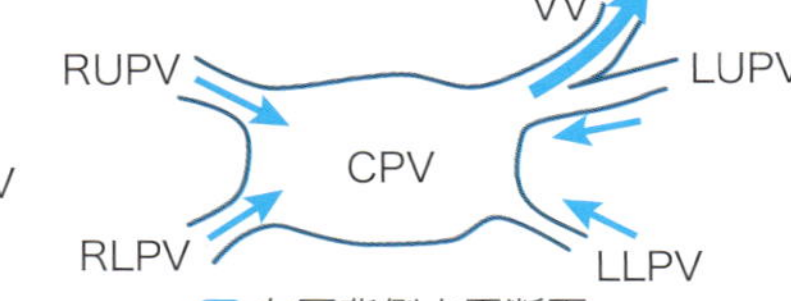

B 左房背側水平断面

- 胸骨上窩からの前額断面像：無名静脈（InnV）の拡張（≧7 mm），InnV 左縁に流入する垂直静脈（VV）を確認する（A）．VV の走行経路には気管，左肺動脈，動脈管などが交差し，垂直静脈を圧迫する．カラードップラで狭窄の有無（乱流）をチェックし，流速を測定する．共通肺静脈腔（CPV）とそこから頭側（InnV）に向かう VV を描出する．両側の lower PV は toward flow（赤），upper PV は away flow（青）で描出される．VV と left upper PV と間違えないように注意する（☞ p220-221）．
- 右上肺静脈の血流は超音波ビームに直行するため，カラードップラで色がつきにくい．水平断面で上大静脈の背側を観察する（☞ p10）．

2. Ib 型

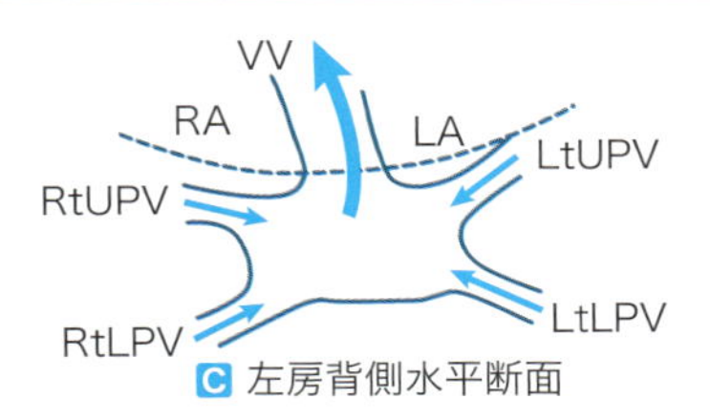

C 左房背側水平断面

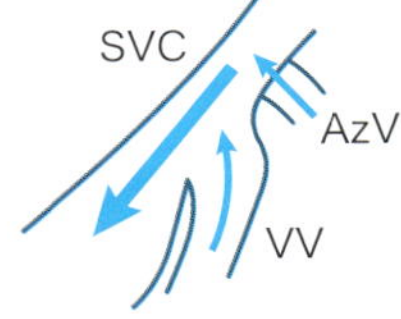

D 胸骨右縁矢状断面

- 左房背側水平断面：VV は左房の背側を通り，右上方に向かう．VV が合流した後，上大静脈（SVC）は太くなる（C）．
- 胸骨右縁矢状断面：奇静脈（AzV）と SVC/RA 接合部間に背側から VV が入る（D）．同部より心臓側の SVC は拡張する．

総肺静脈還流異常の分類と基本心エコー 4

傍心臓型（Ⅱa 型）

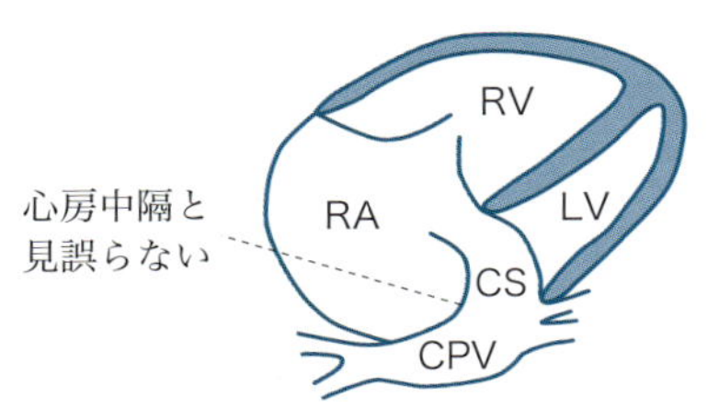

四腔断面からやや背側をのぞむ断面

- 四腔断面像からさらに背側を観察する．拡大した冠静脈洞（CS）に共通肺静脈（CPV）が流入する．CS は左房の背側を通過する．したがって，僧帽弁の動きが見える位置より，より背側（僧帽弁輪が見える位置）で CPV は CS に連絡する．これを PV が左房に入っている像と間違えない．左房なら僧帽弁の動きが見えなければならない．
- カラードップラで肺静脈の還流を観察する際に，CPV から CS にいたる壁を心房中隔のように見てしまうと，あたかも肺静脈からの血流が左房に還流しているように勘違いしてしまうため，注意が必要である．

総肺静脈還流異常の分類と基本心エコー 5

下心臓型（Ⅲ型）

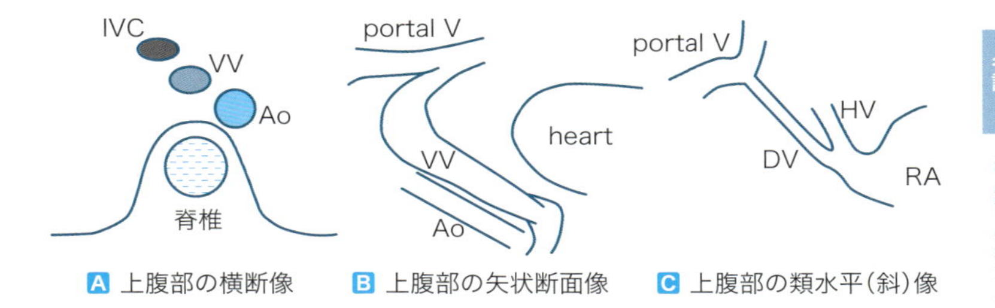

A 上腹部の横断像　B 上腹部の矢状断面像　C 上腹部の類水平(斜)像

- 上腹部の横断像：通常は脊椎の左前面に大動脈，右前面（腹部大動脈の右前方）に下大静脈が観察されるが，その間にもう 1 本血管（垂直静脈：VV）が観察される（A）．
- 上腹部の横断～縦断像：上記の VV を見失わないようにプローブを回してこれを長軸に観察する．VV は心臓の背側を通過し，横隔膜を貫いて門脈に連絡することが多い（B）．VV 内の血流は遅く，velocity range を下げて血流を観察する．VV 内血流に呼吸変動がなく，流速が遅い場合，肺静脈の閉塞性は高度である．
- 静脈管（DV）の観察：静脈管の開存状態チェック．DV が閉鎖すると肺静脈血流はすべて門脈（portal vein）を流れざるを得なくなる．その結果，血管抵抗が上昇し，肺水腫が増悪して呼吸症状が強くなる．DV は肝静脈（HV）の下大静脈（IVC）流入部近くに連絡する（C）．

総肺静脈還流異常に対する手術と術後合併症

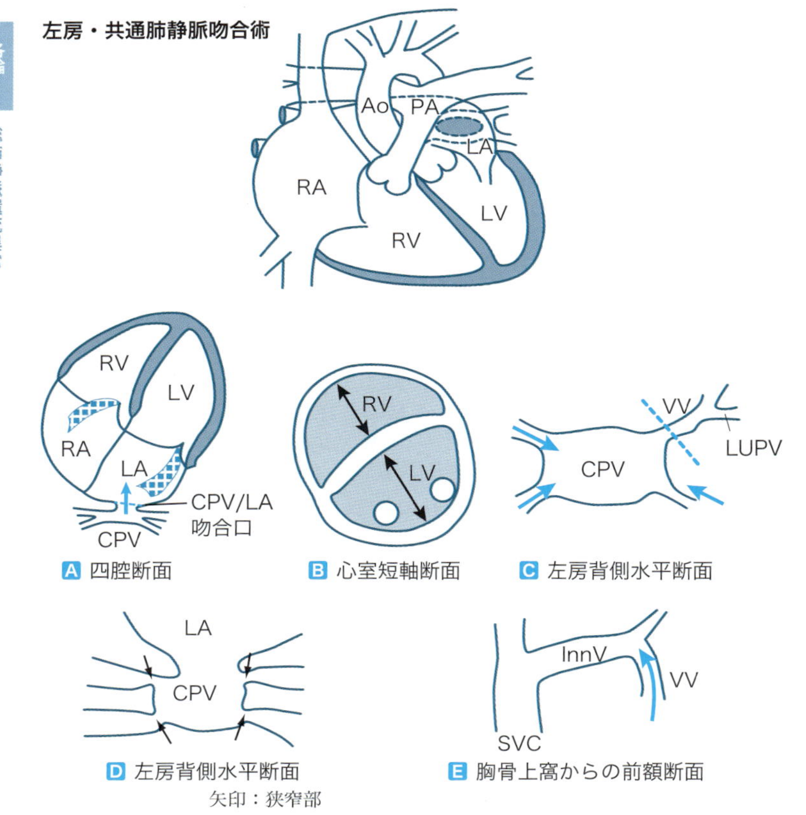

A 四腔断面　B 心室短軸断面　C 左房背側水平断面

D 左房背側水平断面
矢印：狭窄部

E 胸骨上窩からの前額断面

1. 四腔断面像

- 三尖弁逆流の程度，流速（肺高血圧は改善？），左心系容量増大，肺静脈血流速度チェック（A）．術後肺静脈狭窄：5%例で認めるため注意．左房内への肺静脈血流が加速している場合，狭窄が共通肺静脈（CPV）・左房吻合部か，末梢肺静脈・共通肺静脈境界にあるのか鑑別する．

2. 心室短軸断面

- 左室形態から右室圧（肺動脈圧）推定（B）．☞ p40
- 左室容量（左室拡張末期径など）の変化もチェックする．

3. 左房背側水平断面

- Ｉa で左上肺静脈（LUPV）が垂直静脈（VV）側に残っている可能性あり（C 点線）．術前に垂直静脈と左上肺静脈を取り違えない．肺静脈・共通肺静脈腔（CPV）境界部，CPV・左房吻合部に狭窄病変がないかチェック（D）．

4. 胸骨上窩からの前額断面

- Ｉa で LUPV が VV 側に残っていないかチェック．残っていれば垂直静脈（VV）からの血流が無名静脈（InnV）に還流する様子がみえる（CE）．

総動脈幹症

truncus arteriosus（TrA）

1. 発生率 94/100 万生産児．先天性心疾患の 1.2%に相当．
2. Del22q11.2 症候群の合併率は総動脈幹の 11 ～ 41%．大動脈弓離断（IAA）合併例（合併率 10 ～ 20%，通常タイプ B）に限れば 50%に達する．
3. 約 10 ～ 20%は重複大動脈弓，三尖弁閉鎖，単心室，総肺静脈還流異常，完全型房室中隔欠損などを合併する．
4. 総動脈幹弁は三弁性 42 ～ 64%，四弁性 24 ～ 25%，二弁性 8 ～ 15%である．弁はしばしば厚くゼラチン様で異形成弁である．狭窄，逆流にも留意する．
5. 冠動脈：2/3 例で正常，1/3 では 2 本の冠動脈が同じ洞から起始，または単冠動脈である．また 1/4 例は high take off の形態をとる．右冠動脈が右室流出路を横切ることがあり，Rastelli 手術前に冠動脈の起始様式を明らかにしておく必要がある．
6. 大動脈弓：20 ～ 30%で右大動脈弓である．
7. 動脈管（PDA）：IAA 合併例は大きな PDA を有するが，IAA を合併しないもので，PDA を伴っているのは 10%に過ぎない．
8. 大動脈騎乗：約 40%例で 50%騎乗，40%例では主に右室から起始，20%例では左室から起始している．
9. 心不全発症時期：肺血管抵抗の低下する生後 2 ～ 4 週で発症するが，それ以前にも多呼吸，体重増加不良などの症状が認められる．

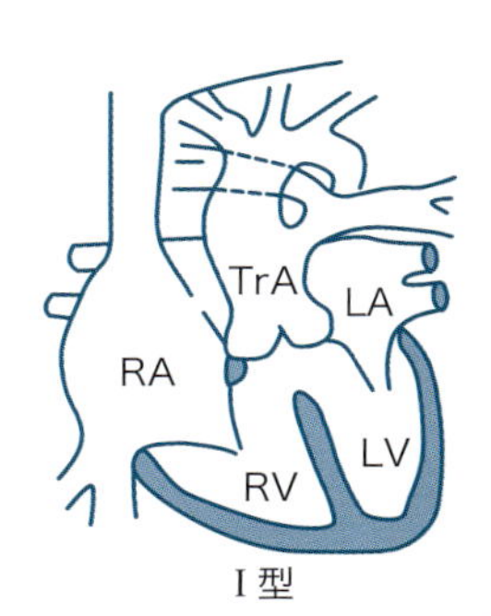

I 型

10. 肺血流量は多く，肺動脈には高圧がかかるため，肺高血圧が早期に進行する．3ヵ月で高度肺高血圧に至った症例の報告もある．また左右肺動脈には狭窄を有することがある．

11. 死亡リスク：大動脈離断の合併，総動脈幹弁置換，冠動脈の異常，日齢＞100日はmajor risk factor.

総動脈幹症の分類

I 型
(48～68%)

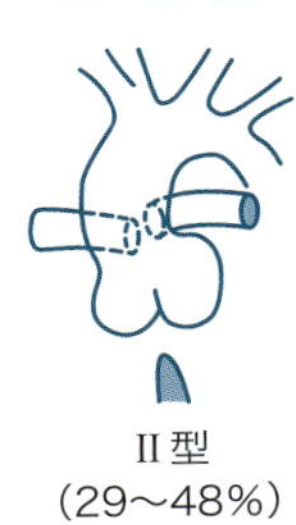

II 型
(29～48%)

III 型
(6～10%)

IV型
PA, VSD with MAPCA
と考えられている
(☞ p165-168)

1. Collett-Edwards 分類

- I 型：MPA は総動脈管の左側面より起始.
- II 型：両側肺動脈は side by side か共通孔を形成し，総動脈管後面より起始.
- III 型：上行大動脈からは 1 本の肺動脈のみ起始．他は大動脈弓下面から起始.
- IV型：肺動脈閉鎖＋心室中隔欠損に相当.

2. van Praagh 分類の 4 型

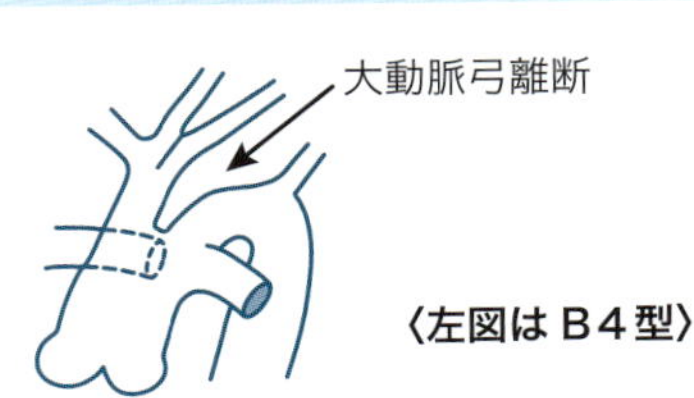

〈左図は B4 型〉

- 総動脈幹の 11 ～ 19%に認められる.
  左肺動脈が右肺動脈起始部の右側より起始して，動脈管の背側で交差する場合が稀に認められる.

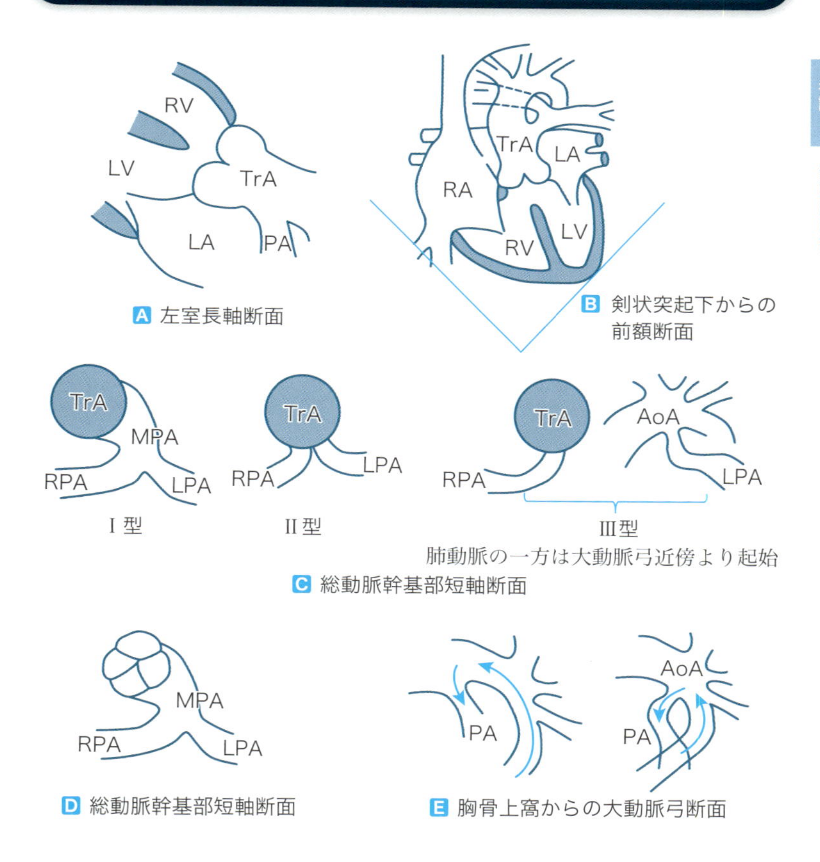

A 左室長軸断面

B 剣状突起下からの前額断面

C 総動脈幹基部短軸断面

D 総動脈幹基部短軸断面

E 胸骨上窩からの大動脈弓断面

1. 左室長軸断面

- 両心室から起始する大血管は1本のみ（総動脈幹：TrA）で心室中隔に騎乗し，その背面からは肺動脈が起始（A）．総動脈幹弁の狭窄・逆流の程度をチェック．

2. 剣状突起下からの前額断面

- 心室中隔欠損，総動脈幹が心室中隔に騎乗する様子を描出．プローブをやや背側に向けると肺動脈が観察できる（B）．

3. 総動脈幹短軸断面

- I型では左側面から主肺動脈（MPA）が起始．II型では背面から左右肺動脈（LPA，RPA）が起始．III型では一方の肺動脈のみ起始．他方は大動脈弓下面から起始（C）．総動脈管弁の枚数チェック（D）．

4. 胸骨上窩からの大動脈弓断面

- 大動脈弓，上行大動脈（総動脈幹）内の逆行波をカラードップラで観察すると肺動脈の位置を観察しやすいが，有意な総動脈幹弁逆流がある場合は難しい（E）．

総動脈幹症の合併症

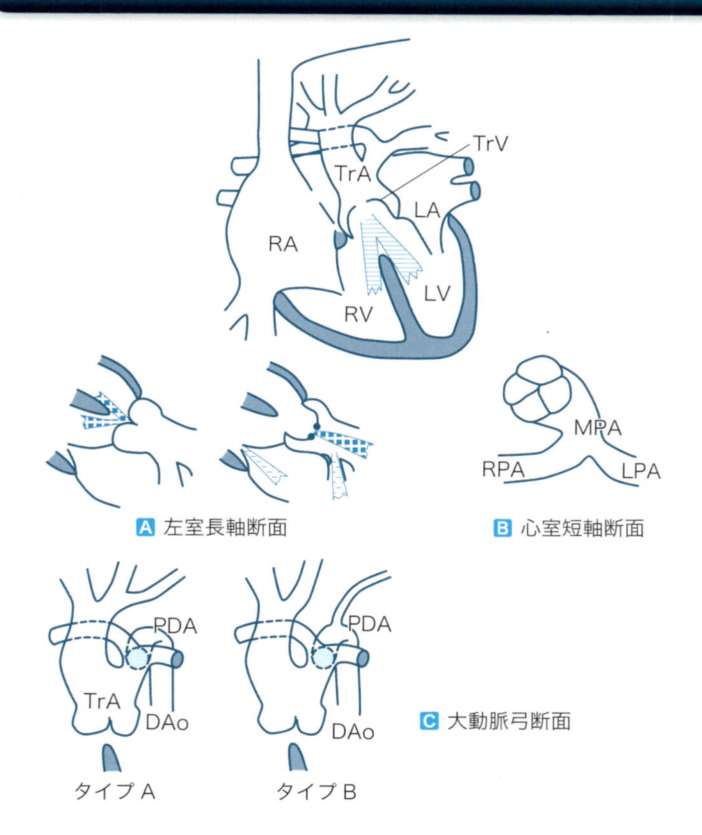

A 左室長軸断面　B 心室短軸断面　C 大動脈弓断面

- 心室長軸断面：総動脈幹弁（TrV）の狭窄，逆流チェック．肺動脈狭窄の有無，僧帽弁逆流（A）．
- 総動脈幹短軸断面：総動脈幹弁枚数チェック，左右肺動脈狭窄の有無（B）．３弁でも弁が斜めに切れて流出路が弁尖のように観察されることあり注意する．
- 大動脈弓：右大動脈弓の頻度が高い．大動脈弓離断タイプB（C右）＞タイプA（C左）で del22q11.2 症候群に注意．
- その他，鎖骨下動脈起始異常，両側上大静脈，部分肺静脈還流異常などの合併にも留意する．

総動脈幹症に対する心内修復術後心エコー

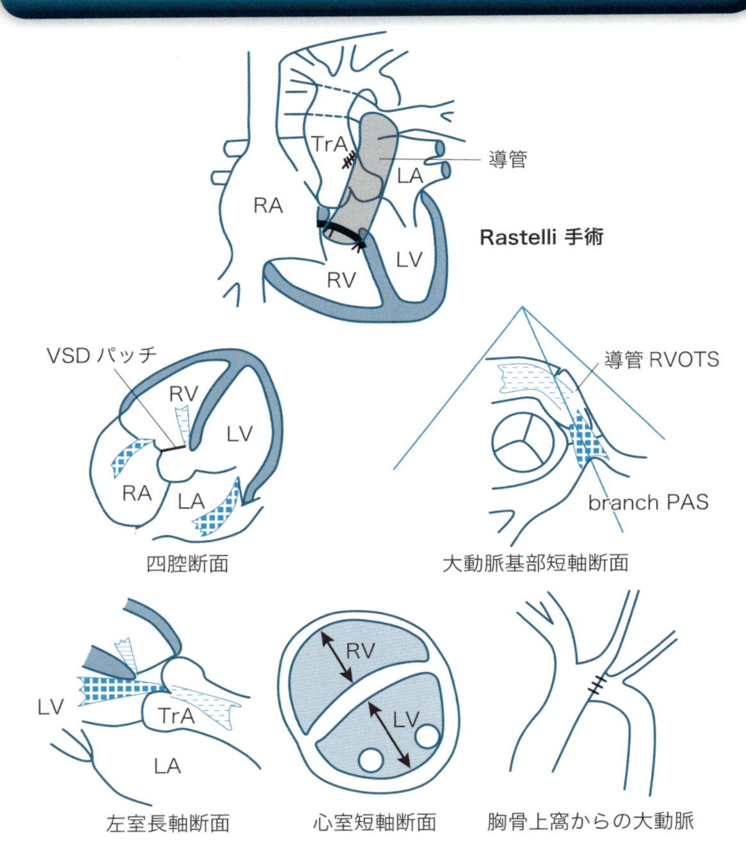

- 四腔断面：VSD 遺残短絡，TR 流速から右室圧（肺動脈圧）評価.
- 大動脈基部短軸断面：右室流出路狭窄（RVOTS：導管内狭窄），PR 評価，肺動脈分岐部狭窄（branch PAS）.
- 心室長軸断面：総動脈幹弁狭窄・逆流，VSD 遺残短絡評価（短絡血流速度より右室圧推定）.
- 心室短軸断面：左室拡張末期径（LVEDD），左室駆出率，RV/LVEDD 比，左室形態から右室圧推定.
- 胸骨上窩からの大動脈：大動脈弓離断修復後は遺残狭窄の評価.

単心室
univentricular heart（UV≒SV）

1. 発生率85/100万生産児．先天性心疾患の1.1〜1.3%に相当する．

2. 東洋人ではdouble inlet right ventricle（DIRV）60〜65%，double inlet left ventricle（DILV）28〜34%，そしてindeterminate 12%といわれている．欧米人ではDILVが70〜80%と多い．

3. DIRV：rudimentary chamberは後下方に位置して通常左側にある．背側にあるためoutlet chamber（rudimentary chamberのうち大血管が起始するもの）にはならない（☞p234）．心室，大血管のconnectionは通常両大血管右室起始の様式となり，70〜90%例で肺動脈弁狭窄・閉鎖を合併する．房室弁は共通房室弁のことが多い．房室弁2枚の場合，straddling mitral/tricuspid valveを合併する症例もある．大動脈弓の閉塞病変は多くない．肺静脈の異常を合併することも少なくない．

4. DILV：90%例で心室・大血管のconnectionはdiscordant. Rudimentary chamberは前上方に位置．Discordant connectionの約2/3はL-loopの心室を有し，大動脈はrudimentary chamberから起始しoutlet chamberの形態をとる．D-loopの場合，outlet chamberは右にある．

5. DILVの場合，bulvoventricular foramen（BVF：rudimentary chamberと主心室間の交通孔であるが，rudimentary chamberは流入路を有さず心室と定義されないため，心室中隔欠損と呼ばない）のサイズは非常に重要である．BVFの直行する半径をr1, r2とした場合，3.14×r1(cm)×r2(cm)÷BSA(m^2)＜2.0の場合，VIFは小さすぎ，将来大動脈弁下狭窄を合併する可能性が高い．大動脈縮窄，大動脈弓離断を合併する場合と同様に，Damus-Kaye-Stansel（DKS）手術の対象と考えられる．

6. BVFが十分広いように見えても，肺動脈絞扼術後，Glenn/Fontan手術後に心室容積が縮小し，restrictiveとなる場合もある．

7. 肺血流増加例45％，減少例46％，バランスが取れた症例9％といわれる．

房室弁の所属：50%ルール

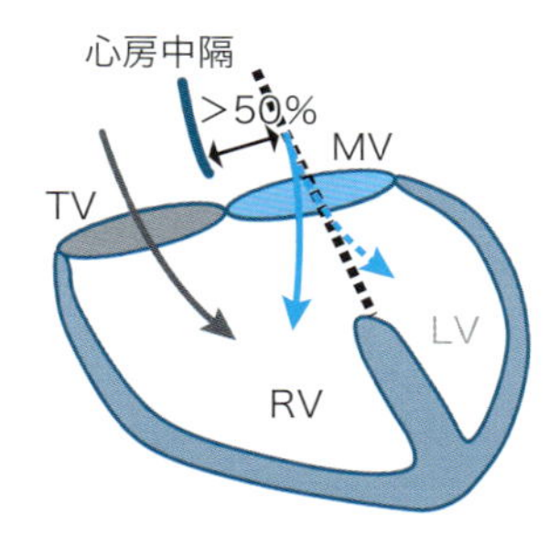

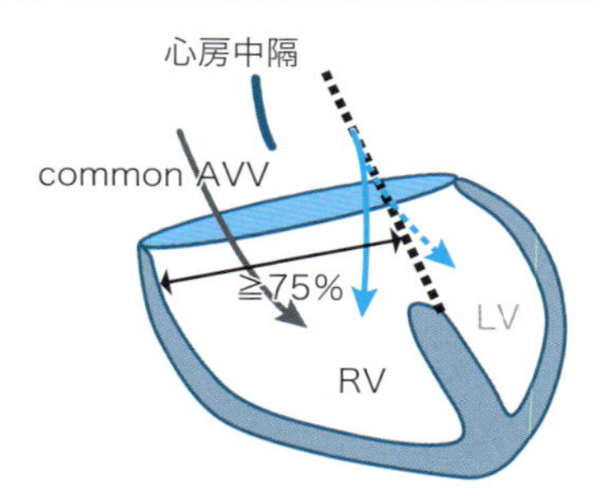

- 心房中隔と心室中隔の軸はずれている（malalign）.
- 房室弁が2枚あり，一側の房室弁が50％以上，心室中隔に騎乗する場合，その房室弁は逆側心室に属すると考える．たとえば僧帽弁が心室中隔に50％以上騎乗する場合はdouble inlet right ventricle（DIRV；右室型単心室），三尖弁が心室中隔に50％以上騎乗すればdouble inlet left ventricle（DILV；左室型単心室）と診断される．
- 同様に共通房室弁（common AVV）が75％以上心室中隔に騎乗する場合，その共通房室弁は優位心室に属すると考える．たとえば共通房室弁が右室優位の形で75％以上心室中隔に騎乗する場合は，double inlet right ventricle（DIRV；右室型単心室）と診断される．

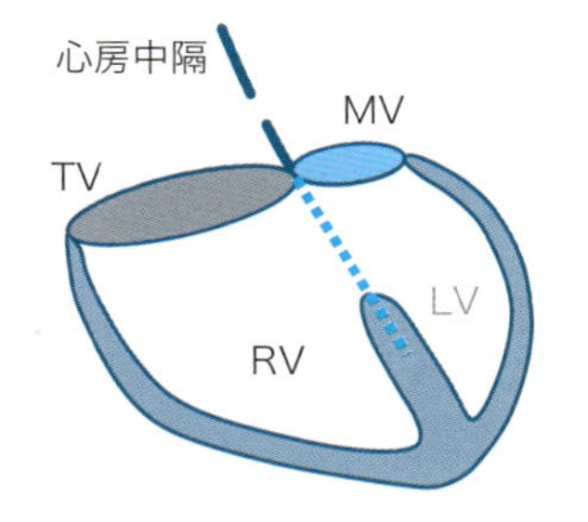

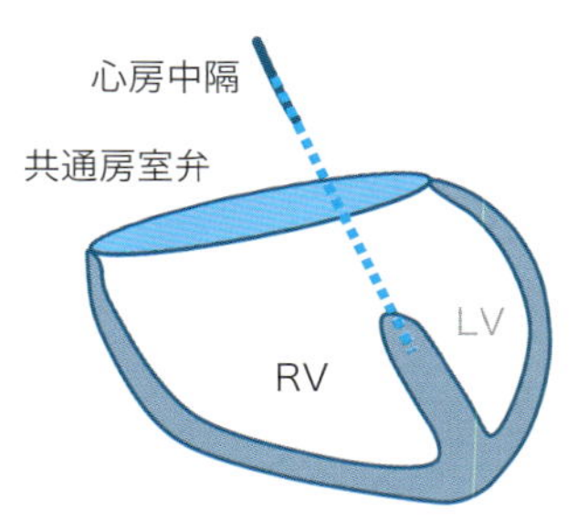

- 一方の心室が低形成であっても，心房中隔，心室中隔のずれがなければ，一側の心室が小さい（低形成）だけで，DILV，DIRVに該当しない．しかし，手術に際してはFontan型手術の対象（Fontan candidate）として扱わなければならず，機能的単心室と考える．

さまざまな単心室

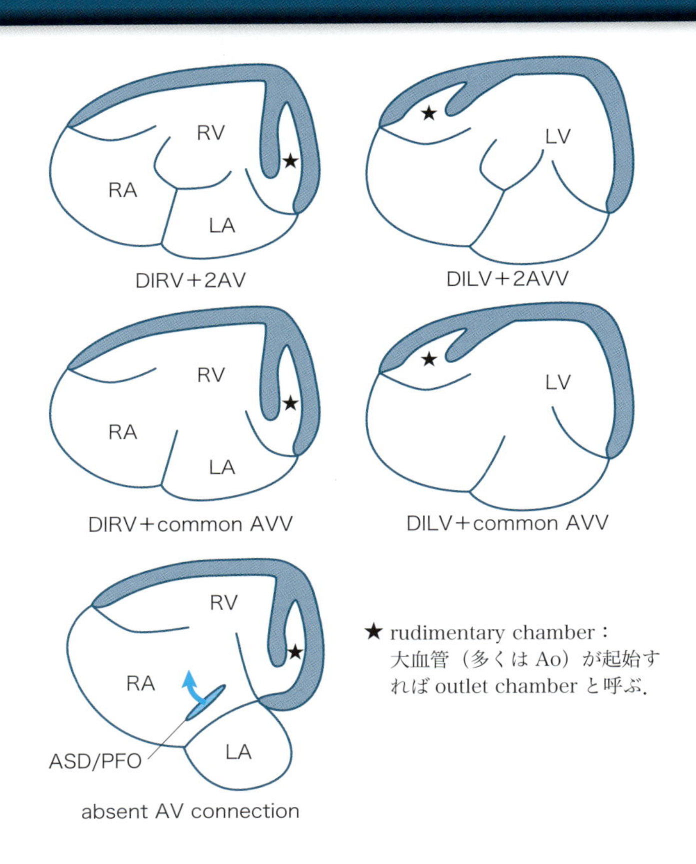

★ rudimentary chamber：
大血管（多くはAo）が起始すればoutlet chamberと呼ぶ．

- 単心室のもう一つの形態は，一側の房室弁（atrioventricular valve：AVV）が形成されない場合でabsent AV connectionと呼ぶ．

房室弁の Overriding & Straddling

1. Overriding

- 弁輪が心室中隔に騎乗しているかどうか.

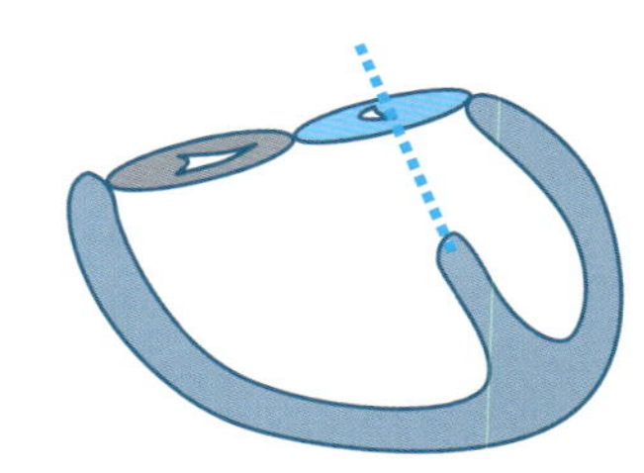

2. Straddling

- 腱索・乳頭筋が心室中隔を跨いでいるかどうか.

左側房室弁（A）
overriding あり
straddling なし
左側房室弁（B）
overriding あり
straddling あり
左側房室弁（C）
overriding なし
straddling あり

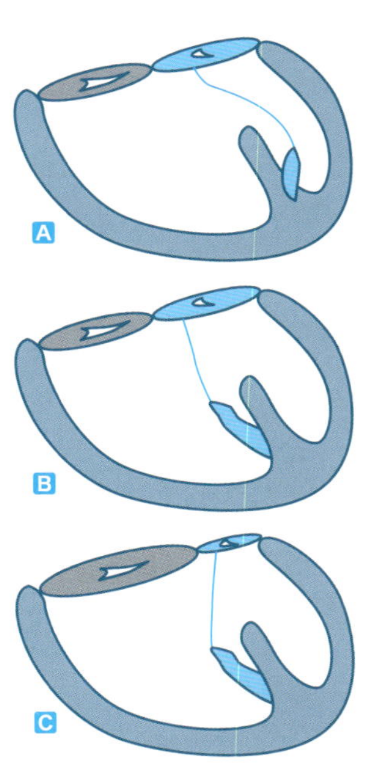

単心室診断に重要な短軸断面

- 後方にある心室は左室である．前方の心室（右室）が小さい場合，そこから大血管が起始（通常は大動脈：Ao）し得る．流入路は主心室（dominant chamber）に向かうため，この小さな室を心室とは呼べず，痕跡的心室（rudimentary chamber：RC）と呼ぶ．流出路を持つ場合，これを特別に outlet chamber と呼ぶ．背側の RC から大血管は起始しない．
- L-loop では RC が左にあることが多い．大血管は Ao が RC から，肺動脈（PA）が主心室から起始することが多い（A）．
- D-loop では RC が右前にあることもある．大血管はやはり Ao が RC から起始することが多い（B）．
- ２つの房室弁の間には心室中隔が入らないので両者はほぼ接して観察される（kissing valves）（AB）．
- 右室性単心室は左房室弁閉鎖を伴うことも多い．心室・大血管関連は両大血管右室起始の形をとることが多い（C）．
- 右室性/左室性単心室ともに心室・大血管関連は，concordant，discordant，double outlet from the main/outlet chamber，single outlet など，さまざまなタイプが成立する．

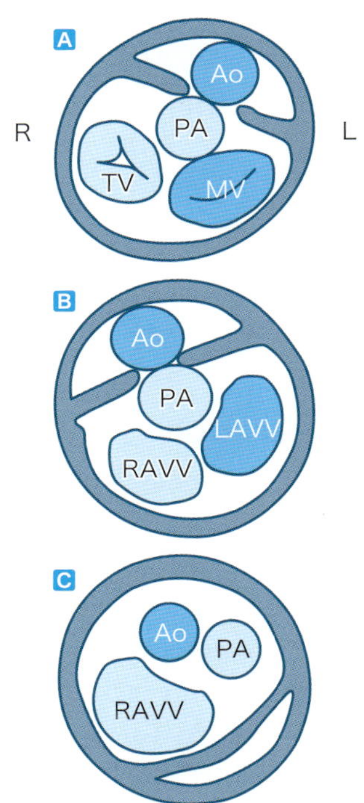

LAVV：
left atrioventricular valve
RAVV：
right atrioventricular valve

左室性単心室

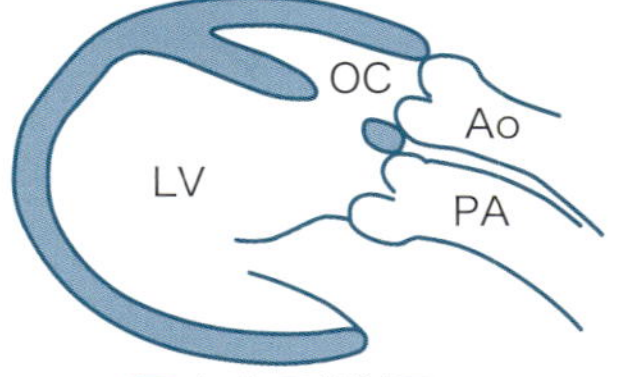

A 左室長軸断面

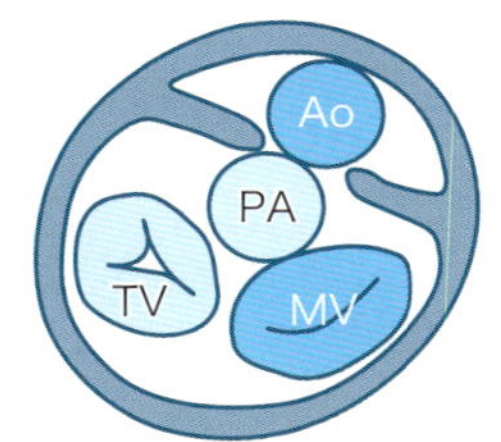

B 心室短軸断面

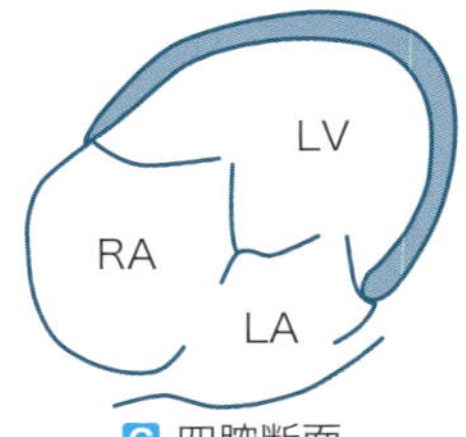

C 四腔断面

- 長軸断面（A）だけでは流入路は1つしか観察されず，large VSDを伴う完全大血管転位と鑑別しにくい場合がある．
- 2つの房室弁は，ほぼ接して観察される．Bの場合，outlet chamber（OC）は前方やや左側にあり，L-loopとなっている．86％例で大血管は大血管転位の関係にある（D-loop/L-loop＝1/3）．14％例は正常関係である．
- D-loop，左室性単心室（Uni-ventricular heart）で右側房室connectionがない場合，大血管はほとんど正常関係でHolmes heartと呼ばれる（☞次頁）．
- 四腔断面像（C）ではOCの背側を切った断面のため，より前方にあるOCやtrabecular septumは見えていない．乳頭筋（PM）を中隔と間違えないようにする（短軸断面でPMは柱，中隔は壁）．
- 房室弁2枚88％，共通房室弁12％，後者は無脾症候群，多脾症候群に属することが多い．また2枚の房室弁の一方に狭窄を有する場合が30％で，ほとんどが左房室弁狭窄（肺静脈側）である．

Holmes heart

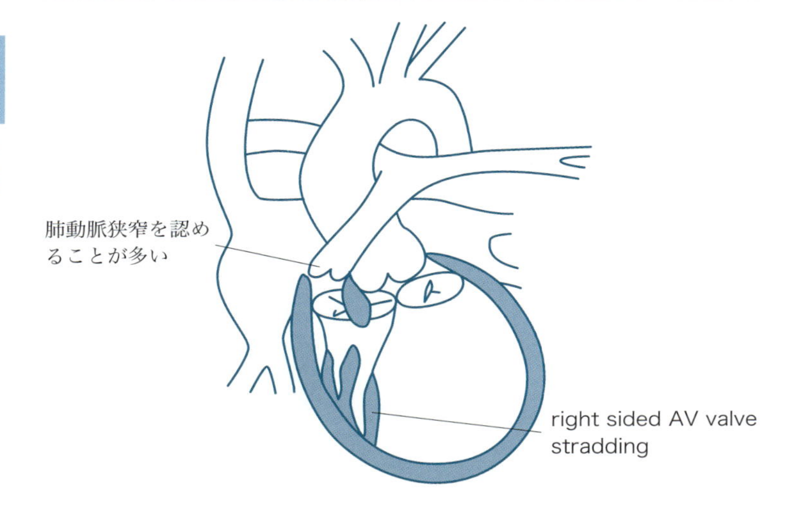

- Double inlet left ventricle（DILV）で主心室（左室）が左背側，rudimentary chamber が右前方に存在．前者から大動脈が，後者から肺動脈が起始するもので，DILV の亜形で比較的稀である．
- Bulboventricular foramen が restrictive で，肺動脈弁下狭窄を形成し，低酸素血症の原因になることがある．

右室性単心室

- **A** たとえば一側の房室弁が心室中隔に overriding または straddling する場合もある．大血管は DORV か肺動脈閉鎖を伴った single outlet である．
- **B** 大動脈前なら大動脈と肺動脈は平行に走行する．
- さまざまな方向から見ても rudimentary chamber を確認できない場合，univentricular heart of indeterminate type という．

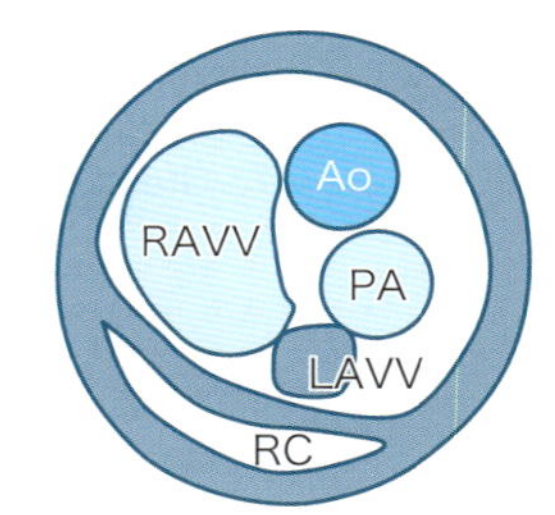

A 心室短軸断面

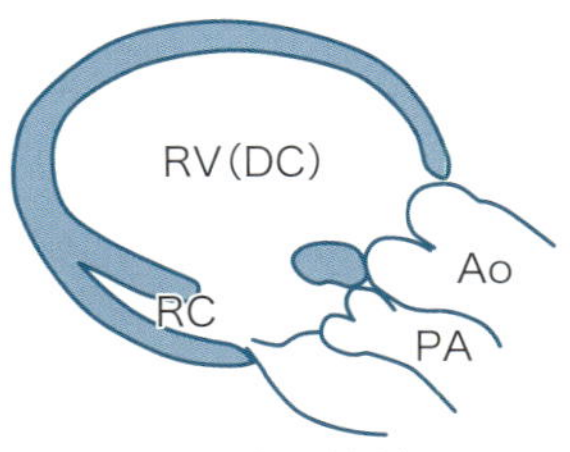

B 心室長軸断面

DC：dominant chamber
RC：rudimentary chamber

Glenn 手術と Fontan 手術

ドップラ血流波形による血行動態評価

1. Glenn 手術

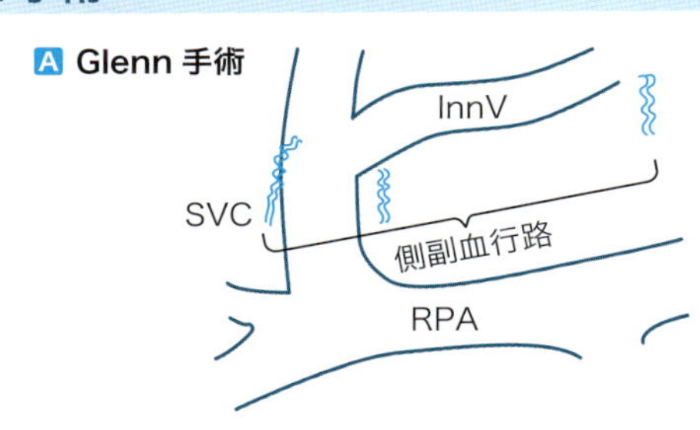

- Glenn 手術：生後 3 〜 6 ヵ月の間に行われる．上大静脈（SVC）の血流を肺動脈に連結させるが，他の血流供給源がない場合（additional flow），心臓の容量負荷は軽減する．
- 胸骨上窩からの前額断面（A）：カラードップラを入れると同定しやすい．Velocity range を下げて緩やかな血流を捉えることがポイント．SVC/RPA 吻合部の流速，カラードップラの観察により狭窄病変の有無をチェック．肺動脈狭窄は SVC 吻合部に限らず，mBT シャント吻合部，血栓形成，両側上大静脈で両側両方向 Glenn 手術施行時の中心肺動脈の発達不良などが原因として挙げられる．
- Glenn 手術後には時間とともに無名静脈，SVC から下半身体静脈，肺静脈系への側副血行路が発達することがあり，カラードップラで流速を下げてゆくと観察しやすい（A）．

2. Fontan 手術後の肺動脈・上大静脈血流パターン[3)]

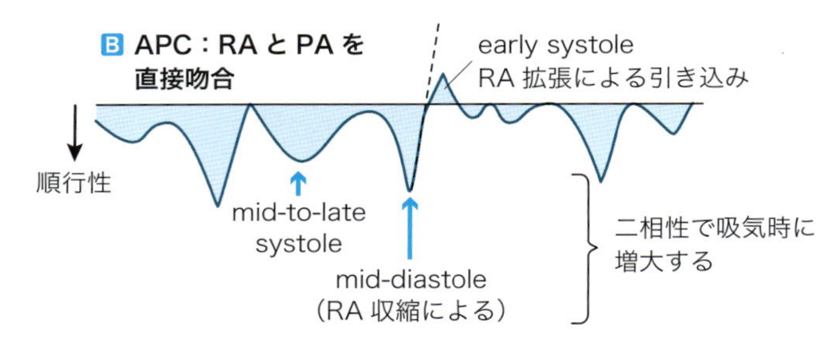

- Fontan 型手術でも，①心房と肺動脈を直接吻合する APC（atrio-pulmonary connection）と，②上大静脈と（右）肺動脈，下大静脈を lateral tunnel，または人工導管を介して肺動脈と吻合する TCPC（total cavo-pulmonary connection）では，肺動脈の血流パターンが異なる．APC では右房収縮により順行性血流が，右房拡張により逆行性血流が形成される（B）．

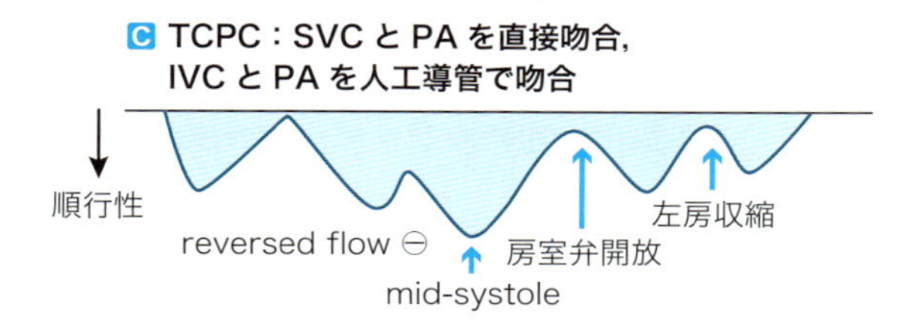

- TCPC の肺動脈血流パターン：左房拡張と房室弁が心尖方向へ引き下げられる運動により，収縮中期に順行波のピークが形成される．また矢印の最低流速は左房圧が最大の時，すなわち房室弁開放時と左房収縮の際に認められる．良好な状態では逆行波は認めない．3 サイクル分の平均圧較差が 3 mmHg 以上なら有意な狭窄があると判断する（C）．

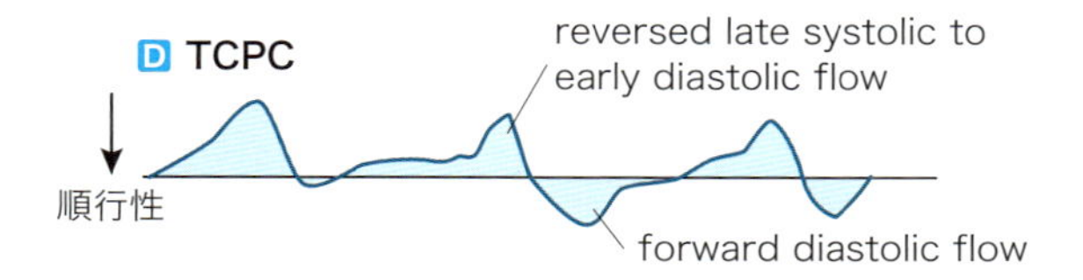

- TCPC の肺動脈血流パターン：順行波の減速と逆行波が認められる．これらの患者では心機能が低下しており（駆出率：43±9% vs 57±5%），Fontan 手術後の予後が不良である（D）．

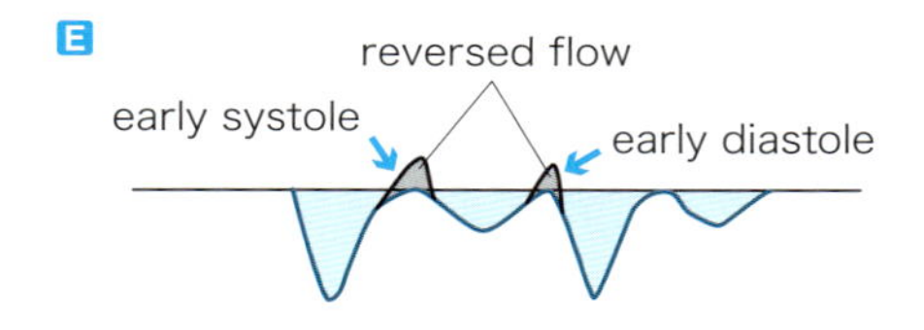

- ただし，肺動脈内の逆行波は大動脈弁逆流や房室弁逆流によっても形成される[54)]（E）．

- Fontan 手術後に酸素飽和度の低下を認める場合：人工血管や lateral tunnel のバッフル吻合部，開窓 Fontan 手術の開窓部からの右左短絡．高圧の体静脈系から低圧の肺静脈系への側副血行路の発達，肺動静脈瘻の鑑別が必要となる．その発見にはコントラストエコーが有用であり，カテーテル検査時に行えば肺動静脈瘻の存在部位推定が可能となる．肺動静脈瘻の合併率は heterotaxy syndrome で高いともいわれている[3)]．
- 体心室流出路狭窄：bulvoventricular foramen の縮小化，大動脈弁下狭窄の進行，大動脈狭窄の進行などが原因に挙げられる．カラードップラによる描出と連続波ドップラでの流速測定が有用である．
- 肺静脈～体心室流入部における狭窄：TCPC の人工導管や lateral tunnel のバッフルが張り出したために発生することが多い．カラードップラで乱流発生部位を同定し，1.3 m/s 以上の流速が観察されれば疑わしい[3)]．
- Fenestrated Fontan 手術の適応：
  ① RAP ≧ 18 mmHg，② SVEDP ≧ 12 mmHg，③有意な弁逆流，④肺動脈のねじれ・狭窄，⑤ PVRI ≧ 2 WUm^2，⑥ SVOTS，⑦ complex anomaly の合併など．しかし最近では術後急性期の安全性も加味して，fenestrated Fontan の適応は拡大している．
- 良好な Fontan 手術例では，fenestration における圧較差は 5 ～ 8 mmHg（心エコー検査で平均圧較差を測定）[2)]．

内臓心房錯位症候群
heterotaxy syndrome

1. 発生頻度：1/1万～4万生産児で先天性心疾患の1～5%に相当．
2. 胎生期における左右非対称性の確立障害．
3. しばしば気管，肝臓の対称構造を認め，脾臓の異常，腸管の回転異常，そして複雑心奇形を伴う．
4. 左右対称性の心房を有する：右側相同（right isomerism）と左側相同（left isomerism）．左右対称の心耳を有する．
5. 右側相同が無脾症候群，左側相同が多脾症候群に相当するが，splenic abnormality と isomerism が完全に対応するわけでなく，たとえば脾臓は正常のこともある．逆に splenic anomaly が正常心と共存する場合もある．
6. 子宮内自然死亡：左側相同 17.8%
右側相同 4.3%
7. 自然予後：多脾症候群の10～13.5%で心臓の構造異常なし．心室中隔欠損，動脈管開存などの単純心疾患を伴う場合もある．この場合，閉塞性肝障害などの合併症がなければ，予後は通常の心室中隔欠損，動脈管開存と同じである．
8. 右側相同，左側相同ともに新生児期の死亡率は高率である．左側相同の場合，6ヵ月を超えて生存するのは20%未満，右側相同の場合には重症度の高い心疾患，易感染性のため予後はさらに不良である．
9. 右側相同の感染は *Streptococcus pneumoniae*, *Haemophilus influenzae* など，莢膜抗原を有する病原体により引き起こされ，感染後数時間で死に至ることも稀でない．

無脾症候群・多脾症候群に関連する用語

- 心房や臓器の非対称性が

正常→心房内臓位正位 atrial-viscero situs solitus
正位の鏡像→心房内臓位逆位 situs inversus
正位でも逆位でもない
→心房内臓位錯位 situs ambiguus, heterotaxy

- 心房内臓位の錯位＋大血管奇形

→心房臓器錯位症候群 atrio visceral heterotaxy syndrome

左右の心房・内臓が右側形態→右側相同（right isomerism）
↕中間型，混合型あり
左右の心房・内臓が左側形態→左側相同（left isomerism）

- 脾臓形態を基に分類すると

右側相同→無脾症候群（asplenia）
左側相同→多脾症候群（polysplenia）

しかし心房内臓位と脾形態が一致しないこともある[55]．

■ MEMO

腸回転異常の診断

腹部エコー所見が有用．360 例の検討で，通常，上腸間膜静脈（SMV）は上腸間膜動脈（SMA）の右側にある．SMV が SMA の左側や前方にある場合は中腸回転異常に留意する．中腸軸捻転が合併すると whirlpool sign が認められる（図A）．

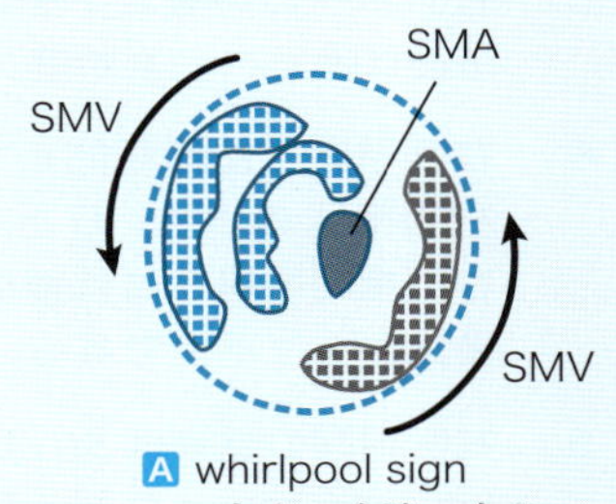

A whirlpool sign
矢印：血流の向き

心房臓器錯位症候群と優位心室

	Solitus	Inversus	Ambiguus	Total
LV type	228	1	8	237
RV type	22	—	12	34
Inderterm. type	22	2	17	41
Total	272	3	37	312

〈文献 56）より引用〉

無脾・多脾症候群と合併心奇形

	Asplenia	Polysplenia
Dextrocardia	40%	40%
ASD/common atrium	90%	80%
SV	50%	10%
AV canal	85%	40%
TGA	80%	30%
PS/PA	80%	30%
LVOTS	rare	40%
Bilat SVC	50%	40%
Absent IVC	rare	70%
TAPVC	70%	rare
PAPVC	rare	40%
Rt pul. Isomerism	70%	10%
Lt pul. Isomerism	rare	60%

AV canal：atrioventricular canals, IVC：inferior vena cava, LVOTS：left ventricular outflow tract syndrome, PA：pulmonary atresia, PAPVC：partial anomalous pulmonary venous connection, PS：pulmonary stenosis, SV：single ventricle, SVC：superior vena cava, TAPVC：total anomalous pulmonary venous connection, TGA：transposition of the great arteries

- 心エコー検査で上記の心内構造大血管，体肺静脈の異常について明らかにしていく必要がある．

無脾症候群・多脾症候群の診断に有用な季肋下腹部短軸断面

1. 脊椎と血管系の位置関係：正常

- 正常では大動脈は脊椎の左前方，下大静脈は脊椎の右側で大動脈より前方に位置する．

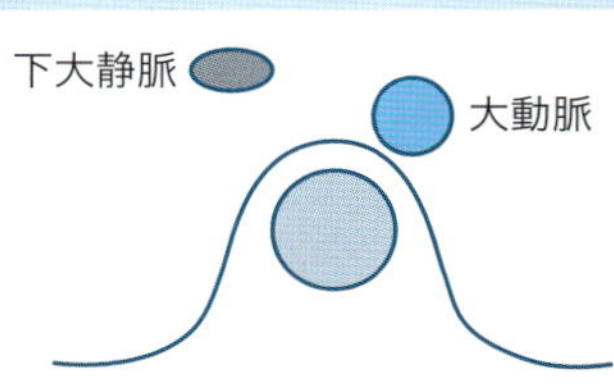

2. 脊椎と血管系の位置関係：無脾症候群

- 大動脈と下大静脈は脊椎に対して同側に存在する（aorticocaval juxtaposition）．下大静脈がより前方に位置．

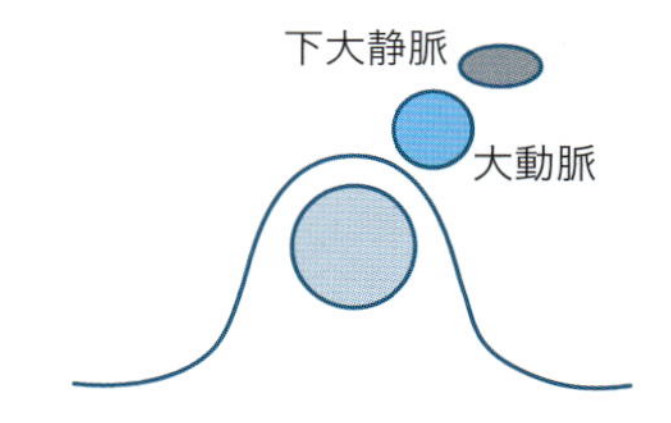

3. 脊椎と血管系の位置関係：多脾症候群

- しばしば下大静脈は欠損：奇静脈結合（azygos connection）．大動脈の背側に太い半奇静脈（左側），奇静脈（右側）を認める．多脾症の場合，脾臓を観察すると，ブドウの房状に集まった多房性の脾臓が確認される．

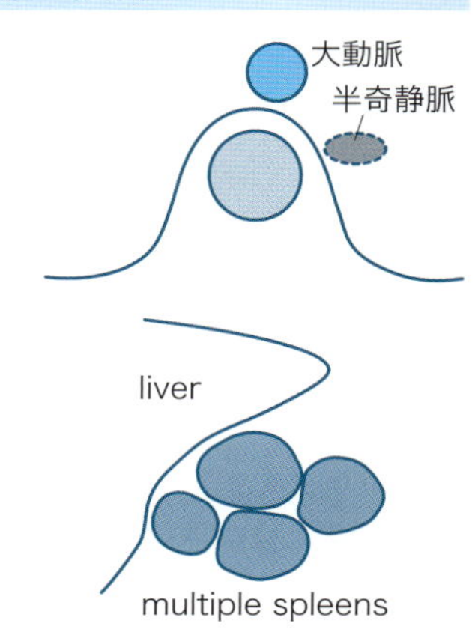

修正大血管転位
corrected transposition of the great arteries（cTGA）

1. 発生率：27/100万生産児．先天性心疾患の0.4～1.0%に相当する．
2. Situs inversus：5～20%に認められる．
3. 約80%例で心室中隔欠損（VSD）を合併する．多くは傍膜様部欠損で前後上下方に進展する．
4. 約40～70%例で肺動脈狭窄（PS）を有し，約8%例では肺動脈閉鎖となる．
5. 三尖弁はしばしば異常で，厚く異形成な弁尖・腱索を有している．
6. Ebstein奇形を合併することも少なくないが，通常のEbstein奇形と異なり，三尖弁輪は拡大しておらず，前尖も大きくない．1/3の症例では有意な三尖弁逆流を有する．
7. しばしば右室流出路狭窄のほか，大動脈閉鎖，大動脈弓低形成，大動脈縮窄・離断などの流出路狭窄を合併する．この場合，大動脈への血流を減少させるEbstein奇形の重症度に留意する．
8. 有意な三尖弁逆流（TR）はVSD単独例（56%）やVSDを有さない症例（60%）に比して，VSD＋PS例（31%）で少ない．
9. TRは肺動脈絞扼術により減少する．単純にVSDを閉鎖した場合，TRが悪化する傾向があり注意を要する．
10. 房室ブロックの合併率が高い．

修正大血管転位の基本心エコー

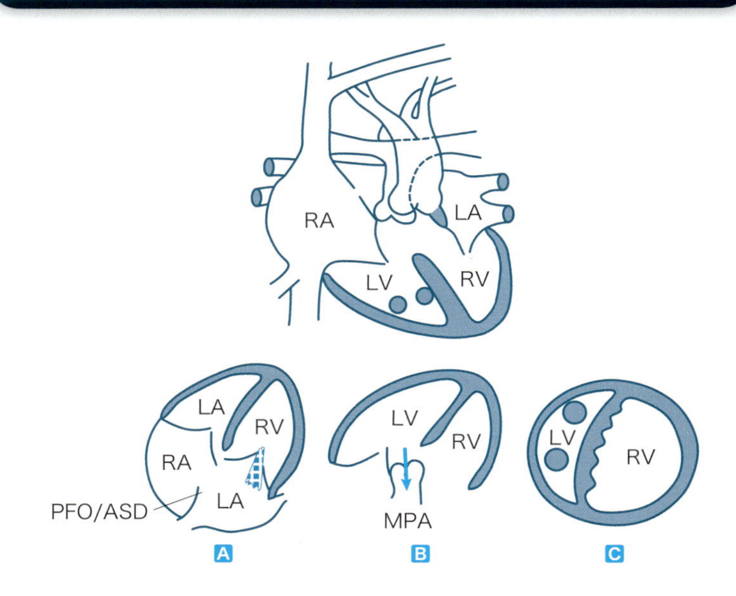

1. 四腔断面

- 右側心室＝左室，左側心室＝右室で，僧帽弁，三尖弁の付着側が逆側になる．左側房室弁逆流＝TR である（A）．LV から PA への流出路血流を右側房室弁逆流と間違わないよう注意する（B）．

2. 短軸断面

- 左右心室は逆で side by side に位置する（C）．左右心室の鑑別には，乳頭筋の形態・大きさ，心室中隔面の性状に注意する（☞ p23）．
- 大動脈基部短軸断面では，大動脈が左前・肺動脈が右後方に位置し，右に右側左心室を養う左冠動脈，左に左側右心室を養う右冠動脈が観察される．前下降枝は右側にある左冠動脈から分枝する（D）．

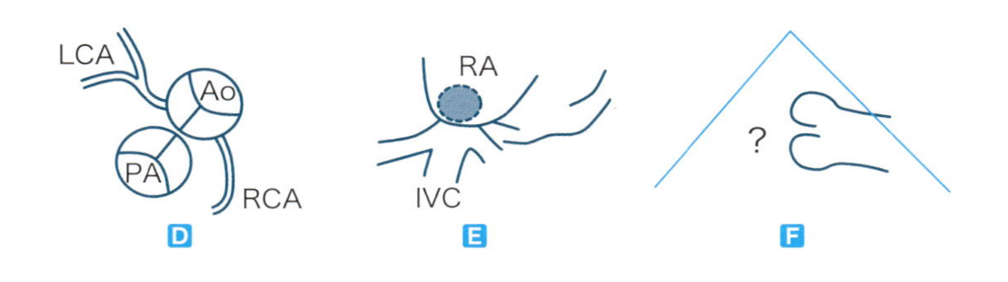

3. 剣状突起下からの水平断面

- まず下大静脈（IVC）の位置を確認．プローブを頭側に傾けて下大静脈が連結する心房を右房と同定する（E）．

4. 長軸断面

- 心室中隔がエコー断面と平行になり描出困難なため，四腔断面からは理解しがたい像になる（F）．そのような長軸断面が見られた場合，修正大血管転位を思い起こす．

5. 体心室である右心機能の評価

- エコーでの評価は難しい．一般的な評価法として，

> - RVFAC ≧ 35%（以下，数字は正常値）
> - 三尖弁輪収縮期移動距離（TAPSE）≧ 16 mm
> - RVTEI index ＜ 0.4（パルスドップラ），＜ 0.55（組織ドップラ）
> - 組織ドップラによる三尖弁輪 S′ 波高 ＞ 10 cm/sec

などが挙げられる．
- これらの値の経時的変化が重要で，例えばMRI検査と同時期の心エコー検査値を基準に比較検討していくのがよいと考えている．

6. 三尖弁（TV）逆流（TR）評価

- 高度基準の目安（成人）として，① vena contracta 幅 7 mm，② 肺静脈収縮期逆流波，③ TR 面積/左房面積 ≧ 40%，④ TV 流入血流 E 波流速 ≧ 1.5 m/s，TV 弁輪拡大・弁接合不良，TV 有効逆流口面積 ≧ 0.4 cm^2，TV 逆流率 ≧ 55% などが挙げられている[2]．

修正大血管転位の合併心奇形

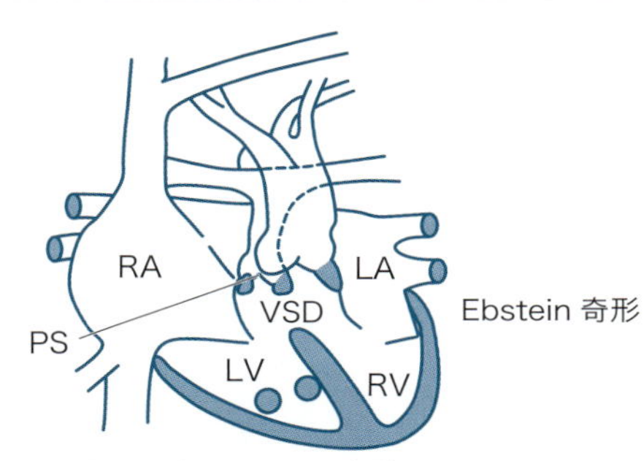

VSD, PS, Ebstein 奇形, TR

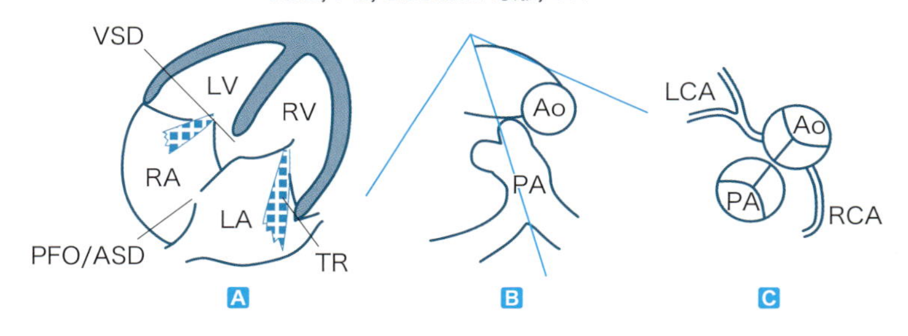

1. 四腔断面

- 左右心室のバランス，心室中隔欠損/心房中隔欠損，Ebstein 奇形，三尖弁逆流（TR），僧帽弁逆流（MR）をチェックする．肺動脈圧推定には MR を測定する．左側房室弁（三尖弁）の心室中隔付着部位は左側房室弁に比して，より心尖方向に位置している（A）．

2. 大動脈基部短軸断面

- 大動脈弁は肺動脈弁の左前に位置．右室流出路はしばしば瘤状に拡張する（B）．
- 冠動脈の起始，分枝状態を明らかにする（C）．

修正大血管転位に対する手術

conventional 手術とダブルスイッチ手術

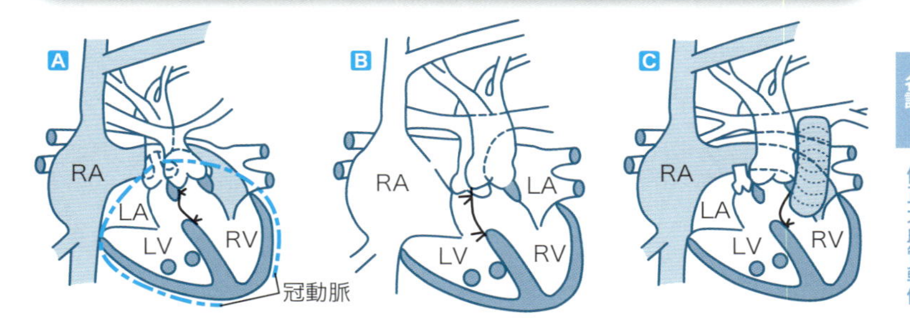

- A ダブルスイッチ手術：Mustard（Senning）手術＋ Jatene 手術．手術適応は次のとおり．

①両心室の流出路，半月弁に閉塞病変がない
②両心室容量のバランス良好
③Straddling などの問題が房室弁になく，二心室修復が可能
④左室圧は右室圧の≧ 75％で心機能は良好
⑤冠動脈の肺動脈への移植が可能

- B 従来法による手術法：VSD 閉鎖±右室流出路狭窄解除術．有意な三尖弁逆流に対する弁形成や弁置換．
- C ダブルスイッチ手術：Mustard（Senning）＋ Rastelli 手術．

■ MEMO

姑息手術[57)]

①Modified Blalock Taussig シャント手術（mBT シャント）：高度の左室流出路狭窄，肺動脈閉鎖を有する新生児・乳児が対象．
②肺動脈絞扼術：大きな心室中隔欠損（VSD）を有し，高肺血流による肺高血圧を合併する症例に対して，肺高血圧の進行を防ぐため，また乳児期早期を過ぎてダブルスイッチ手術が計画されているような症例で適応．肺動脈圧を体血圧の 50％以下に下げたい．
③従来法による手術後に右心不全が進行し，ダブルスイッチ手術に転換する場合には，左室圧を体血圧の 2/3 以上に上昇させるように肺動脈絞扼術を行う．

修正大血管転位の術後心エコー
conventional 手術とダブルスイッチ手術

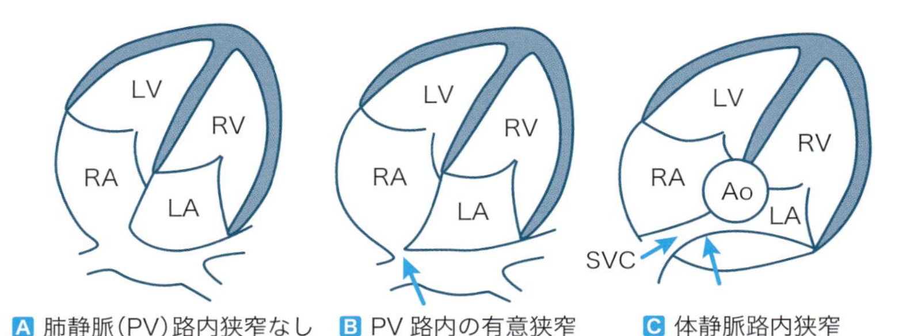

A 肺静脈(PV)路内狭窄なし　B PV 路内の有意狭窄　C 体静脈路内狭窄

ダブルスイッチ手術後の四腔断面

1. Mustard/Senning 手術後の心エコー注意点

- ダブルスイッチ手術：Mustard/Senning 手術＋Jatene 手術

Mustard/Senning 手術と Jatene 手術，両者の術後注意点が参考になる．特に肺静脈・体静脈の還流障害（BC），冠動脈移植後の狭窄病変の有無，左室心機能，新大動脈弁逆流の評価，左右肺動脈狭窄の有無・程度（☞ p180），僧帽弁・三尖弁逆流の程度，右室・肺動脈圧の推定などが求められる．

- 従来法による手術法：VSD 閉鎖

VSD 遺残短絡の有無，左室圧（肺心室圧），肺動脈圧の推定，三尖弁逆流（体心室側房室弁），僧帽弁逆流の評価などが重要．体心室である右室の房室弁逆流が増強すると，右室拡大から右室機能が障害される．右室機能の回復が可能なうちに三尖弁修復・置換術などを計画する必要があるが，三尖弁逆流のために右室収縮能は過大評価されやすく，注意が必要である．

- ダブルスイッチ手術：Mustard/Senning 手術＋Rastelli 手術

Mustard/Senning 手術と Rastelli 手術（☞ p168），両者の術後注意点を参考にする．手術侵襲も大きく，最近は以前ほど行われなくなった．

右肺動脈上行大動脈起始

anomalous origin of the right pulmonary artery from ascending aorta

1. 発生頻度は非常に稀.
2. Hemitruncus とも呼ばれる.
3. 右肺動脈が上行大動脈から起始することが多く，半数例で正常位に動脈管が認められる.
4. 大動脈弁近傍の上行大動脈背面から右肺動脈が起始することが多いが，より遠位から起始することもある. この場合，右肺動脈分岐部狭窄の合併に注意する.
5. 通常，異常肺動脈は，正常の肺動脈より太いが，狭窄を有することもある.
6. 左肺動脈上行大動脈起始はさらに稀で，その半数以上はファロー四徴に合併し，左大動脈弓のことが多い. 左肺動脈上行大動脈起始単独例では右大動脈弓が多い. 大動脈肺動脈窓や大動脈弓離断を伴うこともある.

右肺動脈上行大動脈起始の基本心エコー

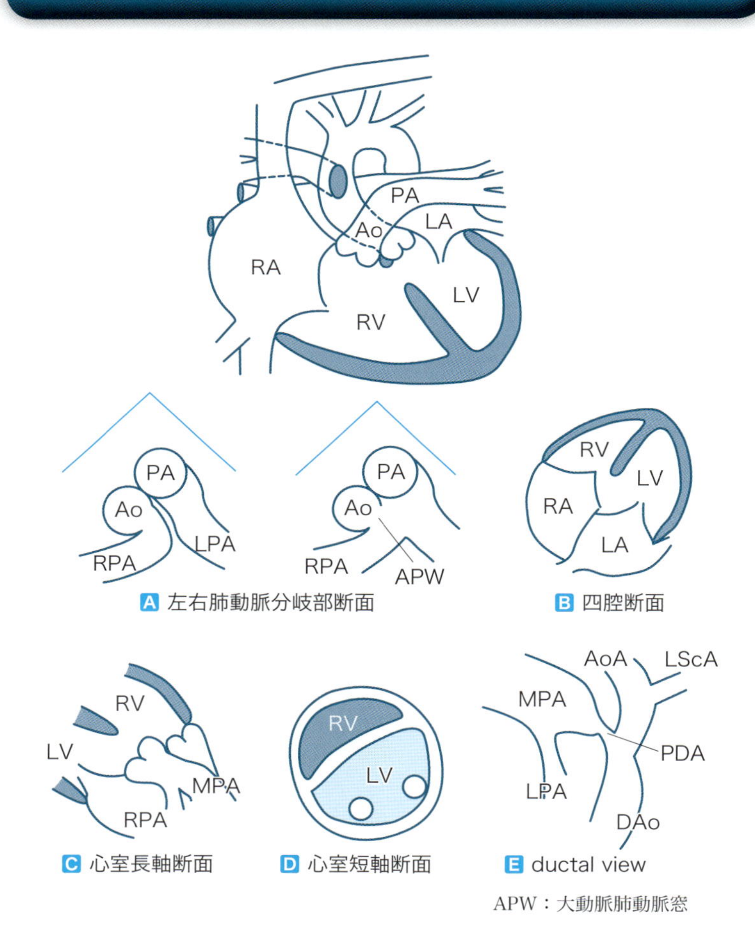

APW：大動脈肺動脈窓

- 右肺動脈は大動脈弁近くの大動脈背側から起始することが多い，より遠位，無名動脈近傍から起始する場合には，右肺動脈狭窄の合併に注意する．

1. 左右肺動脈分岐部断面

- MPA と LPA の太さはほぼ同じ．カラードップラでわかりやすい．AP window（大動脈肺動脈中隔欠損）との鑑別が必要であるが，右肺動脈上行大動脈起始では左右肺動脈間に連絡はない．右肺動脈狭窄の有無をチェックする（A）．

2. 四腔断面

- 肺血流量の増加を反映して左室拡大あり（B）．VSD，ASD，MR，TR の評価も必要．

3. 心室長軸断面

- 相対的大動脈狭窄により乱流シグナルが大動脈内に認められることあり．特に右肺動脈が高位から起始する場合，右 PA 狭窄にも注意する（C）．

4. 心室短軸断面

- 肺高血圧を伴えば，心室中隔はフラットに観察される（D）．

5. Ductal view

- 動脈管の有無にも留意する（E）．
  ㊟異常肺動脈が左側の場合（左肺動脈上行大動脈起始），ファロー四徴に合併することが多い．

右肺動脈上行大動脈起始に対する手術

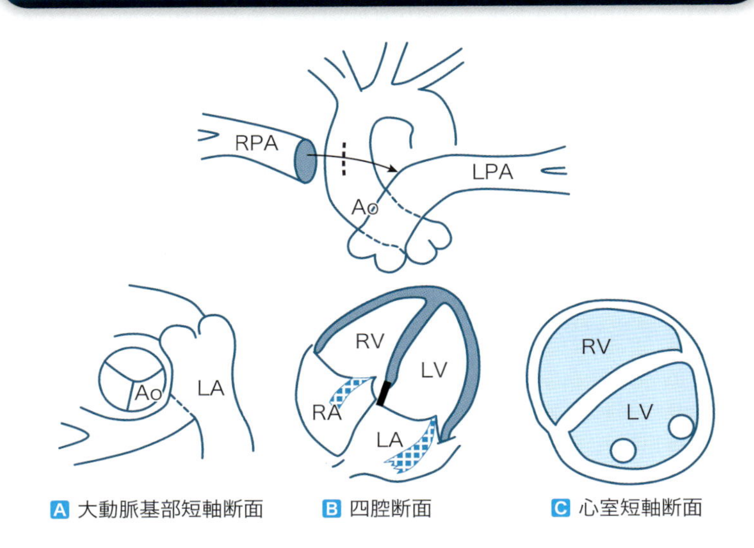

A 大動脈基部短軸断面　B 四腔断面　C 心室短軸断面

- 大動脈短軸・肺動脈分岐部断面（A）：右肺動脈吻合部狭窄をチェック．
- 四腔断面（B）：心室中隔欠損閉鎖後の遺残短絡，TR，MR の評価，TR の流速から肺高血圧改善度をチェック（☞ p40）．
- 心室の短軸断面（C）：肺高血圧の改善と左室容量負荷軽減による左室拡張末期径の縮小改善を確認．
- 左室長軸断面：AR をチェック．

三心房心
cor triatriatum

1. 発生率：6.1/100 万生産児で非常に稀．しかし，軽症のものは見逃されている可能性がある．
2. 通常，二分された左心房は 1 個の孔で交通するが，この交通孔は広く血流の妨げにならないものから，非常に狭く血流を拘束するものまである．複数の交通孔を有するものもある．
3. 発生学的に考えても，肺静脈還流，心房中隔，体静脈系の異常を伴うことは稀でない．
4. 左心耳は常に左心房側に存在する．
5. 僧帽弁上狭窄（supravalvular mitral ring, supravalvular stenosing ring）では，膜様構造の近位側（肺静脈側）に左心耳が存在する．三心房心では膜様構造の遠位側（僧帽弁側）に左心耳を認める．
6. 古典的三心房心では，生後 2 ～ 3 年で有症状となることが多いが，10 ～ 20 代で無症状の症例も少なくない．
7. 三心房心の重症度は副心房腔（accessory atrial chamber）と左心房間の交通孔の大きさ，数，副心房腔と右房間の交通孔の大きさによるところが大きい．
8. 副心房腔で血流が停滞すれば肺高血圧が合併する．三心房心は総肺静脈還流異常，房室中隔欠損など肺高血圧を合併する病態に合併することが稀でない．したがって，肺高血圧を有する症例では三心房心を見逃さないように注意が必要である．
9. 左心耳と左上肺静脈左房流入部の間に盛り上がるクマジン稜（coumadin ridge）を，三心房の隔壁とまちがわないように注意する．

三心房心の分類

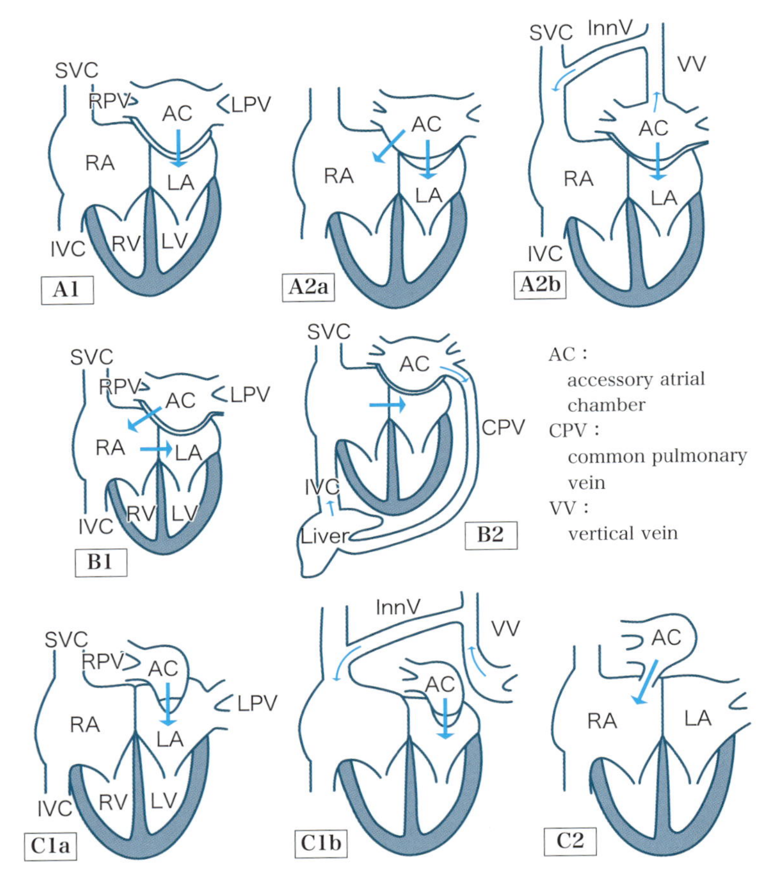

- A1 67%，A2a 17%，A2b 3.6%，B1 3.6%，B2 0.3%，C1a 2.6%，C1b 4.3%，C2 1.3%
- タイプC：subtotal cor triatriatum とも呼ばれる．
- タイプB：左房内隔壁に交通孔なし．
- 左心耳は常に左房側に存在する．
- しばしば肺動脈楔入圧（PCW圧）は 20 mmHg を超える．

三心房心の基本心エコー

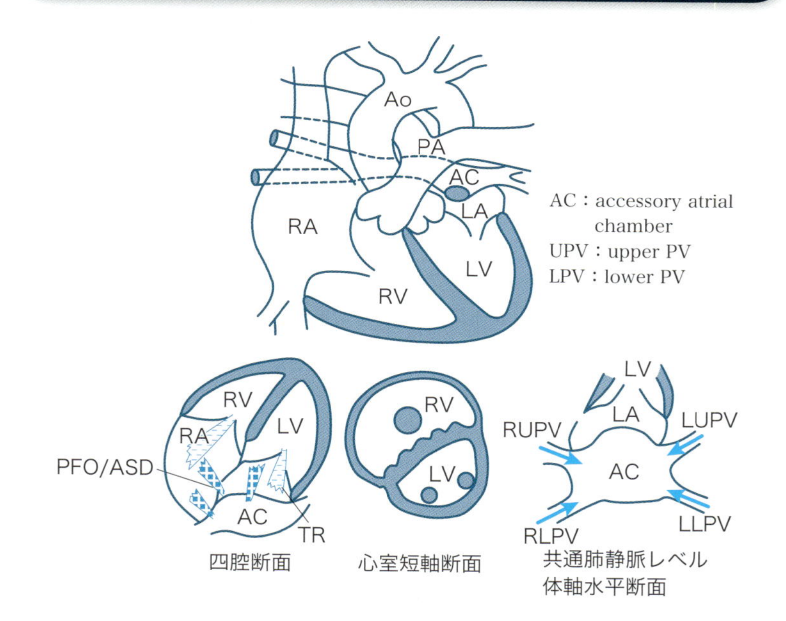

四腔断面　心室短軸断面　共通肺静脈レベル体軸水平断面

1. 四腔断面

- 心房間交通は左房（LA）側か副心房（AC）側か？
- AC・LA間の血流速度，心房間血流速度，TR速度を測定し，共通肺静脈腔圧，肺高血圧を推定する．

2. 左室短軸断面

- 左室形態から肺高血圧の程度を推定．
- 左室拡張末期圧から左室還流量，心拍出量を推定する．

3. 共通肺静脈レベル体軸水平断面

- AC・LA間の交通孔の大きさ・血流速度，ACに還流する肺静脈の本数などをチェックする．

三心房心に対する手術

- 手術的には比較的単純で成績も良好．早期発見が生存率向上に重要．

1. 左房（副心房：AC）アプローチ

- 他に合併心奇形がなく，左房容量が小さすぎない場合に適応．

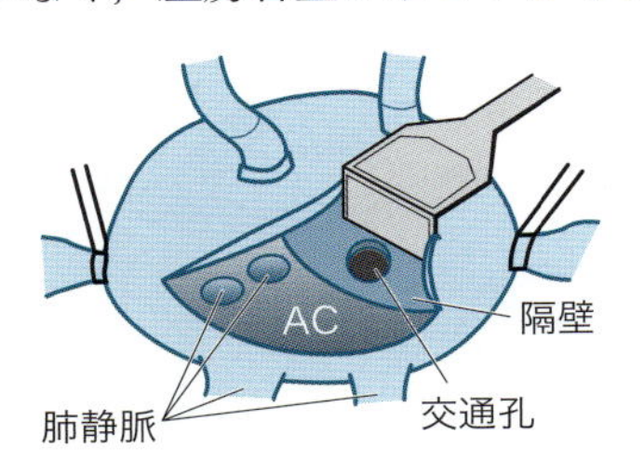

2. 右房アプローチ

- ASD を有する場合に適応．

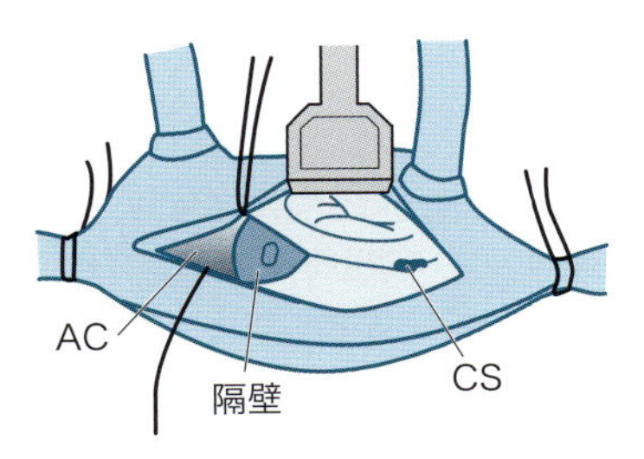

3. 予　後

- 合併症を有さない症例の予後は良好．早期発見に努める．
- 術後心エコー：房室弁逆流，心房間交通，肺高血圧の評価などが重要．部分肺静脈など残存病変がないか，観察する．
- 肺高血圧・肺水腫が急激に進行する症例がある（交通孔が小さい場合）．

左冠動脈肺動脈起始（ALCAPA, BWG 症候群）
anomalous origin of the left coronary artery from the PA (ALCAPA) = Bland-White-Garland syndrome（BWG syndrome）

1. 発生率 6.5 ～ 15/100 万生産児.
2. 冠動脈肺動脈起始 248 例中，226 例が左冠動脈肺動脈起始（ALCAPA）で，その後に右冠動脈肺動脈起始（ARCAPA），左冠動脈前下行枝肺動脈起始（ALADPA）と続く.
3. ALCAPA：最も多いのは大動脈近くの posterior facing sinus から起始するものであるが，nonfacing sinus から起始するもの，壁内走行するものもある.
4. 25%例で動脈管，ファロー四徴，大動脈縮窄，心房中隔欠損，心室中隔欠損，肺動脈狭窄，Ebstein 奇形など，他の心奇形を合併する.
5. 手術なしで死亡した症例の 67% は＜1 歳，74% は＜2 歳であり，それ以降死亡率は低下する.
6. 死亡例の約 80% は突然死で運動後のことが多い.
7. 症状と心筋虚血の発現は，動脈管の縮小・閉鎖と肺血管抵抗の低下による肺動脈圧の低下と，冠動脈間側副血行の発達速度に依存する. 右冠動脈優位で左室背側まで還流しているほうが，心機能の保持に優位である.
8. 発症時期から乳児型と成人型に分類することもある. 成人型でも平均年齢 35 歳で 80 ～ 90%が突然死する可能性があるともいわれ，早期の手術が望ましい[58].

左冠動脈肺動脈起始の基本心エコー

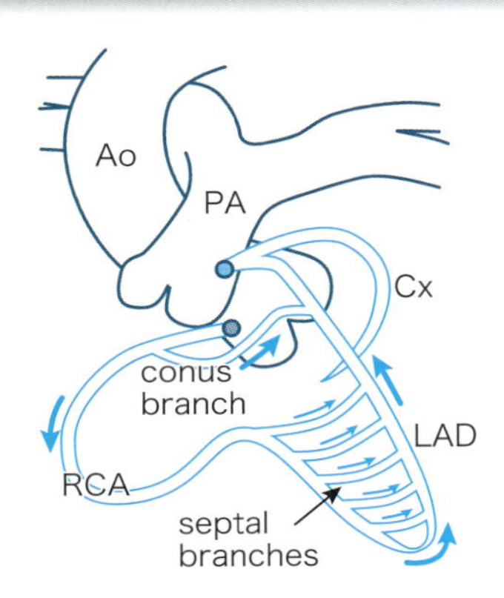

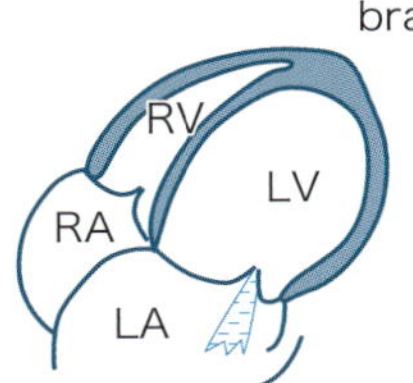

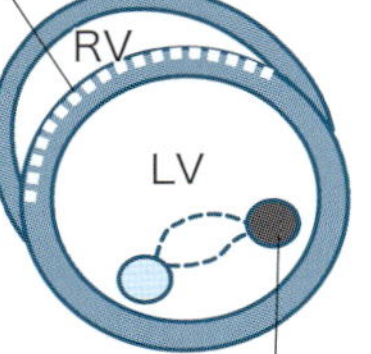

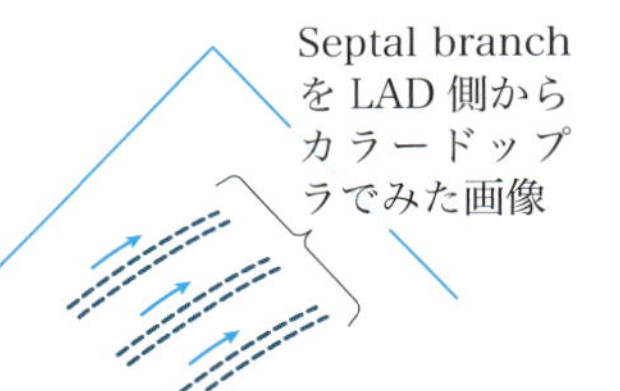

A 四腔断面

B 心室短軸断面

C 左室長軸と右室長軸断面の間で，心室中隔面（左図心室短軸断面の側副血行路）を削ぐような断面

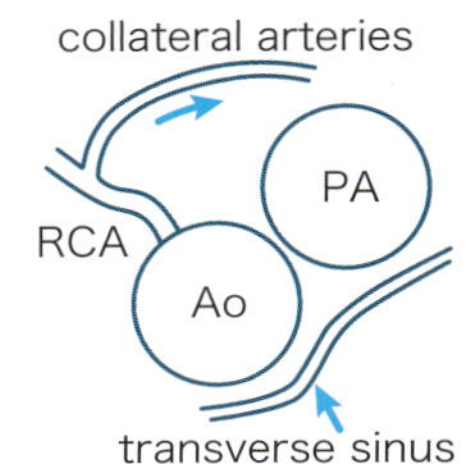

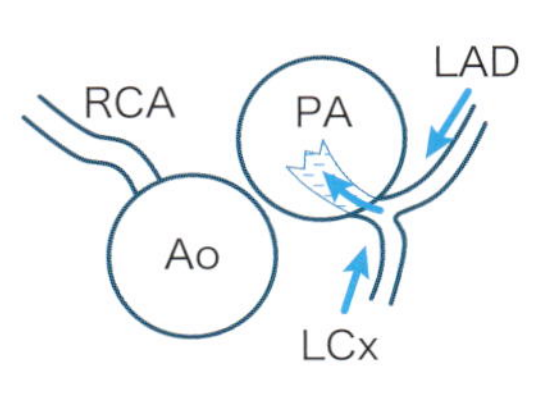

D 大動脈基部短軸断面

1. 四腔断面

- 左室拡張，僧帽弁逆流，左室収縮力低下などチェック（A）.

2. 左室短軸断面

- 前外側乳頭筋と後内側乳頭筋のエコー輝度の差，左室拡張末期径，左室駆出率，MR の逆流部位，そしてカラードップラで心室中隔右室面を背側から腹側に向かって短絡する発達した中隔枝が観察される（B）.

3. 心室中隔を切る断面

- 左室長軸断面から右室長軸断面方向へプローブを向けていくと，心室中隔を面で切る断面が抽出される（C）. カラードップラで，上記の冠動脈中隔枝が複数で長軸方向に観察される. 方向は背側から腹側に向かうため赤色に映し出される. ちなみに右冠動脈肺動脈起始例では，逆方向に流れるため青色になる. 新生児期の側副血行路が発達する以前には，これらの血流は認められない.

4. 大動脈基部短軸断面

- 大動脈と肺動脈背側には transverse sinus：横静脈洞が存在する（D）. これがあたかも大動脈から起始する左冠動脈のように見えることがあり注意が必要. カラードップラを入れて血流の存在を確認することが重要である. velocity range は 20 cm/s 前後に落として観察する.
- ただし新生児期には肺動脈内に短絡を認めないためわかりにくい.
- 新生児期を過ぎて肺血管抵抗が低下すると，右冠動脈から側副血行を通じて肺動脈へ短絡する血流量は増加する. その結果，右冠動脈径は大きくなり，心室中隔（septal branch），右室流出路，心尖部に短絡血流を観察しやすくなる. なお左冠動脈を流れる血流は逆方向になることに注意する（D）.

左冠動脈肺動脈起始に対する手術と術後心エコー所見

1. 通常の左冠動脈移植術

- 異常冠動脈をボタン型に肺動脈洞から切離.
- 大動脈左冠尖に切離した左冠動脈を移植.
- 術後心エコーでは移植された左冠動脈基部の狭窄，左冠動脈をくりぬいた後の肺動脈狭窄，肺動脈弁逆流をチェック.

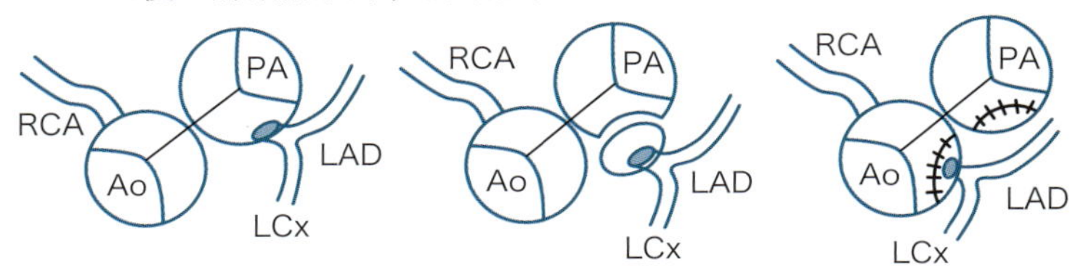

2. 竹内法

- 左冠動脈洞の壁の一部をフラップ状に切り抜く．これを用いて，大動脈・フラップ・左冠動脈を結ぶトンネルを作成する．くり抜いた壁は心膜パッチで再建する.
- 術後心エコーでは，作成したトンネル内の狭窄・瘤様変化，AR，PS/PR に注意．トンネル縫合部のリークは冠動脈・肺動脈瘻となる.

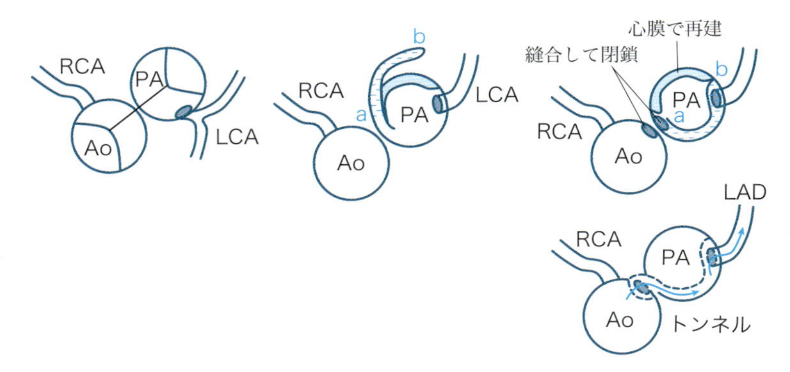

冠動脈瘻
coronary arterial fistula

1. 発生率 1/5 万生産児.
2. 右冠動脈から起始することが最多で，右心系に還流することが多い．回旋枝から右室への冠動脈瘻は非常に稀．左冠動脈から 52.3%，右冠動脈から 43.0%，両者から瘻を形成する者が 4.7%を占めるとの報告もある.
3. 拡張した冠動脈枝を追跡していくと，entry を有する枝まで拡張が見られる．断層心エコー法による entry 部の観察は難しいことが多いが，カラードップラでみると観察しやすい.
4. Feeder と entry を描出するために，いろいろな方向から観察する.
5. 冠動脈瘻は 1 本または複数本の冠動脈枝と心房・心室，冠動脈洞，大静脈，肺動脈などとの間に形成される．冠動脈造影施行例の 0.0191～4.5%で認められる.
6. 20 ～ 40%で他の先天性心疾患を合併する.
7. 還流部位：90%例が体静脈・右心系（右室 40%，肺動脈 30%，右房/大静脈 22%，冠静脈洞 1.4%）に還流，左室に還流するもの 5.5%，左房に還流するもの 1.5%といわれる．しかし，日常診療の中では，肺動脈に還流する小さな冠動脈瘻を発見することが最も多い.

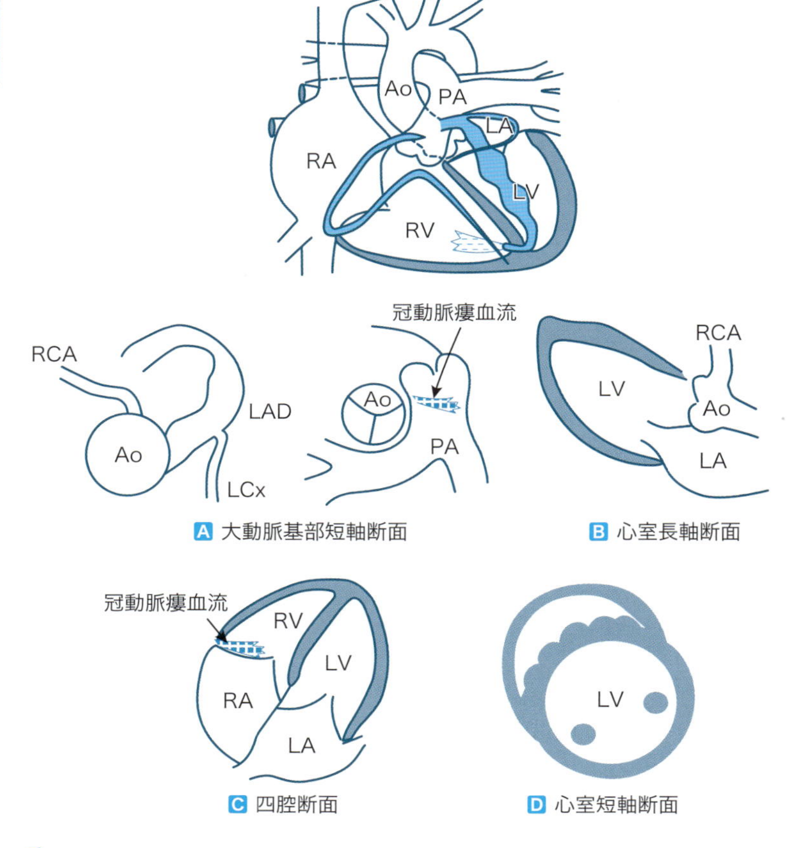

A 大動脈基部短軸断面　B 心室長軸断面

C 四腔断面　D 心室短軸断面

1. 大動脈基部短軸断面

- 左右冠動脈の拡張があれば（短絡量の多寡），該当する冠動脈がfeederとなっていることを示している．小さいものは肺動脈に流出することが少なくない．PDAとは異なる位置から異なる方向へ流入することが多い（A）．小さなもの，特に肺動脈に流出するものは，川崎病などの心エコー検査で偶然に発見される．

2. 左室長軸断面

- 冠動脈拡張がないかチェックする．左室拡張末期径（短絡量の多寡），大動脈弁逆流，僧帽弁逆流をチェック（B），左心系への冠動脈瘻流出がないかチェックする．

3. 四腔断面

- 冠動脈瘻の流出部位を特定，心室拡大の有無，僧帽弁逆流，三尖弁逆流についても評価する（C）．通常の四腔断面像のみならず，プローブを腹側，背側に傾け，心房・心室内に短絡してくる血流を，カラードップラでくまなく探す．

4. 心室短軸断面

- 心室に流出する場合には流出部位を特定する．手術に際しては，たとえば左室の場合，僧帽弁，僧帽弁乳頭筋との位置関係なども重要な情報であり外科医に呈示しておく．左室拡張末期径から短絡量の多寡を推測する．

* * *

- 重要なポイントは，冠動脈の走行，流出部，正常冠動脈枝との関係を明らかにすることである．多方向から確認するが，エコーだけでは難しい．

Classification of Coronary Artery Fistula by Vessel or Origin and Drainage Site

Origin	Frequency（%）	Drainage	Frequency（%）
RCA	50～60	RV	14～40
LAD	25～42	RA	19～26
Both	5	LV	2～19
CX	18.3	PA	15～20.2
Diagonal	1.9	CS	7
Marginal	0.7	LA	5～6
Single coronary	3	SVC	1

CS : coronary sinus, CX : circumflex coronary artery, LA : left atrium, LAD : left anterior descending coronary artery, LV : left ventricle, PA : pulmonary artery, RA : right atrium, RCA : right coronary artery, RV : right ventricle, SVC : superior vena cava.

〈文献58）より引用〉

冠動脈瘻に対する手術

- コイル塞栓術か外科手術かの選択は，冠動脈瘻の解剖による．原則的にコイル塞栓術が安全かつ比較的容易に行うことが可能と判断される場合には，コイル塞栓術が第一選択になるであろう．外科的に処理する場合，瘻孔が末梢にあれば体外循環を用いずに処理することも可能である（A）．瘻孔が中枢にある場合には，体外循環を用いて、心腔内あるいは冠動脈内から閉鎖する（BC）．

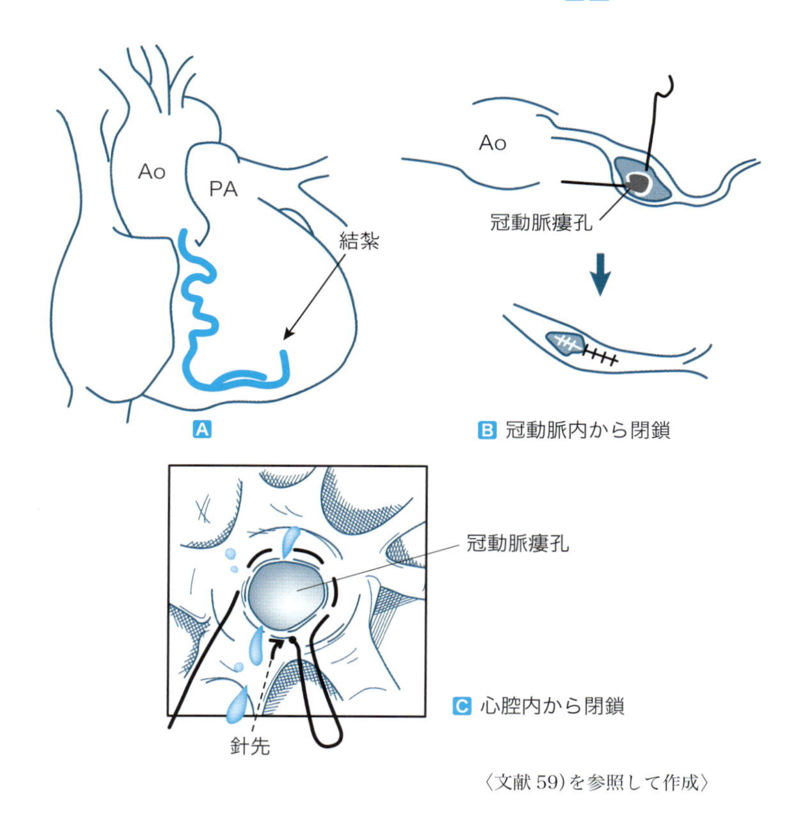

A

B 冠動脈内から閉鎖

C 心腔内から閉鎖

〈文献 59）を参照して作成〉

冠動脈瘻に対するカテーテル治療

例：左冠動脈から右室への冠動脈瘻の場合

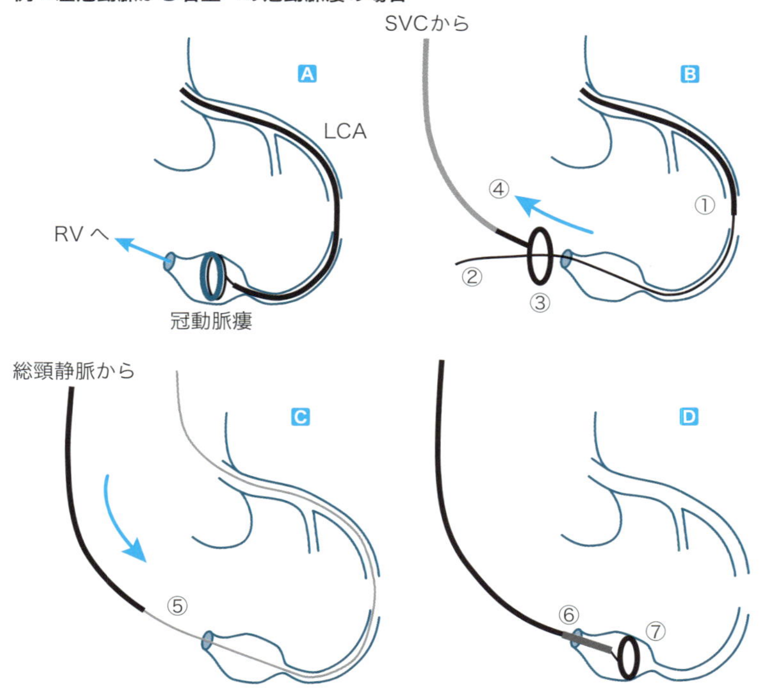

- A順行性に進めたカテーテルから塞栓術（コイルやデバイス）を行う．
- BCD①順行性にカテーテルを左冠動脈内へ．②ワイヤーを瘻流出口から右室・右房へ進め，③総頸静脈（or 大腿静脈）から挿入した catching snare で捕捉．④これを総頸静脈（or 大腿静脈）から引き出す．⑤総頸静脈（or 大腿静脈），大腿動脈間にできたワイヤーループをガイドに，⑥総頸静脈（or 大腿静脈）側からカテーテルを逆行性に瘻まで送り込み，⑦瘻内で塞栓術を行う．

冠動脈の起始異常

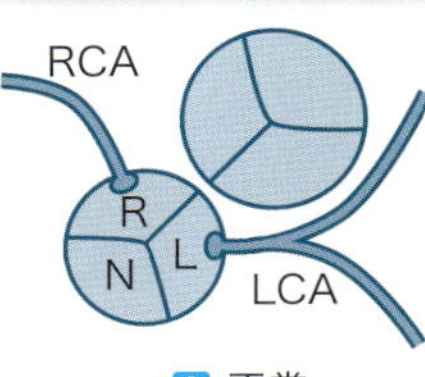

A 正常

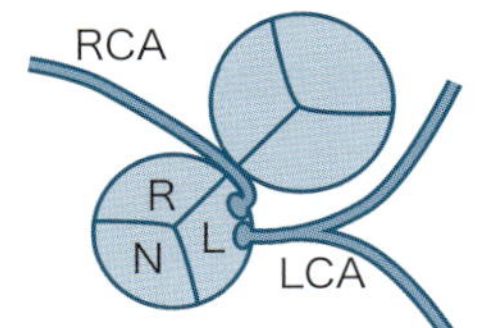

B 右冠動脈左冠動脈洞起始

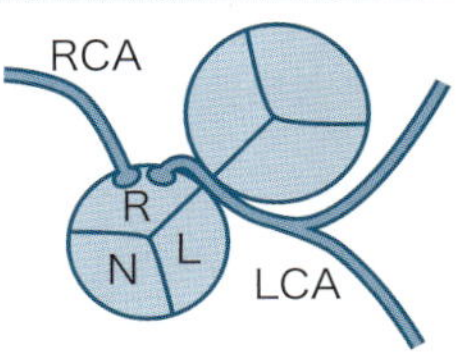

C 左冠動脈右冠動脈洞起始

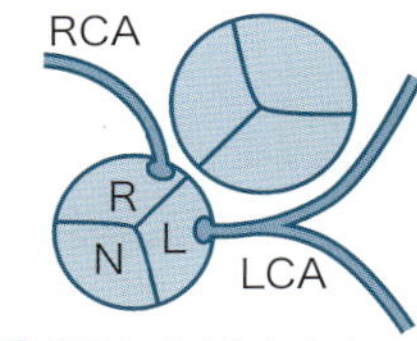

D RCA の high take off

1. 右冠動脈左冠動脈洞起始（B）

- 左冠動脈右冠動脈洞起始に比して突然死の可能性は低いが，報告はある．AHA ガイドライン，Mayo Clinic の報告にあるように以下の項目についてチェックする．
- 右冠動脈の segment 1 末梢は通常走行に見えるものの，起始部が右冠動脈洞中央になければ起始部を追跡する．時計に見立てた大動脈洞の 11 時方向に起始部がなく，より時計回り（肺動脈弁輪付近）から起始すれば high take off を疑う（D）．大動脈・肺動脈間を通過して左冠動脈洞から起始し，単冠動脈でなければ右冠動脈左冠動脈洞起始と考えられる．
- 右冠動脈優位型か否か，右冠動脈 segment 3 の太さ，segment 4（さらに左室下壁）への連続性についてチェックする（☞ p285）．
- 以上の所見を CT などで確認するが，壁内走行の有無にも留意する．
- 有症状，運動負荷による冠虚血の確認，将来運動に関して active なライフスタイルを希望，右冠動脈優位，右冠動脈が壁内走行する場合には外科手術も考慮する．
- 無症状のことも多く，手術適応に関しては両親とよく話し合うことが大切である．

2. 左冠動脈右冠動脈洞起始（C）

- 左冠動脈の走行・起始に関して右冠動脈左冠動脈起始と逆バージョンでチェックする.
- 運動時の突然死と関連があり，突然死は小児・思春期に多い．原則として手術が推奨される.
- 単冠動脈との鑑別も手術方法などに関連するため重要.

肺動静脈瘻

pulmonary arteriovenous fistula

1. 毛細血管を介さずに肺動脈と肺静脈が連絡した病態を示し，脳への奇異性塞栓の原因として重要.
2. 80 ～ 90%例は合併心奇形を有さない.
3. 3/4 例は片側性で 1/4 は両側性，前者の 3/4 が single，後者の 3/4 は multiple（1 側に複数個）である．全体で考えると約 65% が single である.
4. （先天性肺動静脈瘻の）60 ～ 87%は hereditary hemorrhagic telangiectasia（HHT；Rendu-Osler-Weber syndrome）で，HHT の 15 ～ 40%以上に肺動静脈瘻が合併する.
5. 後天性肺動静脈瘻の頻度は少ないが，慢性肝疾患でも認められる．これは肝移植後に消褪する.
6. Glenn，Fontan 手術後に発生することもある．そして再手術により患側肺に減少または消失していた肝静脈からの血流が流れはじめると，肺動静脈瘻は消失する可能性がある.
7. 同様に門脈血流が portosystemic connection を介して逃げる場合（Abernethy syndrome）や，静脈管開存例で門脈血流が肝臓をバイパスすると，肺動静脈瘻が合併する．肝臓からの血流が肺動脈に流れはじめると消褪する.
8. また肺動静脈瘻は妊娠中に増大し，出産後に縮小することも知られている.
9. 患者の多くは成人であり，fistula は年齢とともに大きくなる．平均発症年齢は 24 ～ 44 歳である．新生児，乳児例は稀であるが，同時期発症例は非常に大きな肺動静脈瘻を有しており，心不全，高度チアノーゼを合併するため早期治療の対象となる.

肺動静脈瘻の基本心エコー

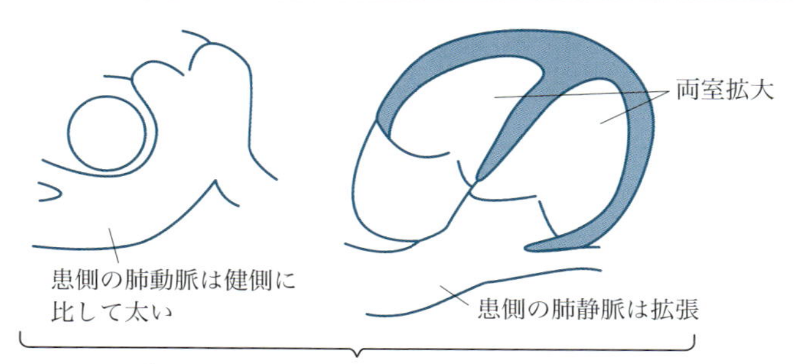

- HHT の症例も小児期に発症することは稀であるが，60 歳までに 90％例で肺動静脈瘻が発現するとの報告もある．
- 治療対象は有症状例のほか，無症状でも直径 3 mm 以上の瘻を有する症例が含まれる．
- カテーテル治療にはコイルのほか，Amplatzer® Vascular Plug などのデバイスが用いられる．

■ MEMO

コントラストエコー

末梢静脈からのコントラストエコーで，心房位に右左短絡がある場合には，右房・右室にコントラストが入ると同時，もしくはそれに続いて左房にもコントラストが流入するが，肺動静脈瘻では数心拍後となる．

血管輪

vascular ring

1. 発生頻度：先天性心疾患の 1 %.
2. 約 1/4 の症例は del22q11.2 症候群である.
3. 血管輪のうち最も多いものは重複大動脈弓で 49.7%を占める.
4. 右大動脈弓の 18 ～ 30%例で他の先天性心疾患を合併する. 心室中隔欠損，心房中隔欠損，動脈管開存，大動脈縮窄，ファロー四徴，総動脈幹症，単心室，完全大血管転位など.
5. 左大動脈弓＋右鎖骨下動脈起始異常は剖検例の 0.4 ～ 1.8%にみられるが，ほとんどの場合無症状. Down 症や Turner 症候群で頻度が高い.
6. 右大動脈弓＋左動脈管索は 25.9%で認められる. 56 ～ 66%で左鎖骨下動脈起始異常を合併するが，血管輪を形成しても軽症のことが多い.
7. 左肺動脈右肺動脈起始（pulmonary sling）：大動脈弓の異常，血管輪の 3.3%に認める. 右肺の低形成・無形性を合併することあり. 1/4 ～ 1/2 で他の先天性心疾患を合併. 半数以上で気管・気管支の異常を合併する.

血管輪の基本心エコー 1

- 左大動脈弓＋右腕頭動脈ならば，正常像で血管輪なし．
- もし上記正常パターンでなければ右大動脈弓を疑い確認．右大動脈弓が正常パターンの鏡像なら血管輪の可能性は低い．
- 右大動脈弓を認め，分枝パターンが正常の鏡像でなければ，血管輪を合併する確率が高い．
- 重複大動脈弓の 75％は右大動脈弓優位，20％は左大動脈弓優位，5％は同等．右大動脈弓優位の場合，左大動脈弓の 40％は閉鎖，左大動脈弓優位例では右大動脈弓の 33％が閉鎖になっている．
- 通常，大動脈弓は右が太く高い．両方の大動脈弓を同時に描出するには体軸に対して右上，左下の斜めに傾いた断面で描出する必要がある（☞ p276）．
- 新生児例でないと両側大動脈弓の起点，終点を同時に描出することは難しい．
- 左大動脈弓，右大動脈弓ともに腹部では左側を下行することに注意する．

血管輪の基本心エコー 2

大動脈弓・鎖骨下動脈起始異常の診断手順

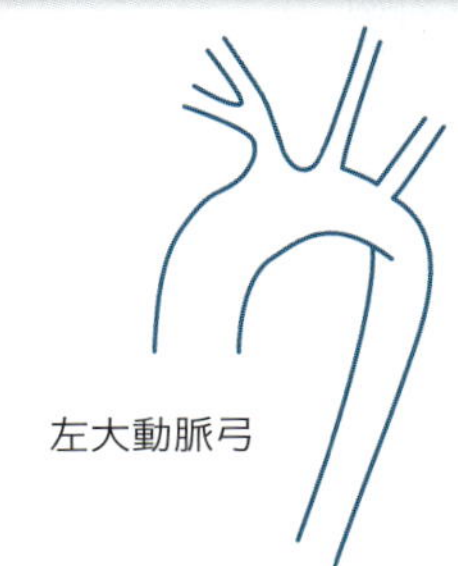

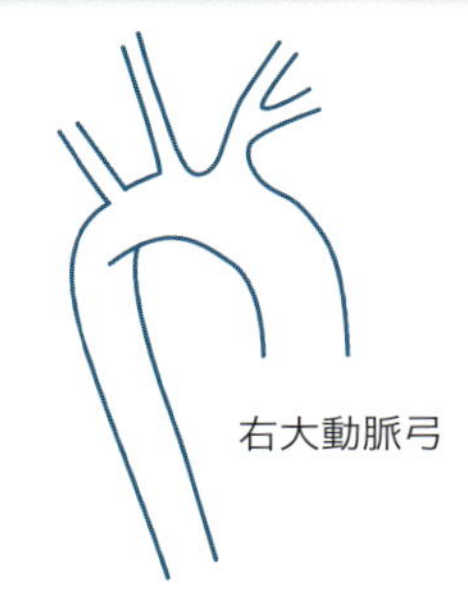

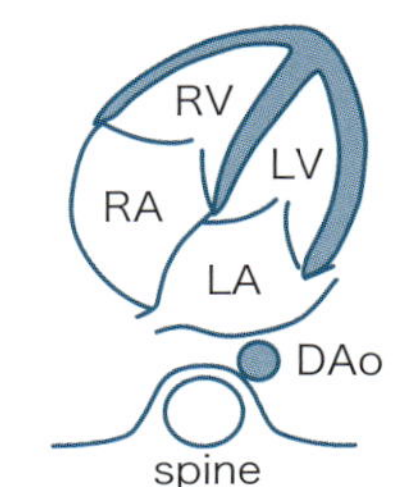

四腔断面で脊椎左側に下行大動脈

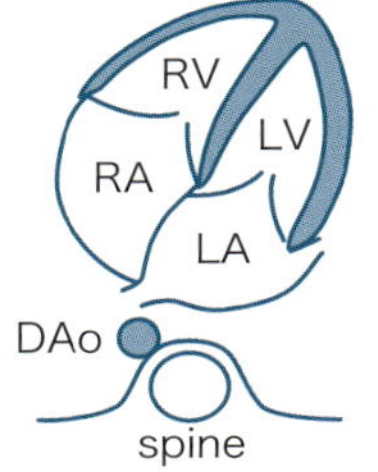

四腔断面で脊椎右側に下行大動脈

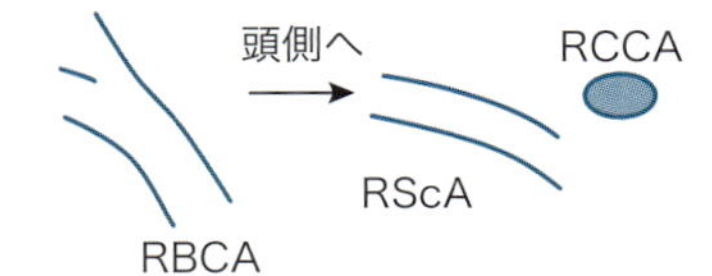

胸骨上窩からの前額断面で右腕頭動脈（RBCA）が第一枝でより頭側で右鎖骨下動脈（RScA）と総頸動脈（RCCA）に分岐

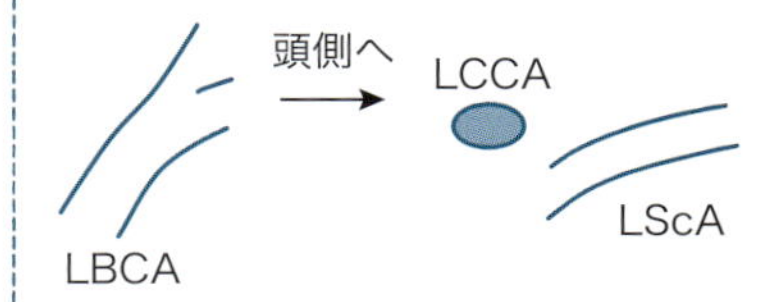

胸骨上窩からの前額断面で左腕頭動脈（LBCA）およびその末梢に左総頸動脈（LCCA），左鎖骨下動脈（LScA）を確認

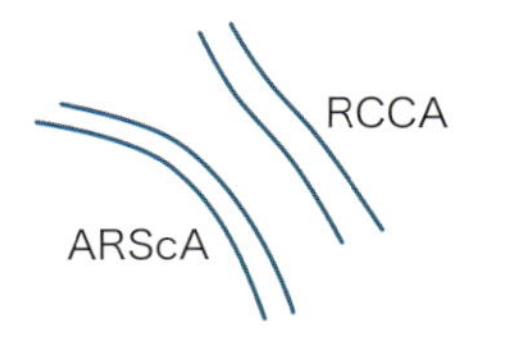

胸骨上窩からの前額断面で右鎖骨下動脈起始異常（ARScA）の有無確認

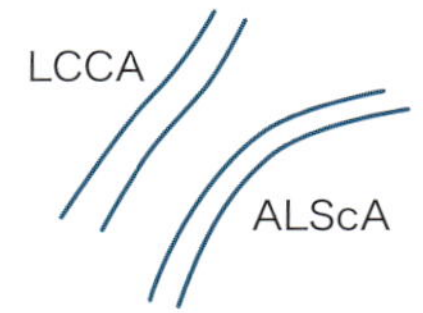

胸骨上窩からの前額断面で左鎖骨下動脈起始異常（ALScA）の有無確認

血管輪の基本心エコー 3

左/右大動脈弓・右/左下行大動脈の診断手順

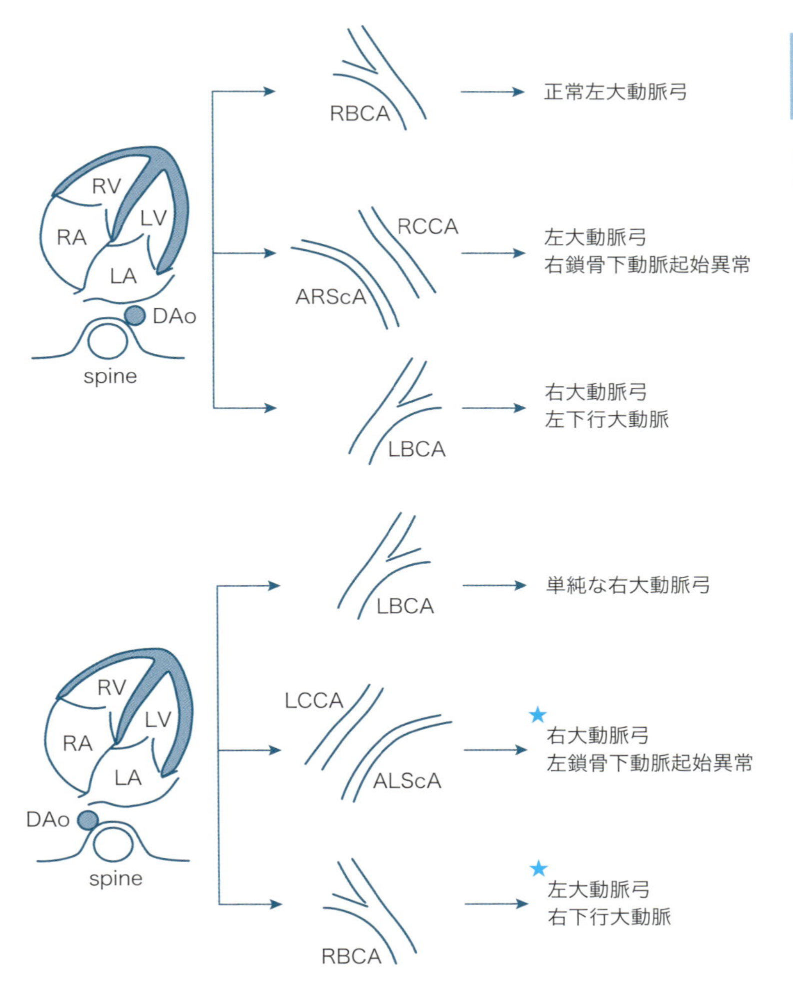

★：血管輪の症状が出現する可能性あり（重複大動脈については後述）

重複大動脈弓の心エコー

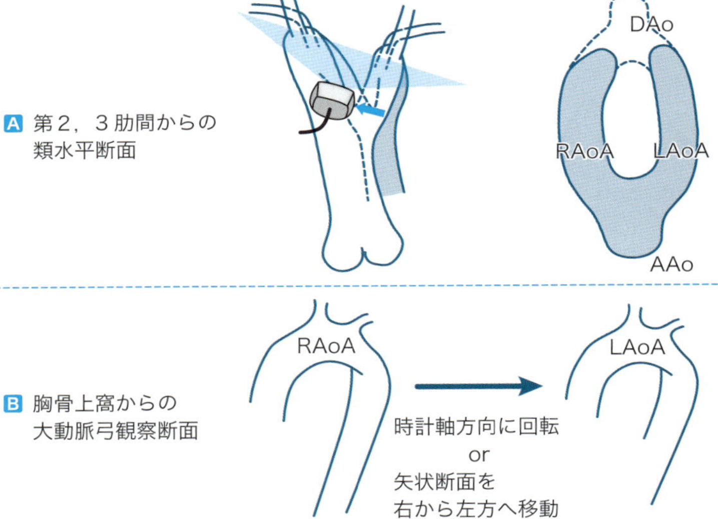

1. 胸骨上窩からの水平断面

- 重複大動脈弓の多くは右大動脈弓優位で右側が高い．したがって，Aのように左右大動脈弓（L/RAoA）を同時に描出するには，プローブを水平断面からやや時計方向に回転させ斜め切断面にする必要がある．また，上行大動脈（AAo）が左右大動脈に分岐して下行大動脈に合流する全体を一画面で観察することは，大動脈弓に高さがあるため難しい．

2. 胸骨上窩からの大動脈弓描出断面

- 胸骨上窩において右大動脈を描出する断面から左大動脈弓を描出する断面に（時計軸方向に）プローブを回転させると，右大動脈弓が描出された後，別方向に左大動脈弓が描出され重複大動脈弓であることがわかる（B）．

血管輪に対する手術

1. 重複大動脈弓

- 通常，小さい方の大動脈弓が下行大動脈に連絡する部位で切離縫合する（A）．術後，犬吠様咳嗽，喘鳴など呼吸器症状が消失するには数ヵ月を要することも多い．

2. その他の血管輪

- 有症状となる多くの場合，左鎖骨下動脈の基部には Kommerell 憩室がある．右大動脈弓＋ Kommerell 憩室＋動脈管索のパターンであり，動脈管の切離と断端縫合を行う（B）．

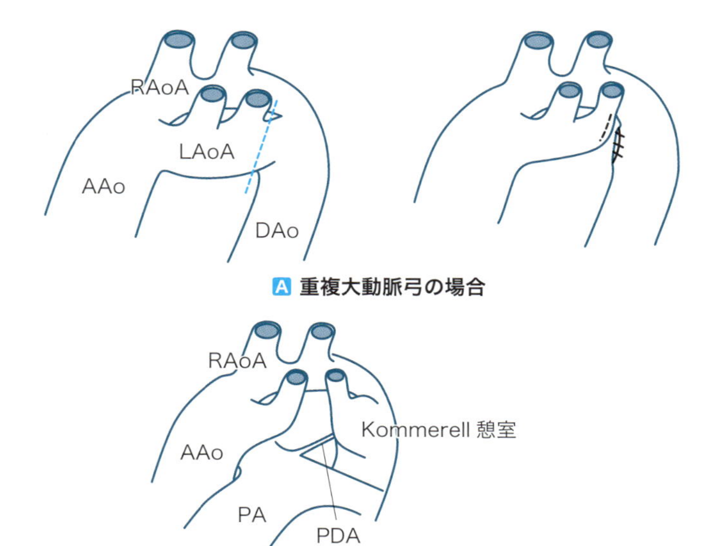

A 重複大動脈弓の場合

B その他の血管輪の場合

各論 II
後天性疾患

各論 II
後天性疾患

Marfan 症候群

Marfan's syndrome（MS）

1. Marfan 症候群の診断は，しばしば小児期には難しい．Ghent の診断基準にある因子も初期にはわかりにくい．疑いがあれば心エコー検査が必要．18 歳までに大動脈根部の拡大，僧帽弁逸脱，僧帽弁逆流などが認められるようになる．これらの所見があればβ遮断薬や ARB の投薬を開始する．

2. 新生児 Marfan 症候群：高度僧帽弁逆流，三尖弁逆流を早期より伴い心不全に陥る．肺気腫，水晶体逸脱，関節拘縮，loose skin，クモ状指などを伴い予後は悪い．

3. 手術適応：Marfan 症候群[37)]：
   - 大動脈(Ao)基部 or 上行 Ao 径≧ 50 mm…クラスⅠ
   - Ao 解離の危険因子＋ Ao 基部 or 上行 Ao 径≧ 45 mm…クラスⅡa
   - 妊娠希望＋ Ao 基部 or 上行 Ao 径≧ 40 mm…クラスⅡa
   - Ao 基部 or 上行 Ao 径≧ 45 mm…クラスⅡb
   - Ao 解離の危険因子＋ Ao 基部 or 上行 Ao 径≧ 40 ～ 45 mm…クラスⅡb

   ㊟クラスⅠ：有効・有用であるというエビデンスがある．またはそのような見解が広く一致している．
   クラスⅡa：エビデンス，見解から有効・有用である可能性が高い．
   クラスⅡb：エビデンス，見解から有効性・有用性がそれほど確立されていない．

4. 大動脈解離の危険因子を有する場合[37)]：
   - 高度 AR 合併
   - 大動脈拡大≧ 10 mm/年（成人）または≧ 5%/年
   - 急性大動脈解離の家族歴あり

   では，Valsalva 洞・上行大動脈径＜ 50 mm でも手術考慮
   - 妊娠希望の女性患者では≧ 40 mm で予防的手術が望ましい．

5. 小児例での手術適応：
   - 急速な上行大動脈径の拡大＞5 mm/年
   - 大動脈弁逆流の進行
   - 僧帽弁に対する手術が必要
   - 大動脈弁が良ければ David 手術などを選択

6. 妊娠に関連して11％の合併症が報告されている．多くが大動脈の破裂か感染性心内膜炎．大動脈径＞40～45 mm では妊娠禁忌（妊娠中の合併症発生が増加する）．時期については，1st ＜ 2nd ＜ 3rd trimester，分娩時，産褥期早期．妊娠中も β 遮断薬は継続する．妊娠中の大動脈置換術：進行性大動脈拡大，大動脈解離→要手術．

7. 大動脈根部＜40 mm で妊娠中大動脈の拡大なく，他の心血管系の重大な問題がなければ普通分娩も可．そうでなければ帝王切開が選択される．

8. 大動脈弁や大動脈の手術例，感染性心内膜炎の既往例では，分娩に際して抗生物質の予防投与が勧められる．

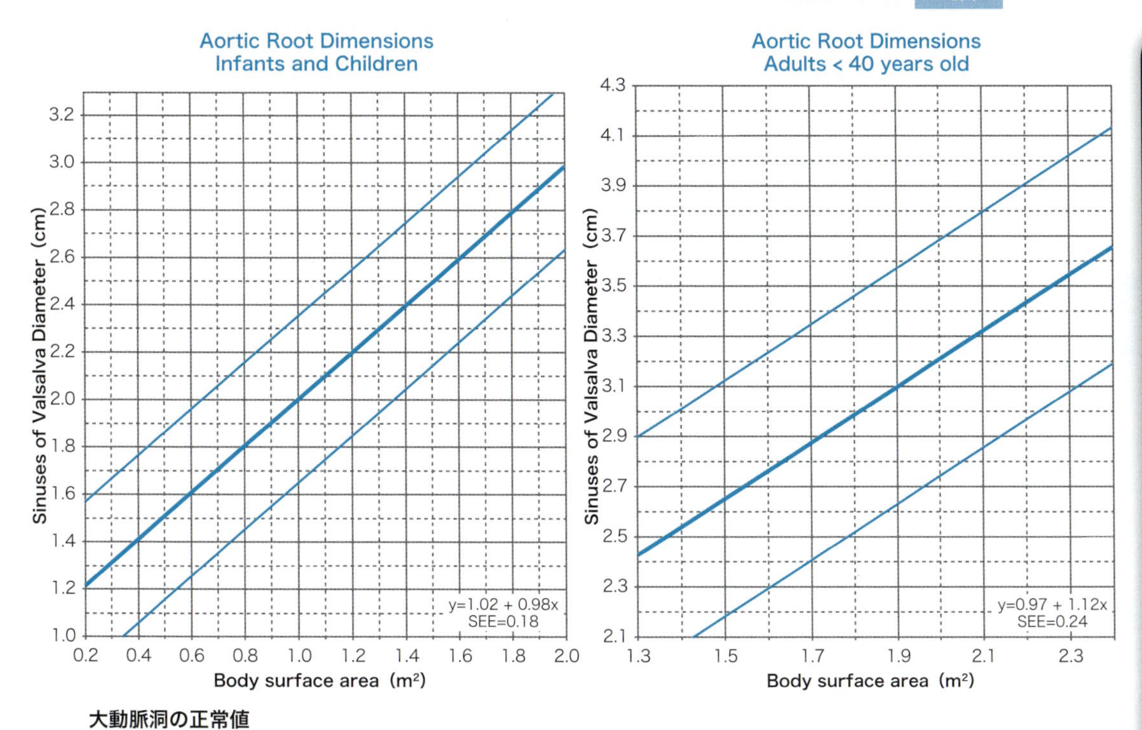

大動脈洞の正常値

〈Roman MJ et al : Two-dimensional echocardiographic aortic root dimensions in normal children and adults. Am J Cardiol 64(8) : 507-512, 1989[60] より引用〉

Marfan 症候群の基本心エコー

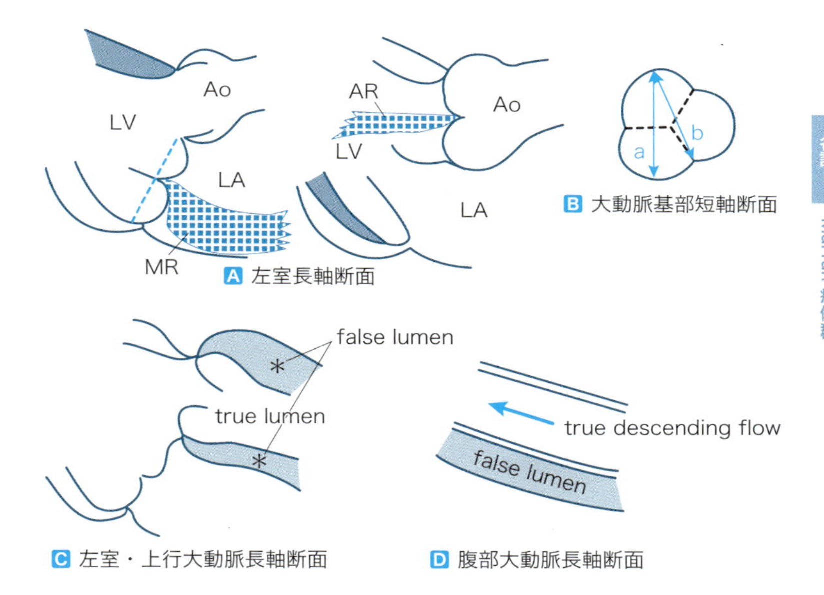

A 左室長軸断面

B 大動脈基部短軸断面

C 左室・上行大動脈長軸断面

D 腹部大動脈長軸断面

1. 左室長軸断面

- 大動脈 Valsalva 洞（☞ p22），ST junction，上行大動脈の径を測定.
- 大動脈弁逆流（AR），僧帽弁逸脱・billowing の程度，僧帽弁逆流（MR）をチェック（A）.
- 左房径/大動脈径比．偽腔（false lumen）形成にも留意する（C）.

2. 大動脈基部短軸断面（B）

- 計測値は a，b で異なる．大動脈の拡大速度を評価する際に大きな差が出るため，長軸断面だけでなく短軸断面で計測位置を明らかにしておく．偽腔形成にも留意する．

3. 腹部下行大動脈（D）

- 有意な AR を合併する場合，腹部大動脈の血流パターンを評価する（☞ p136）．偽腔形成にも留意する．

■ MEMO

Marfan 症候群で有症状例の注意点：検査計画

特に胸痛・背部痛を有する場合，上行大動脈，大動脈弓，下行大動脈に大動脈解離を示す所見がないか，まず経胸壁心エコーで確認する．ほとんどの場合，該当大動脈は拡張するが，intimal flap を描出できるのは 80% 未満であり，偽陽性所見も 10% 未満に認められる．さらに下行大動脈のエコー像は不鮮明なことも多いため，造影 CT 検査や TEE による確認が求められる[2)]．

■ MEMO

新生児型 Marfan 症候群

乳児期に Marfan 症候群と診断する場合，新生児型 Marfan 症候群，重症の Marfan 症候群，そしてまだ臨床症状は明瞭でないが家族性の Marfan 症候群のどれかに該当する．これら 3 者の予後は異なるため，鑑別が重要であるがしばしば難しい．
新生児 Marfan 症候群の診断基準は，先天性肺気腫，高度の三尖弁・僧帽弁逆流などを合併し，先天性クモ指，関節拘縮，巨大角膜，虹彩振盪，船底足，たるんだ皮膚などを認め，3 ヵ月までに Marfan 症候群と診断されることである．その予後は，通常の Marfan 症候群に比して非常に悪く，1 歳までに 50%例が心不全，呼吸障害などで死亡する．

川崎病
Kawasaki's disease

1. 川崎病の発生率は15000/年を超える.
2. 川崎病冠動脈の経時的変化：5～6病日にかけて輝度亢進. 第9病日前後で冠動脈拡張, そして第11病日に瘤形成に至る.
3. 最近では, 第5病日以前の冠動脈径がすでに正常より, また他の熱性疾患より大きいことが示されている.
4. 冠動脈瘤の好発部位：近位部, 特に分岐部を中心に好発するが, 右冠動脈ではsegment 3, 4移行部など末梢側にも少なくない.
5. 左冠動脈ではsegment 5, 6移行部, 6, 7移行部に多く, より末梢には稀.
6. 右冠動脈は3, 4移行部まで, 左冠動脈はsegment 6, 7移行部, segment 11までは描出するよう努める.
7. 左冠動脈開口部はValsalva洞が重なるため, 円錐状に拡大して見えることがある. しかし, 冠動脈開口部の拡大は非常に稀である.
8. 右冠動脈の走行は起始後すぐに変化する. 屈曲部を斜めに切ると瘤様に観察されるため, さまざまな方向から確認する必要がある.

冠動脈それぞれの segment に対応したプローブの当て方

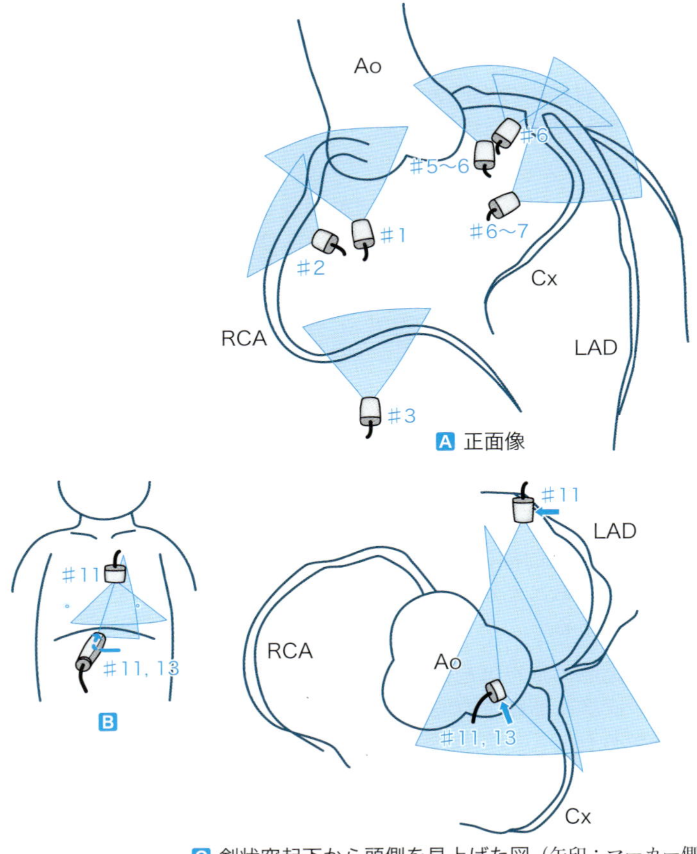

A 正面像

B

C 剣状突起下から頭側を見上げた図（矢印：マーカー側）

〈文献 61）より引用〉

C #11, 13 の抽出は B のように剣状突起下から観察する．その際，表示を upside down にして，プローブはマーカー側を下向きに向けて記録する（☞ p11）．

川崎病の基本心エコー

- それぞれの冠動脈の segment を長軸像で観察するように努める.
- 左冠動脈は左側臥位で観察する.
- 右冠動脈，特に #2 は右側臥位で観察する.

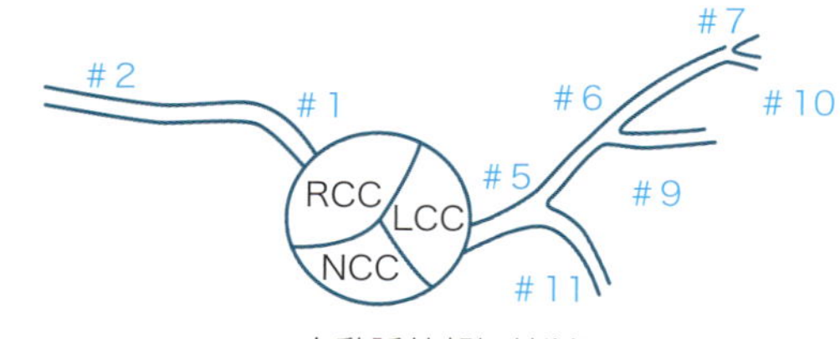

大動脈基部短軸断面

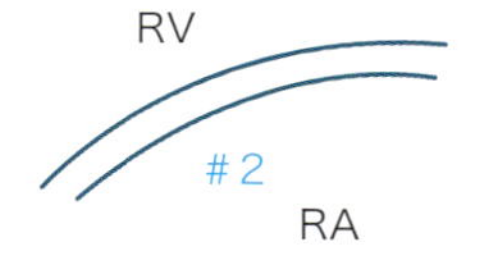

前頁 A
胸骨右縁からの類矢状断面

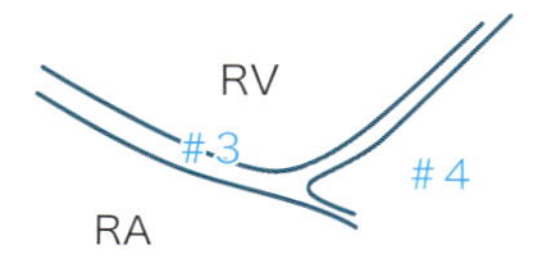

前頁 A
四腔断面から三尖弁輪背側をのぞいた断面

- 前頁BC（#11, 13）左回旋枝は僧帽弁輪を走行する．剣状突起下から左室の短軸断面を描出した後，僧帽弁輪を描出するように超音波ビームを移動させてゆくと，左回旋枝（LCx）が長い距離で描出できる.

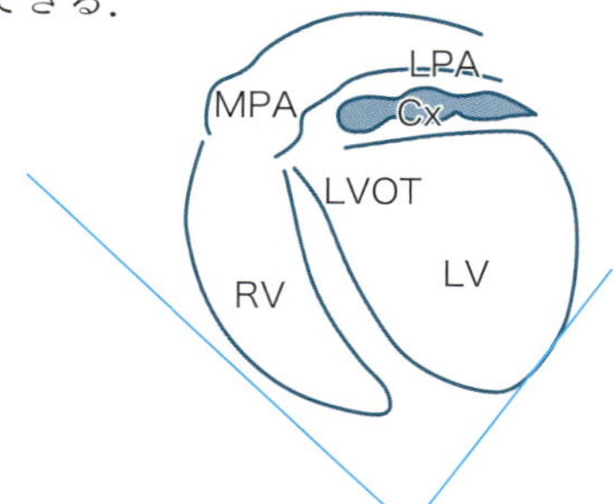

前頁 BC（#11, 13）
剣状突起下からの矢状断面
左回施枝（Cx）の瘤が確認される

- 四腔断面：三尖弁輪部・僧帽弁輪部に，#2, 3 境界・#11, 13 境界付近の冠動脈断面がそれぞれ描出される．特に瘤形成があればわかりやすい．

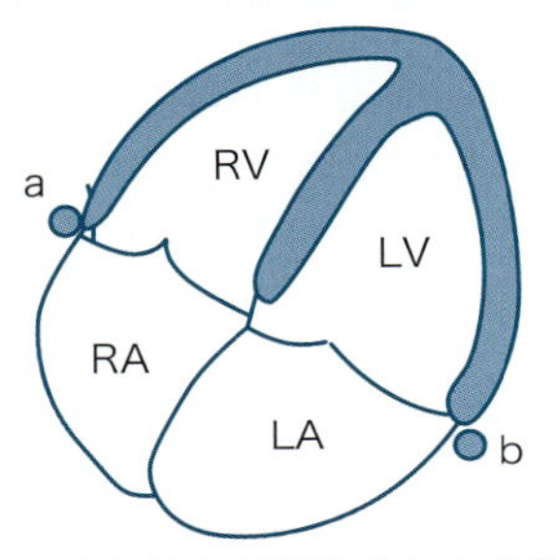

四腔断面像の三尖弁輪自由壁側（a）に＃2, 3 境界，
僧帽弁輪自由壁側（b）に＃11, 13 境界が描出

- 冠動脈拡張病変の重症度分類[62]：

①小瘤：　＋2.5 以上＋5 未満
②中等瘤：＋5 以上＋10 未満かつ 8 mm 未満
③巨大瘤：＋10 以上または 8 mm 以上

と定義され，5 歳未満では 3 mm 以上 4 mm 未満を小瘤，4 mm 以上 8 mm 未満を中等瘤，8 mm 以上を巨大瘤という実測値データによる評価も併記されている．

- 冠動脈狭窄病変：内径 5～6 mm 以上，特に長さが長い瘤形成例（左冠動脈：LCA ≧ 15 mm，右冠動脈：RCA ≧ 30 mm）が high risk.
- 冠動脈瘤破裂も重要な死因：冠動脈径の絶対値だけでなく，拡大速度にも留意する．
- 成人の後遺症群では，巨大冠動脈瘤，狭窄病変（局所狭窄，閉塞，segment 狭窄），石灰化，瘤内血栓など，種々の病態が混在するため評価が難しい．過去の CT，冠動脈造影などを参考にする[61]．

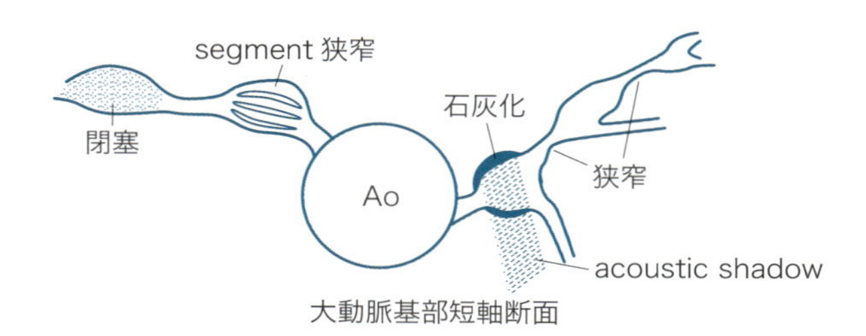

大動脈基部短軸断面

- その他，川崎病急性期に心筋炎，心膜炎などが合併する．多くは軽症であるが，心筋炎，心不全で死亡する症例もあり注意する．
- 年長児でも CRP 高値の心筋炎を見た場合，川崎病不全型を念頭におく．
- 僧帽弁逆流，大動脈弁逆流，三尖弁逆流が合併することあり．重症度はさまざまである．心筋炎に伴う弁膜炎，冠動脈病変による乳頭筋虚血・機能不全が原因と考えられる．

拡張型心筋症
dilated cardiomyopathy（DCM）

1. 人口比 36.5/10 万の発生率．10 歳未満の小児の 1.24/10 万に心筋症を認め，その内訳は拡張型 58.6%，肥大型 25.5%，拘束型 2.5%，左室緻密化障害 9.2% であった[2)]．
2. その発生には，感染，代謝，虚血，薬物，遺伝，不整脈などが関与するが，小児例の 66%例は原因不明（特発性）．
3. 特発性拡張型心筋症の多くは，小児期には無症状で，成人期（平均診断時年齢 45±17 年）に顕性化する．
4. 小児例の 10 年生存率（死亡・心臓移植例を除く）は 46% といわれる．
5. 拡張型心筋症例の家族にスクリーニング検査を行うと 8～19% に異常（無症状例も含め）が発見される．家族例の遺伝様式は，多くの場合が常染色体優性遺伝である．
6. 発症は緩徐なことが多い．年長例では息切れ，運動耐容能の低下などで発症する．乳児例ではわかりにくく，多呼吸，喘鳴，呼吸困難，多汗，不機嫌，食欲不振などが認められる．
7. 心電図：洞性頻脈で非特異的な ST，T 変化がしばしば認められる．左室肥大所見を示すことも多い．I 誘導，aV$_L$ で深い Q 波がみられる場合には，左冠動脈肺動脈起始の存在に留意する（☞ p259）．上室頻拍・心室頻拍は心筋症の結果のみならず，原因ともなりうる．
8. 胸部 X 線：心拡大，肺うっ血所見，肺水腫，胸水貯留などに留意する[3)]．

拡張型心筋症の基本心エコー

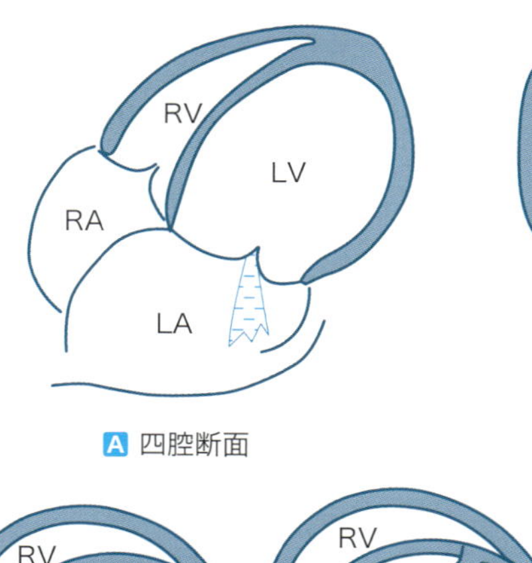

A 四腔断面

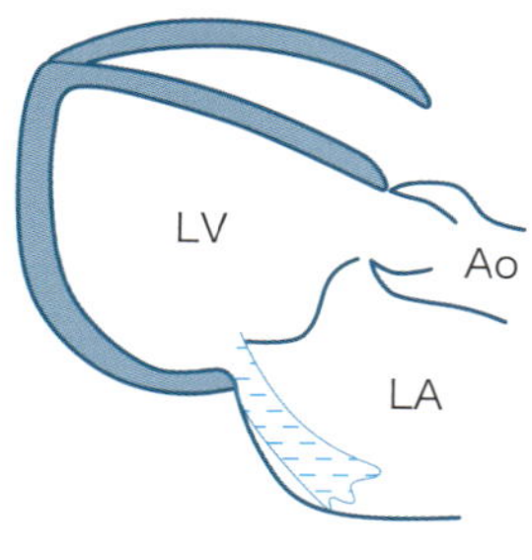

B 心室長軸断面

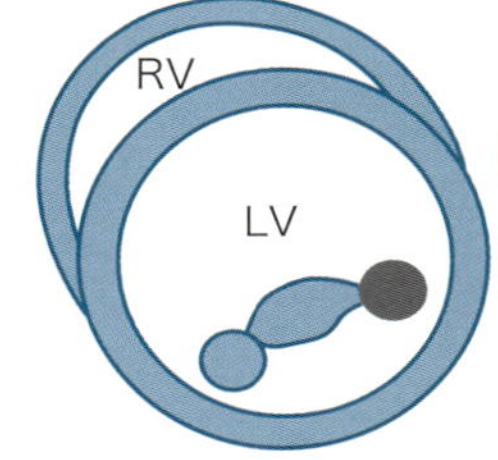

C 左室短軸断面

前側方乳頭筋の
エコー輝度は？

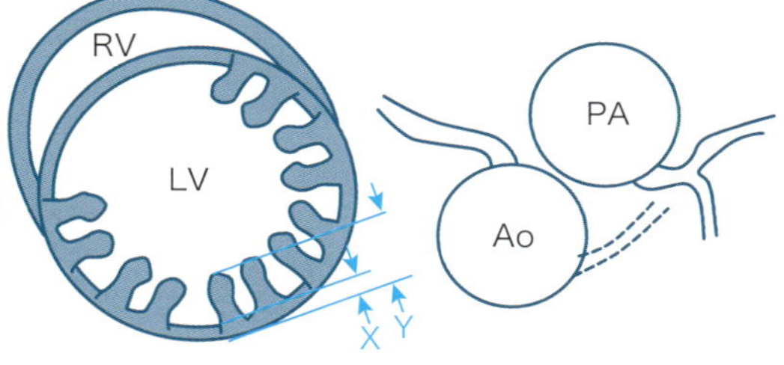

D 左室短軸断面

正常：X/Y≧0.8
LVNC：X/Y≦0.5[63)]
Y/X＞3[64)]

E 大動脈基部短軸断面

1. 四腔断面像（A）

- 左右心室の容積バランス（左室＞右室）.
- 心室中隔，心房中隔はそれぞれ右側に張り出し，左室はボール状に拡大する．正常では，左室の長軸長/短軸長比（sphericity index）＞ 1.6 であるが，拡張型心筋症では＜ 1.5 となり，しばしば 1.0 に近くなる[2)]．僧帽弁乳頭筋は左室が拡大することにより外側に偏位，僧帽弁尖を側方に牽引する．結果，弁尖の接合（coaptation）は弱くなり，僧帽弁の開放・閉鎖が障害され，機能的僧帽弁閉鎖不全が発生する．

- 僧帽弁逆流，左室拡張末期圧上昇により左房は拡大，肺静脈血流に逆流波が発生，肺静脈圧，肺動脈圧は上昇する．ドップラ法により三尖弁逆流速度を計測し，肺動脈圧を推定する．心膜液貯留などにも注意する．
- 拡張能評価：僧帽弁流入血流（transmitral flow：TMF）のE/A比，deceleration time（DT），肺静脈血流パターン（☞ p47），TEI indexのほか，組織ドップラ所見なども有用である（☞ p50）．成人ではPCWP＝1.55＋1.47（E/E′）と報告されている[2)]．
- また心筋の縦方向の運動を評価するためには，TAPSE，MAPSEなどもチェックする（☞ p46）．

2. 左室長軸断面像（B）

- 左室は拡張し（左室拡張末期径＞2 SD），収縮機能低下（左室駆出率＜40%）を認める．

3. 左室短軸断面像（CD）

- カラードップラで心室中隔内に側副血行路を短絡する血流を認める場合，僧帽弁前外側乳頭筋の輝度が後内側乳頭筋の輝度より明らかに高い場合ALCAPAなどを疑ってみる（☞ p259）．
- 高い肉柱：spongy myocardiumの像はないか？　あれば左室緻密化障害（LV noncompaction：LVNC）を考える．

4. 大動脈基部短軸断面（E）

- 左冠動脈肺動脈起始（☞ p259）との鑑別が重要．左冠動脈は大動脈から起始しているか？　カラードップラで左冠動脈内に順行性の血流があることを確認．また左冠動脈が大動脈から正常に起始しているように見えても，時期を空けて再確認すること．

■ MEMO

拡張型心筋症：左冠動脈肺動脈起始症候群（ALCAPA）との鑑別（☞259）

・左冠動脈が肺動脈から起始していないか？
ただしALCAPAでも大動脈から左冠動脈が起始しているように観察される場合があり，反復検査すること，下記に列挙した所見をチェックすることが重要.
・カラードップラで心室中隔内に側副血行の血流はないか？
ALCAPAの場合，背側から前方に向かう側副血行が観察されることが多い.
・左室短軸断面で乳頭筋の輝度に差はあるか？
新生児・乳児期早期を乗り切ったALCAPAの場合，前側方乳頭筋のエコー輝度は，右冠動脈血流により灌流される前側方乳頭筋に比して高いことが多い.
・主肺動脈内に異常血流の短絡はないか？
側副血行路の発達後にALCAPAでは，左冠動脈末梢から逆方向に流れて肺動脈内へ短絡する異常血流を認める．肺血管抵抗の高い，新生児期，乳児期早期には上記短絡血流を観察できない場合があり注意する.

■ MEMO

心臓再同期療法（CRT）の適応評価

拡張型心筋症の場合，speckle tracking法で局所心筋の動きをチェックする．ECGのQRS時間幅とともにCRT（cardiac resynchronization therapy）の適応に関して重要な情報が得られる．Dyssynchrony index（DI）>32.6 msecが特発性拡張型心筋症のsynchronous, dyssynchronousを鑑別するために有用であったとの報告がある[65].

肥大型心筋症

hypertrophic cardiomyopathy

1. 最も頻度が高い遺伝性心疾患（1/500 の発生率）.
2. 明らかな心肥大をきたす原因なく，左室ないしは右室の心筋肥大をきたす疾患で不均一な心肥大を呈する.
3. 通常，内腔の拡大はなく，左室収縮能は正常か過大である.
4. 左室流出路に狭窄がある場合, 閉塞性肥大型心筋症（HOCM）と呼ぶが，連続波ドップラで少なくとも 30 mmHg の左室流出路狭窄がある場合が該当する.
5. 経過中に肥大した心室壁厚が減少し，心室内腔の拡大と左室収縮能低下をきたし，拡張型心筋症様となった場合，拡張相肥大型心筋症（DHCM）と呼ばれる.
6. 肥大型心筋症の三大死因
   a. 突然死：特に若年者で最も重要な死因
   b. 心不全：壮年期
   c. 心房細動に伴う脳梗塞：高齢者で重要
7. 5 年生存率 91.5%，10 年生存率 81.8%
8. 心肥大は思春期～青年期に急速に進行するため，突然死には特に注意する.
9. 肥大型心筋症の中でも，重症不整脈（心停止：心室細動，自然発症の持続性心室頻拍，非持続性心室頻拍：心拍数≧120）や失神発作の既往，肥大型心筋症による突然死の家族歴，運動負荷試験における血圧低下，そして 30 mm 以上の心室中隔壁厚などを有する症例は，予後不良と考えられている. その他，50 mmHg を超える左室流出路狭窄，心房細動，中等度以上の僧帽弁逆流，リスクの高い遺伝子変異などを有する症例，若年発症例，拡張相に入った症例，そして MRI 検査などで心室の灌流障害や心筋の線維化拡大が示唆さ

肥大型心筋症とスポーツ心の鑑別

肥大型心筋症	スポーツ心臓
非対称性肥大	対称性肥大
著明な（>17 mm）心筋肥大	肥大は，より軽症（<17 mm）
左室拡張末期径・容量低下	左室拡張末期径・容量・一回拍出量増加
心室拡張障害所見あり	心室拡張障害なし
安静時心拍数：正常	安静時心拍数：低下

〈文献 2）を参照して作成〉

れる症例なども，突然死に注意して経過を観察していく必要がある.

10. 学校での管理指導区分：
無症状で不整脈・心機能低下なし　D
胸痛や失神などの自覚症状；有意の流出路狭窄あり　B, C
心不全所見あり　B, C
上室性・心室性不整脈あり　B, C
ハイリスク群　A, B or C

11. 治療
内服薬：β遮断薬，カルシウム拮抗薬，ジソピラミドなどのほか，不整脈にはアミオダロンなどが投与される.
その他の内科的治療：dual-chamber ventricular pacing, ICD, 経皮的中隔エタノール注入.
外科的な治療：中隔の心筋切除は圧較差の改善には有効.

肥大型心筋症の基本心エコー

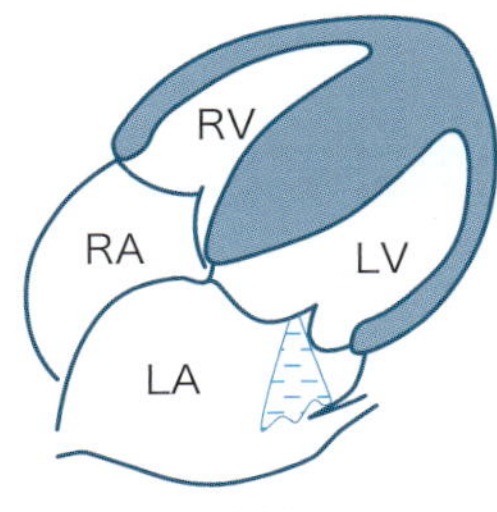

A 四腔断面

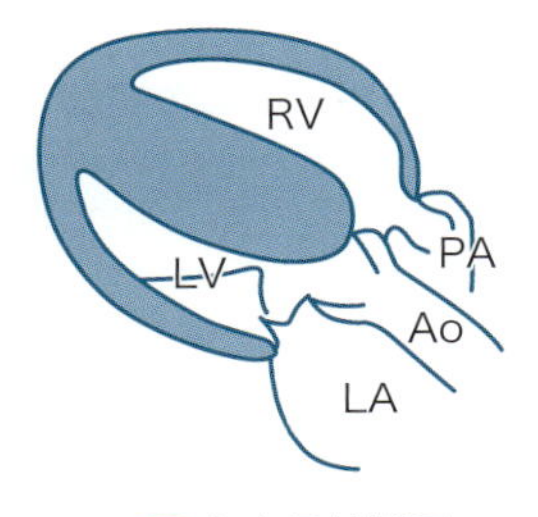

B 心室長軸断面

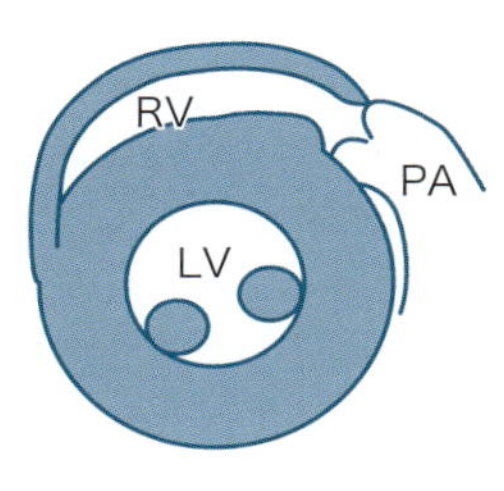

C 左室短軸断面

SAM：systolic anterior motion

D 僧帽弁の M-mode

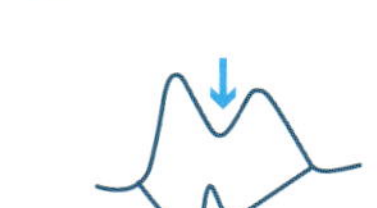

midsystolic closure of the aortic valve

E 大動脈弁の M-mode

1. 四腔断面（A），左室長軸断面（B）

- 非対称性中隔肥大（assymmetric septal hypertrophy）に代表される左室肥大像．心室中隔，左室自由壁の肥厚部位も明らかにする．
- 心室中隔壁厚≧30 mm で予後不良．
- 僧帽弁輪径，僧帽弁逆流評価．僧帽弁逆流が増大すると，左室拡張能の低下と相まって左房は拡大する．
- 左室拡張能の評価：僧帽弁流入血流（TMF）により E/A 比，deceleration time（DT），TEI index などを測定し，左室拡張能を評価．左室心筋の線維化が進行すると，左房圧の上昇は高度になり，ドップラ，組織ドップラ所見はより拘束型のパターンを示すようになる．

- 組織ドップラで e/e′ なども有用.
- M-mode：SAM（systolic anterior motion：D），大動脈弁の midsystolic closure（E）を認めれば，狭窄病変（閉塞性肥大型心筋症）の合併を考える.
- ドップラ：左室流出路血流速度から圧較差を推定する．心室中隔の肥大は収縮期後半に向けて高度になり，僧帽弁の収縮期前方運動が加わるため，左室流出路には dynamic obstruction が出現する．ドップラ所見では，駆出期後半に peak を有するいわゆる dagger-shaped signal（dagger＝短剣）を呈する．そのため左室圧のピークと大動脈圧のピークの時相がほぼ一致する．結果，ドップラで求めた instantaneous gradient と心臓カテーテル検査で求める peak to peak gradient は近似した値になる.
- 有意な僧帽弁逆流がある場合，左室圧較差は以下の式でも求められる.

> 左室圧較差＝4×僧帽弁逆流速度^2＋左房圧－血圧（収縮期圧）

- 心電図で V_5，V_6 に giant negative T 波を認めれば，心尖部肥大型心筋症を考えて心エコー検査を行う.

2. 左室短軸断面～右室流出路（C）

- 肥大した心室中隔の右室流出路への張り出しによる右室流出路狭窄をチェック.

拘束型心筋症
restrictive cardiomyopathy（RCM）

1. 小児期には稀で，小児心筋症の 2.5 〜 5% を占める．
2. 心室の拡張障害を有し，両心室の拡張期圧は高い．
3. 肺水腫を伴い，労作時の呼吸困難が目立つ．
4. 心室の大きさはほぼ正常にもかかわらず，心房は非常に大きい．三尖弁逆流の流速は上昇し，肺高血圧の存在を示唆（A，B）．三尖弁逆流速度から右室圧を推定する場合，右房圧≧20 mmHg の症例も稀でないことに注意する．
5. 左室駆出率，左室内径短縮率は正常かやや低下（C）．
6. 左室流入血流：左室拡張能は低下し，E/A 比，deceleration time（DT）などは拘束パターンを示す．拡張期中期に左室から左房への逆流波を認めることがある（D）．

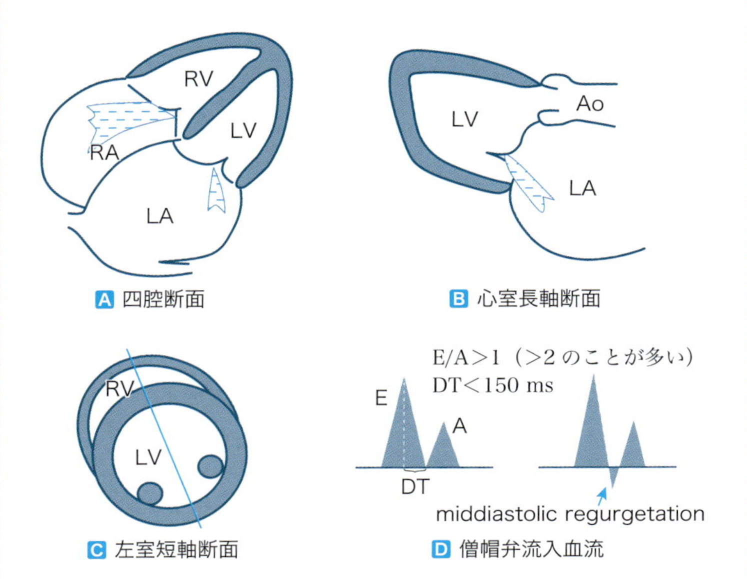

A 四腔断面
B 心室長軸断面
C 左室短軸断面
D 僧帽弁流入血流

7. 収縮性心膜炎との鑑別は重要.
呼吸と僧帽弁・三尖弁流入血, 上大静脈, 肝静脈, 肺静脈などのドップラ血流波形との関連を見ることが重要である. たとえば, 僧帽弁流入血 E 波：収縮性心膜炎では吸気時に≧25% 減高. 拘束型心筋症ではほとんど変化なし. 三尖弁流入血 E 波：収縮性心筋炎では呼気時に≧40% 増高, 拘束型心筋症ではほとんど変化を認めない.
ただし, 若年小児例では呼吸の調整が困難で, しばしば判定は難しい. 組織ドップラを交えての評価が有用で, E/E′ ＞15, E′＜8 cm/s, e′/E ＜ 0.11 などが鑑別に有用である(☞ p50).
㊟LV 流入血は吸気で減少, 呼気で増加する.
RV 流入血は吸気で増加, 呼気で減少する.
以下の場合, 収縮性心膜炎が疑わしい.
LV 流入波形の E 波呼吸性変動（%）
＝（呼気 E 波 Vmax －吸気 E 波 Vmin）÷吸気 E 波 Vmin × 100 ≧ 25（%）
RV 流入波形の E 波呼吸性変動（%）
＝（吸気 E 波 Vmax －呼気 E 波 Vmin）÷呼気 E 波 Vmin × 100 ≧ 40（%）

心臓腫瘍
cardiac tumor

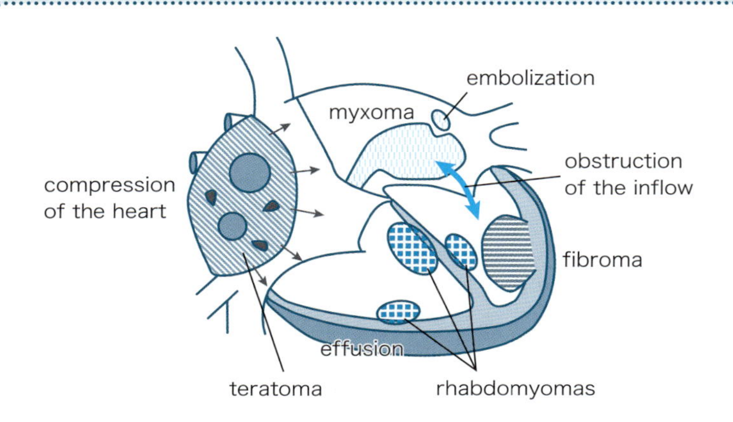

1. 小児期に重要な心臓腫瘍は，横紋筋腫，線維腫，粘液腫，傍心臓奇形腫である．

Boston 小児病院 1980-2005 における発生件数[66)]

年齢	＜1M	＜1Y	≧1Y	総数
横紋筋腫	32	17	29	78（60.5%）
線維腫	1	4	5	10（7.8%）
粘液腫	2	1	15	18（13.9%）
傍心臓奇形腫	2	0	0	2（1.6%）

小児期に重要な心臓腫瘍

1. 横紋筋腫

- 心室に最多であるが心内どこにでも発生．通常多発性で単発は10%のみ．心筋内から発生し心室内に突出する．自然縮小も稀でない．
- 刺激伝導路も腫瘍に取り囲まれ，心房頻拍や心室頻拍を反復，突然死の原因になる．すべてのECG異常を合併しうる．
- 胎児期：不整脈のスクリーニング，胎児水腫，胎児成長障害，結節硬化症の家族歴などで発見．
- 新生児・乳児期：呼吸窮迫，心不全，低心拍出などで重症化．大きい腫瘍を伴えば，心室の流入路・流出路を閉塞し，突然死の原因にもなり得る．80%例で結節硬化症の所見を伴う．逆に結節硬化症の半数で横紋筋腫を合併する．
- エコー所見は境界鮮明で多発性の高エコー輝度腫瘍として描出される．

2. 粘液腫

- 成人の心臓腫瘍として最多．小児期にも2番目に多い（胎児，新生児期には少ない）．
- 三徴：房室弁閉塞，塞栓症，全身症状（発熱，倦怠，体重減少，筋痛，関節痛など）．
- 3/4の症例では左房起源，1/4では右房起源である．心房中隔に有茎性に付着していることが多い．心室起源は稀．多発性の場合Carney's complexの範疇に含まれることが多く，家族性，皮膚の色素斑，各種内分泌疾患合併の有無についてチェックする．
- 姿勢により房室弁の閉塞状況が変化し，めまい，呼吸障害，失神などが認められる．
- 治療：外科的に摘出．

3. 線維腫

- 乳児期に発生率が高い.
- 心室筋内から単発で発生する高エコー輝度の腫瘍で，有茎性の場合も broad-based のこともある.
- 左心室，特に自由壁からの発生が多く，心尖部発生も少なくない. 拡大すれば，流出路・流入路の閉塞をきたしうる.
- 完全摘出は難しいが，再成長することは稀.

4. 心臓・心周囲胚細胞腫

- 奇形腫が多い. 心内（房室結節など）より心周囲からの発生が多い. 後者は乳児期には呼吸障害で発生，心膜腔液を伴い，心臓を圧迫し（腫瘍自身も）タンポナーデの症状を呈することがある.
- 単一分葉性で心エコー上は内部不均一の腫瘍（cyst を含む）として描出される.

急性心筋炎・劇症型心筋炎
acute, fulminant myocarditis

1. 急性心筋炎の初発症状：発熱，咳嗽，消化器症状，筋痛，全身倦怠感，胸痛など非特異的で，先行感染の症状としばしば鑑別困難．発症初期の診断は難しい．
2. 他の熱性疾患に比して全身衰弱が強い．感染のみでは説明しがたい頻脈，顔色不良，脈拍微弱，肝腫大などがあれば，心筋炎を考慮しながら検査を進める．
3. 胸部 X 線に心拡大を認めないこともある．肺うっ血，肺水腫像に留意する．
4. 心電図：QRS 波低電位（特に左胸部誘導），異常 Q 波，非特異的または心筋梗塞類似の ST-T 上昇，完全房室ブロック，心室頻拍など．
5. 血液検査所見：CK/CK-MB 正常でも心筋炎を否定できない．BNP, cTnT なども有用．CRP 高値の心筋炎の場合，川崎病不全型も念頭におく．
6. 劇症化に注意する．特に胸部 X 線で心拡大は正常から軽度にもかかわらず，肺水腫像の強い症例，心電図で心室内伝導障害の強い症例，著明な低電位を呈する症例，血液ガス所見の悪い症例，乳酸値の高い症例では注意が必要である．
7. 劇症型では浮腫により心筋が肥大し，左室駆出率は正常か正常下限で内腔が小さい場合がある．拡張能は障害され心拍出量は低下する．
8. われわれの施設では，左室拡張末期径（正常平均%）×左室駆出率（%）≦4000 に近づいてくると V-A ECMO（流量が不十分な場合，セントラル ECMO）を準備する．収縮能低下を代償する心拡大が得られていないことを示している．
9. 心嚢液貯留：拡張能が低下した状態で心嚢液が貯留すると，急激に循環動態が悪化する．

急性心筋炎・劇症型心筋炎の基本心エコー

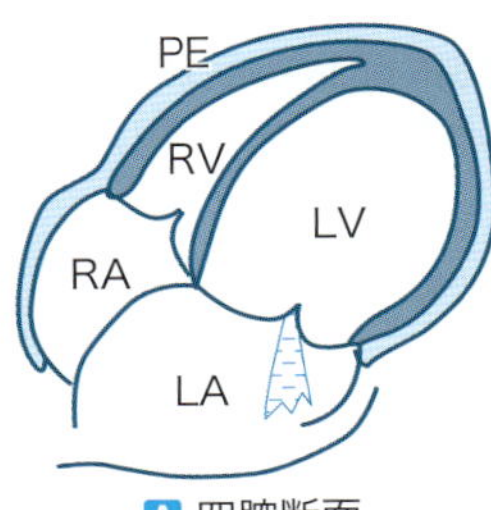

A 四腔断面

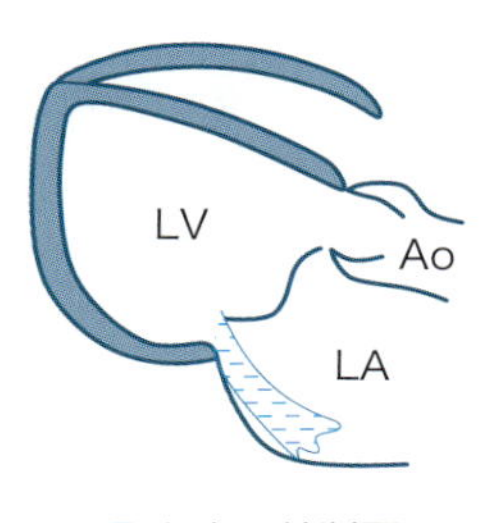

B 心室長軸断面

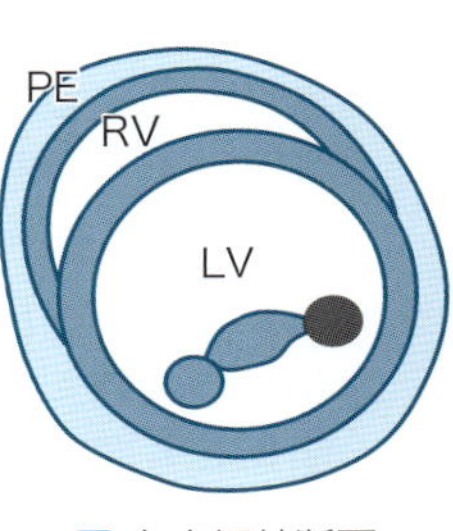

C 左室短軸断面

1. 四腔断面（A）

- 左右心室のバランス，心房中隔，心室中隔の右方突出（球状の左室，左室拡張末期圧上昇示唆），僧帽弁弁輪径，三尖弁弁輪径（正常では MV < TV），心膜液（PE）貯留，僧帽弁逆流（MR），三尖弁逆流（TR），そして左室拡張能などをチェック．ただし劇症型では，左室拡大を伴わず，収縮能，拡張能が障害されていることが少なくない．

2. 左室長軸断面

- 拡張した左室（LVEDD, EF, FS），左房（LAD/AoD），MR．劇症型心筋炎では急激な心筋の腫脹により心室中隔壁厚，左室後壁厚は厚く，LVEDD は正常〜縮小，LVEF はやや低下程度の場合もある．心拍出量低下に注意する．

3. 左室短軸断面

- LVEDD，乳頭筋輝度（前外側乳頭筋輝度＞後内側乳頭筋輝度の場合，左冠動脈肺動脈起始症候群を疑う）．
- 左室緻密化障害の鑑別も重要（☞ p292）．

心膜液貯留・心タンポナーデ
pericardial effusion, cardiac tamponade

1. 心膜炎，心筋炎のほか，術後の心膜切開後症候群，乳び胸・外傷などに伴って発生する．
心膜腔圧が重要．心房，右室の圧迫状況を観察し，心タンポナーデへの進展に留意する．心膜液量のみならず貯留のスピードが重要．
心内腔圧は右房，左房，右室と順に高くなる．したがって，どこまで圧迫されているかにより，心臓の圧迫状況を推測することができる．

2. 時間的余裕があれば，僧帽弁流入血のE/A比，deceleration time（DT），組織ドップラ所見などを参考に，右室の圧迫状況を評価する．

3. 心膜穿刺に際しても心エコーによる情報は非常に重要である．胸壁に垂直に穿刺しても心臓，肺を傷害しない安全な部位を探す．
穿刺部直下の心膜液厚，心膜腔までの距離，想定される心膜の穿通部位と心筋までの距離などを正確に計測しておく．

4. 心膜炎の胸痛は吸気で増強する傾向がある．

5. ECG上の広範囲にわたるST低下は，心外膜下心筋炎の存在を意味している．

心膜液貯留・心タンポナーデの基本心エコー

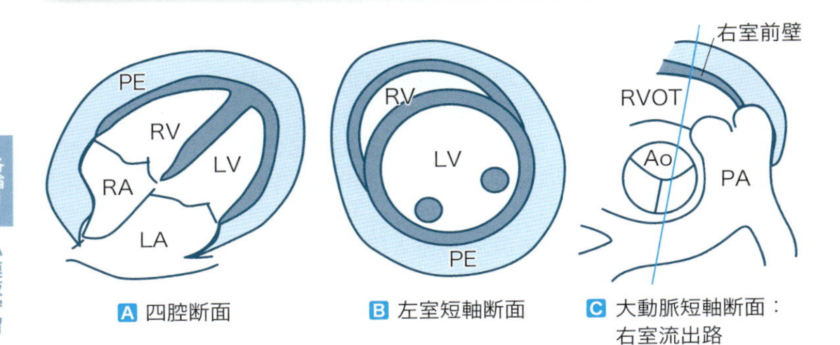

A 四腔断面　B 左室短軸断面　C 大動脈短軸断面：右室流出路

1. 四腔断面

- 心膜液（PE）貯留部位・分布，厚み（収縮期，拡張期），左右心房の圧迫状況により心膜腔内圧を推定．内圧は右心房＜左心房＜右心室であり，右房だけが圧迫されていれば，心膜腔内圧は右房圧と左房圧の間にある（A）．時間的，また血行動態上の余裕があれば，僧帽弁流入血のE/A比，deceleration time，組織ドップラ所見による拡張能評価を行う（☞ p47-50）．
- RA inversion time index ＞ 0.34：右房（RA）虚脱が心周期の1/3以上に渡る場合，心タンポナーデの診断感度・特異度ともに高い．

〈Gillam LD et al：Hydrodynamic compression of the right atrium: a new echocardiographic sign of cardiac tamponade. Circulation 68 (2)：294-301, 1983〉

2. 心室短軸断面

- 心臓の左右，前後にどの程度心嚢液が貯留しているかチェック（B）．心膜穿刺に適切な部位を決定する．

3. 大動脈短軸断面

- 右室流出路で右室前壁が，拡張期に後方へ移動する奇異性運動している場合，心膜腔圧は右室拡張圧より高い（C）．

心膜穿刺の適応

心膜穿刺の適応

Clinical presentation	スコア
Dyspnea/Tachypnea	1
Orthopnea (NO rales)	3
Hypotension (SBP＜95 mmHg)	0.5
Progressive sinus tachycardia	1
Oliguria	1
Pulsus paradoxus＞10 mmHg	2
Pericardial chest pain	0.5
Pericardial friction rub	0.5
Rapid worsening of symptoms	2
Slow evolution of the disease	-1

Imaging	スコア
Cardiomegaly on chest x-ray	1
Electrical alternans on ECG	0.5
Microvoltage in ECG	1
Circumferential PE (＞2 cm in diastole)	3
Moderate PE (1 ～ 2 cm in diastole)	1
Small PE (＜1 cm in diastole), no trauma	-1
RA collapse ＞1/3 of cardiac cycle	1
IVC > 2.5 cm, < 50% inspiratory collapse	1.5
RV collapse	1.5
LA collapse	2
MV/TV respiratory flow variations	1
Swinging heart	1

スコアとしては etiology も入れて≧6点で急いで心膜穿刺となっている．etiology として，9項目が挙げられている．

2点：悪性疾患，結核

1点：最近の放射線治療，ウイルス感染，反復する心膜液貯留，慢性腎不全，免疫不全

−1点：甲状腺機能亢進・低下，自己免疫疾患

〈文献 67）を参考に作成〉

特発性肺動脈性肺高血圧
idiopathic pulmonary arterial hypertension（IPAH）

1. オランダでの肺動脈性肺高血圧（PAH）発症率は年間63.7/100万小児（以下/100万）で，うち特発性肺動脈性肺高血圧の発症頻度は0.7，CHDに由来するもの2.2，PPHN 30.1，transient PH（PPHN, CHD術後のPH）21.9と報告されている．
2. 右室は大きく左室は小さい．三尖弁逆流（TR）の増大とともに右心系の拡大が目立つ．
3. TRの流速（V m/s）により推定右室圧（mmHg）を求める（RV圧＝ $4V^2$ ＋ RA圧）．右房（RA）圧の設定により誤差が生じるが正常例より上昇していることが多く，心房中隔の左房側への偏位などを参考に10 mmHgなどに設定する．剣状突起下における体軸水平断面で下大静脈横断面が丸ければ15 mmHgなどの値も想定する．僧帽弁逆流（MR）もあれば，おおよそのRV圧/LV圧比が計算される．
   左室短軸断面で左室が右室により圧排されているにもかかわらず（☞p40）TR流速が予測されるより遅い場合，RA圧が非常に高いことが推定される〈一般論〉．
4. PA圧（RV圧）の上昇とともにLV短軸断面像は正円から半月形，三日月形へと変化してゆく．右室心筋壁厚は厚い．
5. ただし右室圧が左室圧を凌駕しているように見えても，実際は拡張末期の圧関係をみていることもある．ECGをつけて評価する．
6. PAH重症例：mPAP ≧ 35 mmHg or mPAP ≧ 25 mmHg ＋心係数（CI）＜ 2.0（$L/min/m^2$）
7. なお，2018年のワールドシンポジウムより，
   肺高血圧の定義は平均肺動脈圧（mPAP）≧ 20 mmHg
   PAHの定義はmPAP ≧ 20 mmHg，肺動脈楔入圧 ≦ 15 mmHg，肺血管抵抗≧ 3WUとなっている．

特発性肺動脈性肺高血圧の基本心エコー

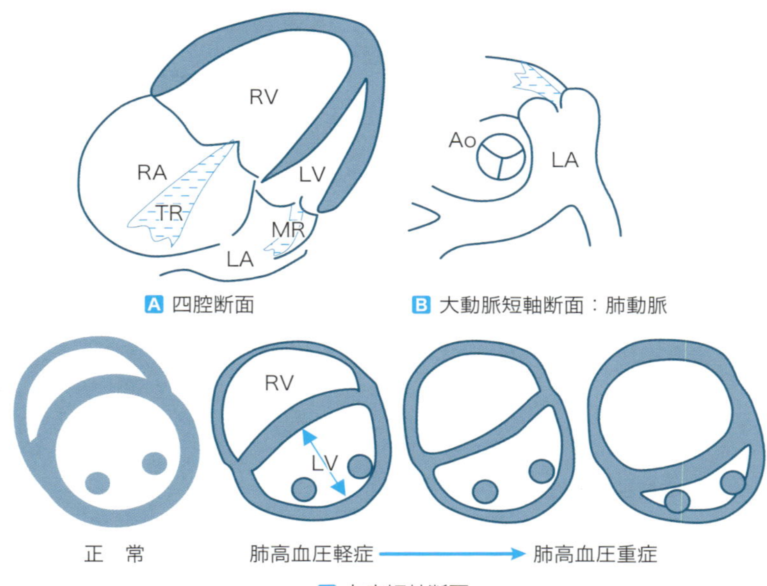

A 四腔断面

B 大動脈短軸断面：肺動脈

C 左室短軸断面

1. 四腔断面（A）

- TRの増大とともに右心系の拡大が目立つようになる．LVは次第に小さくなる．TRの流速V m/sにより右室推定圧（RV圧mmHg）を求める（RV圧＝$4V^2$＋RA圧）．右房圧（RA圧）をどのように設定するかで誤差が生じるが，正常より上昇しており10 mmHgなど設定する．
- 左室短軸断面で左室が右室により圧排されているにもかかわらず（☞ p40），TR流速が予測されるより遅い場合，RA圧が非常に高いことが推定される．また剣状突起下にみる体軸水平断面で下大静脈の横断面が丸ければ15 mmHgまたそれ以上の可能性もある．
- 同様に僧帽弁逆流速度から（または血圧から）左室圧が推定できれば，右室圧/左室圧比の推定が可能．

2. 大動脈基部短軸断面（B）

- PR により肺動脈拡張期圧など推定（☞ p62）.

> 推定平均圧：拡張期圧＋ 1/3 脈圧（心拍数正常）
> 　　　　　　拡張期圧＋ 1/2 脈圧（頻脈）

3. 左室短軸断面（C）

- 肺動脈圧上昇とともに LV は正円から半月形，そして三日月形へと変化してゆく．右室心筋は厚い．左室が三日月形に観察される場合，拡張期か収縮期か確認する必要がある．拡張末期径上昇により，拡張期に左室が圧排されていることを反映している場合もある．ECG を付けて確認する．

4. ドップラ法

肺高血圧の診断

TRVmax	PH 示唆する他の所見	PH の可能性
≦ 2.8	（−）	低い
	（＋）	中
2.9 ～ 3.4	（−）	中
	（＋）	高
＞ 3.4		高

〈文献 68）より引用〉

- AcT/RVET ≦ 0.3 → meanPA 圧≧ 30 mmHg
- meanPA 圧＝ 79 − 0.45 × AT（☞ p40）
- meanPA 圧＝ 4 × V^2 ＋推定 RA 圧（拡張早期 RA 圧は 0 mmHg に近い；☞ p62）（V：肺動脈弁逆流最高流速）

■ MEMO

特発性肺動脈性肺高血圧の薬物療法

最近の薬物療法の進歩は目覚ましい．エンドセリン受容体拮抗薬，フォスフォジエステラーゼ５阻害薬（＋可溶性グアニレートシクラーゼ促進薬），プロスタサイクリン製剤の３種類が治療の柱になり，予後は著しく改善している．併用療法には，単剤で開始し反応を見て他剤を併用する方法（sequential combination therapy）と，最初から多剤併用を行う upfront combination therapy があるが，最近では後者の割合が増えている．進行例ではエポプロステノール（持続静注）を投与する[69]．

Eisenmenger 症候群

Eisenmenger's syndrome

1. 最初は左右短絡→肺血管の変化により肺血管抵抗の上昇，肺高血圧をきたしたもので，欠損孔での短絡血流は右左方向となり，酸素飽和度の低下と中心性チアノーゼをきたすようになる．

Eisenmenger 症候群をきたす可能性がある心疾患と発症年齢

	PH 発症年齢
VSD（> 10 mm）	infancy and childhood
PDA（> 10 mm）	infancy and childhood
ASD（> 20 mm）	adulthood
AVSD	infancy and childhood
DORV without PS	infancy and childhood
Truncus arteriosus	infancy and childhood
Univentricular heart	infancy and childhood
$\bar{s}$ PS	infancy and childhood
Surgically created shunts：	infancy and childhood
Potts, Blalock-Taussig, Waterston	variable

肺高血圧発症年齢（発見，診断時）：VSD 3.36 ～ 9.2 歳，PDA 6.39 ～ 11.6 歳，ASD 18.7 ～ 20.8 歳．

2. 肺動脈圧：
右室流出路狭窄がなければ，右室と肺動脈の収縮期圧は同じ．
→簡易ベルヌーイの法則を用いて推定できる（☞ p38-39）．
平均肺動脈圧（☞前頁）や肺動脈拡張期圧も肺動脈弁逆流の流速を計測することにより求められる．

肺動脈拡張期圧＝
4 ×（PR 拡張末期血流速度）^{2} ＋右室拡張末期圧（≒右房圧）

右室のコンプライアンス
房室弁逆流
肺動脈弁逆流
} により影響される

3. 左室機能障害からの Eisenmenger 症候群の予後推定：左室駆出率＜50% で死亡率が上昇する．ただし，Eisenmenger 症候群では右室の圧負荷，容量負荷がかかり，左室形態も変化するため，左室機能の評価が難しい．

①房室弁上のシャント：心房中隔欠損（ASD）
右室の容量負荷でシャント量は心室のコンプライアンスにより変化する．年齢とともに左室のコンプライアンスは低下するため左右短絡も増加する．ASD のバルーン閉鎖試験で閉鎖とともに肺動脈楔入圧が 20 mmHg を超えるようなら ASD を閉鎖しない方がよいとの意見もある．

②房室弁下のシャント：心室中隔欠損（VSD），両大血管右室起始，動脈管開存など VSD で欠損孔（交通孔）が大きい場合，シャントの方向は収縮期には血管抵抗，拡張期には心室のコンプライアンスにより規定される．

正常胎児，正常小児/成人，Eisenmenger 症候群における心室 geometry の比較

	正　常		Eisenmenger 症候群	
	胎　児	正常小児 / 成人	pre-TV	post-TV
自由壁厚	equal	LV ≫ RV	variable	equal
心室形態（短軸断面）	midline/flat	crescent to RV	crescent to LV	flat
心室 geometry	equal	elliptical LV	spheroid RV	equal
右室仕事様式	circumferential	longitudinal	longitudinal	circumferential

Pre-TV：三尖弁より近位の短絡群（心房中隔欠損など）
Post-TV：三尖弁より遠位の短絡群（心室中隔欠損，動脈管開存など）

〈文献 2），p702 より引用〉

4. 予後不良を示唆する所見[2)]:
   TAPSE＜15 mm（3 年以内の死亡率 30%）
   RV の有効収縮期/拡張期比 ≧ 1.5
   RA area ≧ 25 cm^2
   RA/LA area ratio ≧ 1.5　などは予後不良のデータ

5. 拡張した肺動脈内に血栓を認めることがある．特に高年齢，女性，酸素飽和度低下例で注意を要する．

6. 感染性心内膜炎，脳膿瘍にも注意が必要で，感染性心内膜炎の合併が疑われる際には疣贅の検出に努める．

7. Eisenmenger 症候群では，外科手術（radical op）の適応はないが，最近，エンドセリン受容体拮抗薬や PDE-5 阻害薬，プロスタサイクリン薬などの有効性が報告されている．これらの薬剤を使用する場合，心エコーによる TR-PR の評価（量，流速），右室（肺動脈）圧の推定，左室拡張期末期径，左室駆出率などの評価が重要である[2)]．

新生児遷延性肺高血圧
persistent pulmonary hypertension of the newborn (PPHN)

1. 発症率 1 ～ 2 /1000 生産児.
2. 多くは正期産/過期産でみられる.
3. 診断基準[70)]：
   ①先天性心疾患なし.
   ② F_IO_2 1.0 でも低酸素血症が持続.
   ③肺高血圧の所見が心エコー検査，$TcPO_2$/SpO_2 から認められる.
4. SpO_2 の上下肢差が＞5～10%ある場合 (differential cyanosis)，動脈管を介しての有意な右左短絡 (体血圧＜肺動脈圧) の存在が示唆される[71)].
5. 心エコー：
   ①肺高血圧を呈する先天性心疾患の否定：
   PPHN が ToF や TGA に合併することがある．前者では PS の圧較差が ToF の肺動脈弁・弁下狭窄の程度に合わないほど小さい．後者では心房間交通が十分でも酸素飽和度が非常に低く，緊急手術が必要になる.
   ②肺高血圧の評価：
   PDA, PFO における右左短絡
   TAPVC/CoA など CHD の否定，鑑別
   PDA 内の血流評価：右左短絡，両方向短絡(右＞左)では肺動脈圧≧大動脈圧 (左右短絡優位でも否定できない)
   TR による評価：$4V^2 + RAP$ ＝右室圧
   RVSTI ＞ 0.30，AT/RVET ＜ 0.35 を異常[72)]
   右室・左室短軸断面の左室形態：D-shape, 三日月型 (☞ p309)
   TR 圧較差/体血圧比
   ＞ 0.60 で右左短絡の可能性が高い
   ＞ 0.80 で右左短絡の存在が確実

㊟左心機能低下が右左短絡を惹起している可能性もあり，心機能にも注意する.

各論III
胎児心エコー

各論III
胎児心エコー

体軸水平断面でみる胎児心エコーの基本断面

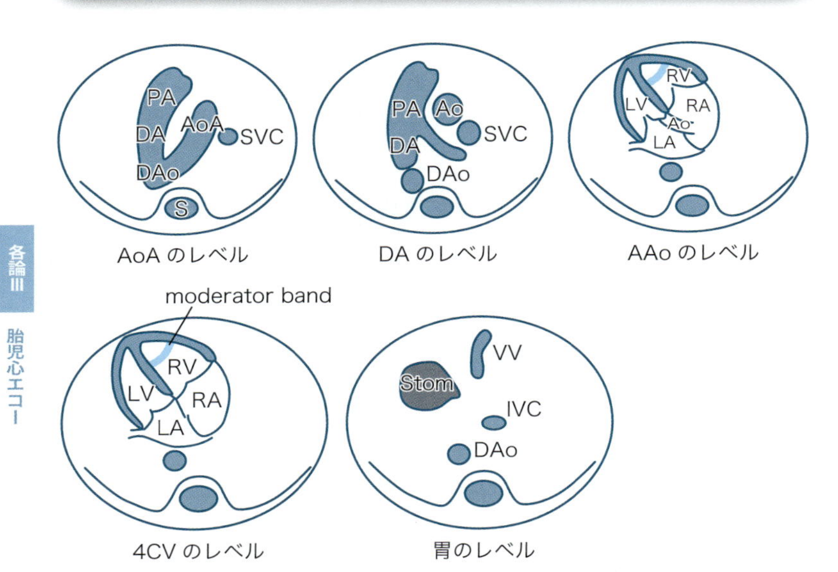

Ao：大動脈，AAo：上行大動脈，AoA：大動脈弓，DA：動脈管，DAo：下行大動脈，LA：左房，LV：左室，PA：肺動脈，RA：右房，RV：右室，S：脊椎，SVC：上大静脈，Stom：胃

〈文献 73）を参照して作成〉

1. 四腔断面

- 心房後壁と心房中隔が接する点（Ⓟ点）：ほぼ胸郭の中央（前後径の中央 1/2, 左右径の 1/4 幅だけ中央より右方の領域）に位置する．横隔膜ヘルニア，CPAM（先天性肺気道奇形），肺分画症などではこの領域からはずれる．
- 心臓軸：Ⓟ点と心尖部を結ぶ線が前の縦ラインとなす角度．正常 25 ～ 65° の範囲外なら複雑心奇形に注意（**A**）．
- 心胸郭断面積比：CTAR 正常値 20 ～ 35%（妊娠中期以降で≧35% なら心拡大）．

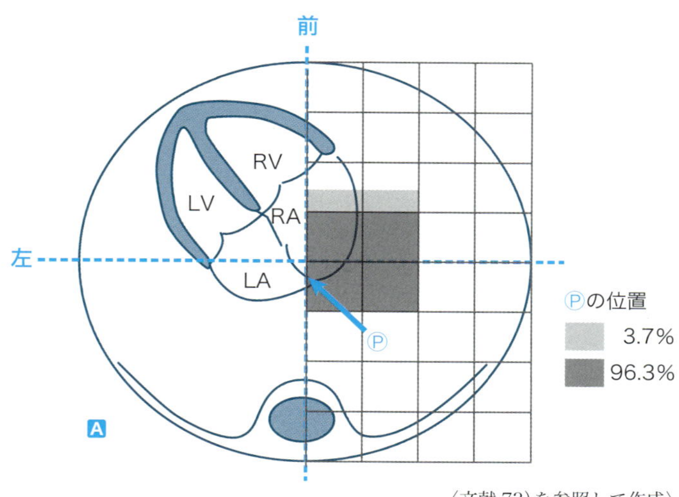

〈文献 73）を参照して作成〉

胎児心機能の評価

- 心室内径短縮率（FS）：週数によらず一定で 0.28 〜 0.40

（心室拡張末期径－心室収縮末期径）÷心室拡張末期径
　＝ 0.28 〜 0.40[73)]

- 心拍出量（cardiac output：CO）：

CO（mL/m）＝π（0.5 半月弁輪径（cm））^{2} ×VTI（cm）×HR（/m）
正常値：425（mL/min/kg）（週数の影響を受けにくい）
RVCO ＝（1.4 〜 1.5）× LVCO[73)]

- dP/dt ≦ 800（mmHg/sec）で心機能低下
　　　≦ 400（mmHg/sec）は重度の収縮能低下（A）

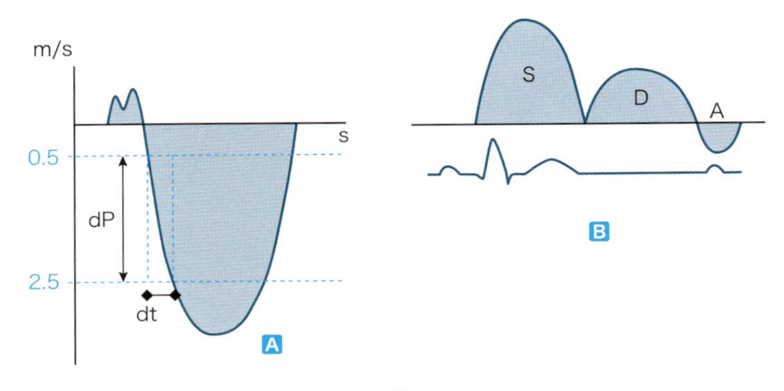

- E/A：妊娠初期で≒ 0.5，中期で約 0.8
　E と A が単峰性：胎児発育不全も考える．
- Preload index（PI）：下大静脈・右心房流入部でチェック（B）．

PI ＝心房収縮期の逆流速度/心室収縮期の流入速度の比
　＝ A/S 比＜ 0.5[73)]

- TEI index（myocardial performance index：MPI）：
　収縮能低下，拡張能低下ともに TEI index の増大として反映され，総合的な心機能を表す指標として利用されている.

> 正常値：LV TEI index 0.464 ± 0.08
> RV TEI index 0.466 ± 0.09[73]

成人の LV TEI index 0.38 ± 0.05，RV TEI index 0.28 ± 0.04 に比して高値.

- CTAR（cardiothoracic area ratio）：正常値 20 ～ 35%，妊娠中期以降はおよそ≧ 35% で心拡大と考える（☞ p319）.
- Cardiovascular profile score（下表）

Cardiovascular profile score

	正常　2	−1	−2
水腫	なし	腹水/胸水/心膜	皮膚浮腫
静脈 Doppler 臍帯静脈 静脈管			
心拡大（CTAR）	0.20<　≦0.35	0.35<　≦0.50	<0.20 or 0.50<
心機能 臍帯動脈 Doppler	TV/MV 正常	全収縮期 TR RV/LVFS<0.28	全収縮期 MR or TR dP/dT<400 Monophasic filling

〈文献 73）を参照して作成〉

胎児心エコーで覚えておきたいサイン[73, 74]

- V-shaped sign：正常の大血管関係
  3 vessels view で左前から右後に向かい肺動脈（PA），大動脈（Ao），上大静脈（SVC）の順に並ぶ．PA・下行 Ao 間に太い動脈管（DA）が介在するため V sign として観察．
- I-shaped sign：完全大血管転位
  Ao・PA は平行に走行し，PA は Ao 弓の足側に位置する形で下行 Ao に連結するため I shape に見える．
- U-sign：右大動脈弓（RAoA）＋鎖骨下動脈起始異常
  気管は正常では Ao 弓の右側：V 字の外を走行するが，RAoA では Ao 弓の左側・U 字の内側に位置する．
- PLAS index（post LA space index）：総肺静脈還流異常
  PLAS index ＝（LA・下行 Ao 間距離）÷下行大動脈径≧ 1.27 で総肺静脈還流異常（TAPVC）が疑わしい．
- Ao の 3 sign（☞ p141）：大動脈縮窄
  Ao 弓が DAo に移行直前で細くなる．DA 径 /Ao 峡部径≧ 1.5 や，小さい LV が，大動脈縮窄（CoA）診断の参考になる．
- 肺動脈閉鎖・心室中隔欠損（＋主要体肺側副動脈）や総動脈幹では，複数の断面でみても大血管が 1 本しか見えない．

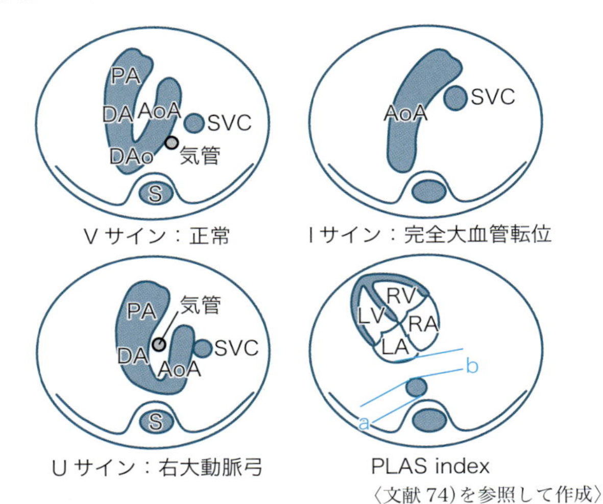

〈文献 74）を参照して作成〉

- 左心低形成症候群の卵円孔（FO）[74]：肺静脈血流信号の面積を計測.
  ① $TVI_R/TVI_F < 0.18$ → FO 大丈夫（A）
  ② $TVI_R/TVI_F \geqq 0.18$：①に比して FO は有意に小さい（B）
  ③拡張早期順行性血流なし：出生後 FO 閉鎖（C）

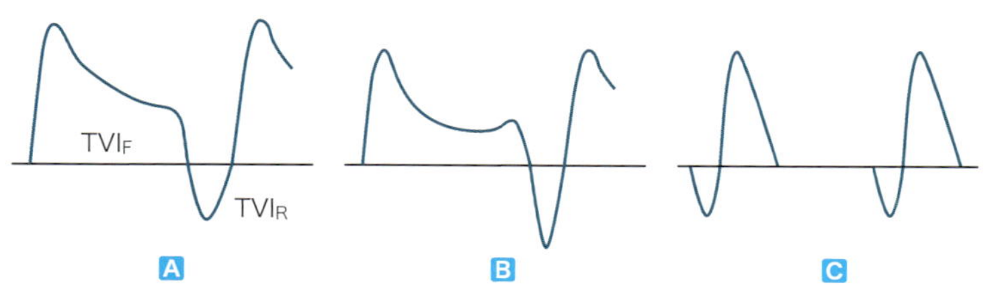

TVIF：順行性 time velocity integral，TVIR：逆行性 time velocity integral

- 左心低形成症候群の母体酸素負荷テスト[74]

> Pulsatility index（PI）
> ＝（収縮期最高血流速度－拡張末期血流速度）÷平均血流速度
> ● PI 高値→高血管抵抗，PI 低値→低血管抵抗

母体に 60% 酸素 10 分吸入
→肺動脈の PI 低下≧ 20%　1/15 死亡
→肺動脈の PI 低下＜ 20%　11/14 死亡

- 大血管転位：緊急 BAS の必要性[74]
  ・Hypermobile atrial septum（＋）→緊急 BAS 必要性高い
  ・Reverse diastolic DA shunt（＋）→緊急 BAS 必要性高い

代表的な胎児不整脈（M-mode 法）

- 四腔断面などで心室と心房壁にカーソルを当てて記録.
- わかりやすいように心房壁・心室壁の動きは拡大して記載している.
- 3 vessels view で，サンプルボリュームを大動脈・上大静脈に跨るように設定し，パルスドップラ法で心房波と心室波を記録しても同様の評価が可能である.

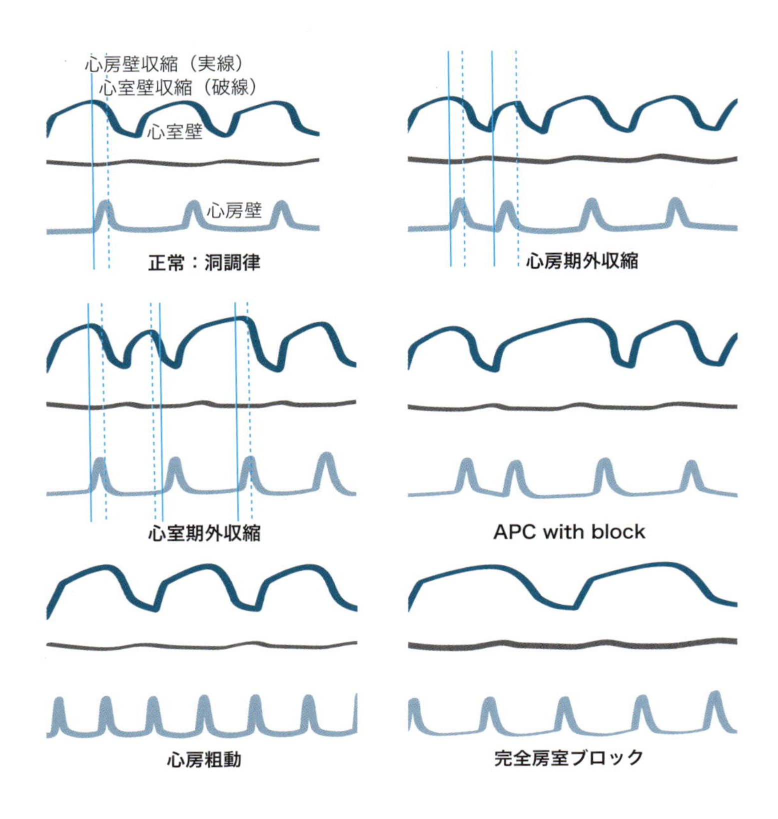

参考文献

1) Hoffman JIE：“The Natural and Unnatural History of Congenital Heart Disease”. Wiley-Blackwell, West Sussex, 2009
2) Eidem BW et al eds：“Echocardiography in Pediatric and Adult Congenital Heart Disease”. Philadelphia, Wolters Kluwer Health, Philadelphia, 2015
3) Snider AR et al：“Echocardiography In Pediatric Heart Disease, 2nd ed”. Mosby, St Louis, 1997
4) Mavroudis C et al eds：“Pediatric Cardiac Surgery 4th ed”. Wiley-Blackwell, West Sussex, 2013
5) 藤原　直：“小児心臓血管外科手術―血行動態と術式の図説・解説―”, 中外医学社, 2011
6) 種村　正 編：“解剖と正常像がわかる！エコーの撮り方完全マスター”. 医学書院, 2014
7) Lang RM et al：Recommendations for cardiac chamber quantification by echocardiography in adults：an update from the American Society of Echocardiography and the European Association of Cardiovascular Imaging. J Am Soc Echocardiogr 28(1)：1-39.e14, 2015
8) Rudski LG et al：Guidelines for the echocardiographic assessment of the right heart in adults：A report from the American Society of Echocardiography endorsed by the European Association of Echocardiography. A registered branch of the European Society of Cardiography and the Canadean Society of Echocardiography. J Am Soc echocardiogr 23：685-713, 2010
9) Nagueh SF et al：Relation of mean right atrial pressure to echocardiographic and Doppler parameters of right atrial and right ventricular function. Circulation 93：1160-1169, 1996
10) 里見元義：“心臓超音波診断アトラス 増補版 小児・胎児編”. ベクトル・コア, 1999
11) Kitabatake A et al：Noninvasive evaluation of pulmonary hypertension by a pulsed Doppler technique. Circulation 68(2)：302-309, 1983
12) Dabestani A et al：Evaluation of pulmonary artery pressure and resistance by pulsed Doppler echocardiography. Am J Cardiol 59

(6)：662-668，1987
13) Abbas AE et al：A simple method for noninvasive estimation of pulmonary vascular resistance．J Am Coll Cardiol 41(6)：1021-1027，2003
14) Hashimoto I et al：Z-values of tricuspid annular plane systolic excursion in Japanese children．Pediatr Int 57(2)：199-204，2015
15) 森　一博："日本小児循環器学会第 12 回教育セミナー資料集"，2015
16) Oh JK et al：The noninvasive assessment of left ventricular diastolic function with two-dimensional and Doppler echocardiography．J Am Soc Echocardiogr 10(3)：246-270，1997
17) Rossvoll O et al：Pulmonary venous flow velocities recorded by transthoracic Doppler ultrasound：relation to left ventricular diastolic pressures．J Am Coll Cardiol 21(7)：1687-1696，1993
18) Nagueh SF et al：Recommendations for the Evaluation of Left Ventricular Diastolic Function by Echocardiography：An Update from the American Society of Echocardiography and the European Association of Cardiovascular Imaging．J Am Soc Echocardiogr 29(4)：277-314，2016
19) Mori K et al：Left ventricular wall motion velocities in healthy children measured by pulsed wave Doppler tissue echocardiography：normal values and relation to age and heart rate．J Am Soc Echocardiogr 13(11)：1002-1011，2000
20) Mori K et al：Pulsed wave Doppler tissue echocardiography assessment of the long axis function of the right and left ventricles during the early neonatal period．Heart 90(2)：175-180，2004
21) Sohn DW et al：Assessment of mitral annulus velocity by Doppler tissue imaging in the evaluation of left ventricular diastolic function．J Am Coll Cardiol 30(2)：474-480，1997
22) Ommen SR et al：Clinical utility of Doppler echocardiography and tissue Doppler imaging in the estimation of left ventricular filling pressures：A comparative simultaneous Doppler-catheterization study．Circulation 102(15)：1788-1794，2000
23) Nagueh SF et al：Doppler estimation of left ventricular filling pressure in sinus tachycardia. A new application of tissue Doppler imaging．Circulation 98(16)：1644-1650，1998
24) Harada K et al：Assessment of global left ventricular function by

tissue Doppler imaging. Am J Cardiol 88(8)：927-932, A9, 2001
25) Zoghbi WA et al：Recommendations for Noninvasive Evaluation of Native Valvular Regurgitation：A Report from the American Society of Echocardiography Developed in Collaboration with the Society for Cardiovascular Magnetic Resonance. J Am Soc Echocardiogr 30(4)：303-371, 2017
26) 岡本寛樹 他：三尖弁逆流の術前術後. 心エコー 22(12)：1135-1143, 2021
27) Oh JK et al："The Echo Manual, 3rd ed". Lippincott Williams & Wilkins, p81, 2006
28) Baumgartner H et al：Echocardiographic assessment of valve stenosis：EAE/ASE recommendations for clinical practice. Eur J Echocardiogr 10(1)：1-25, 2009
29) Zoghbi WA et al：Recommendations for evaluation of prosthetic valves with echocardiography and doppler ultrasound：a report From the American Society of Echocardiography's Guidelines and Standards Committee and the Task Force on Prosthetic Valves, developed in conjunction with the American College of Cardiology Cardiovascular Imaging Committee, Cardiac Imaging Committee of the American Heart Association, the European Association of Echocardiography, a registered branch of the European Society of Cardiology, the Japanese Society of Echocardiography and the Canadian Society of Echocardiography, endorsed by the American College of Cardiology Foundation, American Heart Association, European Association of Echocardiography, a registered branch of the European Society of Cardiology, the Japanese Society of Echocardiography, and Canadian Society of Echocardiography. J Am Soc Echocardiogr 22(9)：975-1084, 2009
30) Olivares-Reyes A et al：Atrial septal aneurysm：a new classification in two hundred five adults. J Am Soc Echocardiogr 10(6)：644-656, 1997
31) Hanley PC et al：Diagnosis and classification of atrial septal aneurysm by two-dimensional echocardiography：report of 80 consecutive cases. J Am Coll Cardiol 6(6)：1370-1382, 1985
32) Sakakibara S et al：Congenital aneurysm of the sinus of Valsalva. Anatomy and classification. Am Heart J 63：405-424, 1962

33) Flynn MS et al：Ruptured congenital aneurysm of the sinus of Valsalva with persistent left superior vena cava imaged by intraoperative transesophageal echocardiography. Am Heart J 125 (4)：1185-1187, 1993
34) Jegatheeswaran A et al：Echocardiographic definition and surgical decision-making in unbalanced atrioventricular septal defect：a Congenital Heart Surgeons' Society multiinstitutional study. Circulation 122：S209-S215, 2010
35) Burch M et al：Cardiologic abnormalities in Noonan syndrome：phenotypic diagnosis and echocardiographic assessment of 118 patients. J Am Coll Cardiol 22(4)：1189-1192, 1993
36) Gay BB Jr et al：The roentgenologic features of single and multiple coarctations of the pulmonary artery and branches. Am J Roentgenol Radium Ther Nucl Med 90：599-613, 1963
37) 日本循環器学会：2020 年改訂版 大動脈瘤・大動脈解離診療ガイドライン（日本循環器学会/日本心臓血管外科学会/日本胸部外科学会/日本血管外科学会合同ガイドライン）.
https://www.j-circ.or.jp/cms/wp-content/uploads/2020/07/JCS2020_Ogino.pdf
38) Nishimura RA et al：2014 AHA/ACC Guideline for the Management of Patients With Valvular Heart Disease：a report of the American College of Cardiology/American Heart Association Task Force on Practice Guidelines. Circulation 129(23)：e521-e643, 2014
39) 日本循環器学会：2016 年版 学校心臓検診のガイドライン（日本循環器学会/日本小児循環器学会合同ガイドライン）.
https://www.j-circ.or.jp/cms/wp-content/uploads/2020/02/JCS2016_sumitomo_h.pdf
40) Quinones MA et al：Assessment of pulsed Doppler echocardiography in detection and quantification of aortic and mitral regurgitation. Br Heart J 44(6)：612-620, 1980
41) Takenaka K et al：A simple Doppler echocardiographic method for estimating severity of aortic regurgitation. Am J Cardiol 57(15)：1340-1343, 1986
42) Menon S et al：Hypoplastic left heart syndrome. In "Echocardiography in Pediatric and Adult Congenital Heart Disease" Eidem BW et al eds. pp181-186, Lippincott Williams & Wilkins, Philadelphia,

2010
43) Rhodes LA et al：Predictors of survival in neonates with critical aortic stenosis．Circulation 84(6)：2325-2335，1991（Erratum in Circulation 92(7)：2005，1995)
44) Need LR et al：Coronary echocardiography in tetralogy of fallot：diagnostic accuracy，resource utilization and surgical implications over 13 years．J Am Coll Cardiol 36(4)：1371-1377，2000
45) Stout KK et al：2018 AHA/ACC Guideline for the Management of Adults With Congenital Heart Disease：A Report of the American College of Cardiology/American Heart Association Task Force on Clinical Practice Guidelines．J Am Coll Cardiol 73(12)：e81-e192，2019
46) Wilcox BR et al：Surgical anatomy of double-outlet right ventricle with situs solitus and atrioventricular concordance．J Thorac Cardiovasc Surg 82(3)：405-417，1981
47) Sondheimer HM et al：Double outlet right ventricle：clinical spectrum and prognosis．Am J Cardiol 39(5)：709-714，1977
48) Alwi M：Management algorithm in pulmonary atresia with intact ventricular septum．Catheter Cardiovasc Interv 67(5)：679-686，2006
49) Michelfelder EC et al：Abnormalities of right ventricular outflow．In “Echocardiography in Pediatric and Adult Congenital Heart Disease，2nd ed” Eidem BW et al eds．pp250-271，Wolters Kluwer，Philadelphia，2015
50) Chauvaud S et al：Ebstein's anomaly：repair based on functional analysis．Eur J Cardiothorac Surg 23(4)：525-531，2003
51) Celermajer DS et al：Morbid anatomy in neonates with Ebstein's anomaly of the tricuspid valve：pathophysiologic and clinical implications．J Am Coll Cardiol 19(5)：1049-1053，1992
52) Andrews RE et al：Prediction of outcome of tricuspid valve malformations diagnosed during fetal life．Am J Cardiol 101(7)：1046-1050，2008
53) Torigoe F et al：Fetal echocardiographic prediction score for perinatal mortality in tricuspid valve dysplasia and Ebstein’s anomaly．Ultrasound Obstet Gynecol 55(2)：226-232，2020
54) Frommelt PC et al：Doppler assessment of pulmonary artery flow

patterns and ventricular function after the Fontan operation．Am J Cardiol 68(11)：1211-1215，1991

55) 山村英司：心房臓器錯位症候群，無脾症候群，多脾症候群．“別冊日本臨牀　新領域別症候群シリーズ７　循環器症候群（第２版）Ⅳ―その他の循環器疾患を含めて―”．pp126-129，日本臨牀社，2008

56) Colvin EV：Single ventricle．In “The Science and Practice of Pediatric Cardiology” Garson A et al eds．pp1246-1279，Lea & Febiger，Pennsylvania，1990

57) Karl TR et al：Congenitally corrected transposition of the great arteries. In “Pediatric Cardiac Surgery，3rd ed” Mavroudis C et al eds．pp476-495，Mosby，St Louis，2003

58) Mavroudis C et al：Coronary artery anomalies. In “Pediatric Cardiac Surgery，3rd ed” Mavroudis C et al eds．pp660-688，Mosby，St Louis，2003

59) Mavroudis C et al：Coronary artery anomalies. In “Pediatric Cardiac Surgery，4th ed” Mavroudis C et al eds．pp715-743，Mosby，St Louis，2013

60) Roman MJ et al：Two-dimensional echocardiographic aortic root dimensions in normal children and adults．Am J Cardiol 64(8)：507-512，1989

61) 鎌田政博：ピンポイント川崎病：心エコーによる冠動脈評価の実際．小児内科 46：781-787，2014

62) 日本循環器学会：2020 年改訂版 川崎病心臓血管後遺症の診断と治療に関するガイドライン（日本循環器学会/日本心臓血管外科学会合同ガイドライン）．
https://www.j-circ.or.jp/cms/wp-content/uploads/2020/02/JCS2020_Fukazawa_Kobayashi.pdf

63) Chin TK et al：Isolated noncompaction of left ventricular myocardium．A study of eight cases．Circulation 82(2)：507-513，1990

64) Jenni R，et al：Echocardiographic and pathoanatomical characteristics of isolated left ventricular non-compaction：a step towards classification as a distinct cardiomyopathy．Heart 86(6)：666-671，2001

65) Friedberg MK et al：Evaluation of mechanical dyssynchrony in children with idiopathic dilated cardiomyopathy and associated clinical outcomes．Am J Cardiol 101(8)：1191-1195，2008

66) Marx GR et al：Cardiac Tumors．In “Moss and Adams’ Heart Disease in Infants, Children and Adolescents - Including the Fetus and Young Adult, 10th ed” Shaddy RE et al eds．pp1635-1651, Wolters Kluwer, Philadelphia, 2022
67) Ristić AD et al：Triage strategy for urgent management of cardiac tamponade：a position statement of the European Society of Cardiology Working Group on Myocardial and Pericardial Diseases．Eur Heart J 35(34)：2279-2284, 2014
68) Galiè N et al：2015 ESC/ERS Guidelines for the diagnosis and treatment of pulmonary hypertension：The Joint Task Force for the Diagnosis and Treatment of Pulmonary Hypertension of the European Society of Cardiology (ESC) and the European Respiratory Society (ERS)：Endorsed by：Association for European Paediatric and Congenital Cardiology (AEPC), International Society for Heart and Lung Transplantation (ISHLT)．Eur Heart J 37(1)：67-119, 2016
69) Ivy DD：Pediatric pulmonary hypertension. In：Allen HD et al eds “Moss & Adams’ Heart Disease in Infants, Children, and Adolescents, Including the Fetus and Young Adult. 9th ed”．Wolters Kluwer, Philadelphia, pp1519-1558, 2016
70) 戸苅　創 他：新生児―肺高血圧症（PPHN）の定義と概念．日本周産期学会　周産期シンポジウム 15：8-10, 1997
71) Sharma V et al：Persistent pulmonary hypertension of the newborn．Matern Health Neonatol Perinatol 1：14, 2015
72) 村瀬真紀：新生児遷延性肺高血圧症（PPHN）の再検討　第 1 報：当院における PPHN 診断方針について．新生児誌 38：762-770, 2002
73) 日本胎児心臓病学会・日本小児循環器学会：胎児心エコー検査ガイドライン（第 2 版）．日小児循環器会誌 37(S1)：S1.1-S1.57, 2021
74) 河津由紀子：胎児心臓診断における新しい指標．日小児循環器会誌 32(5)：387-396, 2016

索　引

太字の頁数は，メインで解説されている章の開始頁を表します．

欧文・数字

索引

索引

あ行

か行

索引

さ行

た行

な行

は行

ま行

ら行

わ行

著者紹介

鎌田 政博（かまだ まさひろ）

広島市立広島市民病院　循環器小児科　元主任部長
たかの橋中央病院　小児循環器内科

略歴

1981年：岡山大学医学部卒業，医学博士
1998年：オーストラリア・メルボルン王立小児病院 Clinical Fellow
1999年：広島市民病院循環器小児科　主任部長
2021年：広島市立広島市民病院　循環器小児科　退職
2021年：たかの橋中央病院　小児循環器内科
　　　　広島市立広島市民病院　循環器小児科　兼任
2022年：広島大学大学院医系科学研究科　客員教授

専門医，認定医

日本小児科学会専門医，日本小児循環器学会専門医
経皮的心房中隔欠損閉鎖術認定医，経皮的動脈管閉鎖術認定医

学会，研究会

日本小児循環器学会理事
日本Pediatric Interventional Cardiology学会（JPIC学会）幹事・教育委員会委員
日本川崎病学会運営委員
日本成人先天性心疾患学会評議員
日本小児科学会代議員などを務める
第27回JPIC学会 会長
2009年から年2回，東京，大阪で先天性心疾患に対する心エコーセミナーを開催

イラストでイメージする
小児の心エコー 第2版

2017年4月15日発行　第1版第1刷
2018年8月20日発行　第1版第2刷
2022年11月21日発行 第2版第1刷©

著　者　**鎌田 政博**
発行者　**渡辺 嘉之**
発行所　**株式会社 総合医学社**

〒101-0061
東京都千代田区神田三崎町1-1-4
電話 03-3219-2920
FAX 03-3219-0410
www.sogo-igaku.co.jp

Printed in Japan　　シナノ印刷株式会社
ISBN978-4-88378-929-0